MARCELO SUANO

COMO DESTRUIR UM PAÍS

Como destruir um país - Uma aventura socialista na Venezuela

1ª edição: Agosto 2019

Autor:
Marcelo Suano

Preparação de texto:
André Fonseca

Revisão:
3GB Consulting

Projeto gráfico:
Citadel Grupo Editorial

DADOS INTERNACIONAIS DE CATALOGAÇÃO NA PUBLICAÇÃO (CIP)

S939c Suano, Marcelo.
Como destruir um país : uma aventura socialista na Venezuela / Marcelo Suano – Porto Alegre : CDG, 2019.
336 p.

ISBN: 978-85-68014-89-9

1. Venezuela – Política e Governo. 2. Sistema político – Venezuela. 3. Discursos Políticos. 4. Discursos Venezuelanos. I. Título.

CDD - 320.987

Bibliotecária Responsável: Cíntia Borges Greff - CRB 10/1437

Produção editorial e distribuição:

contato@citadeleditora.com.br
www.citadeleditora.com.br

MARCELO SUANO

COMO DESTRUIR UM PAÍS

UMA AVENTURA SOCIALISTA NA VENEZUELA

SUMÁRIO

PARTE 3

TÓPICOS SOBRE A ASCENSÃO DA ESQUERDA NA AMÉRICA LATINA DO SÉCULO XXI

AGRADECIMENTOS

A realização deste livro exige que sejam feitos agradecimentos a muitas pessoas que o tornaram possível. Acima de todos, agradeço a minha mulher, Daniela Alves Pereira de Andrade, que esteve comigo em toda a jornada, desde o momento em que a primeira palavra foi escrita, auxiliou na reflexão e contribuiu em todas as etapas da sua produção, e sem a qual certamente nada teria começado, menos ainda chegado a sua conclusão. A ela faço meus agradecimentos especiais, e, mais que isso, dedico esta obra.

Agradeço a minha família, particularmente a minha mãe, Algenir Ferraz Suano da Silva, que sempre foi um farol e modelo de trabalho, conquista e sucesso ao longo de sua vida e em quem todos nós nos inspiramos; ao meu falecido pai, Ubaldo Suano da Silva, que foi um exemplo de cidadão; ao meu tio Carlos Fonseca, o outro homem em quem eu me inspirei ao longo de minha vida; a minha sogra, Neuma Alves; aos meus irmãos Murilo Suano, Mário Suano, Eunice Steiner e, especialmente, a Izabel Suano, que, nestes últimos anos, tem me ajudado a continuar sonhando, mas, principalmente, ao meu irmão Ailton Grigorio de Araújo, aquele que me estendeu a mão quando eu mais precisei e não permitiu que eu caísse, razão pela qual posso dizer, sem sombra de dúvidas, que este livro eu devo muito notadamente a ele. Agradeço também ao Rodrigo Dora pelo seu estímulo constante.

Agradeço à equipe da CITADEL que se empenhou neste trabalho e me ajudou a fazer um livro com profissionalismo, pois, além da seriedade adotada em cada passo, realizaram todos os atos com uma gentileza ímpar.

Destaco principalmente o editor da CITADEL, que não apenas foi quem me tirou da inércia para escrever esta obra, como também acreditou no livro – e sempre que o vejo lembro-me dos antigos livreiros do século XVIII, aqueles intelectuais que disseminavam o conhecimento, traduziam e tornavam inteligíveis os trabalhos intelectuais que existiam, além de também escreverem os seus, ou ensinavam as reflexões de outros grandes pensadores e empreendedores como eles, sendo os responsáveis por permitir que o mundo tivesse acesso à produção intelectual que mudou a história, tanto pelo que os outros produziram e eles disseminaram, como pelo que eles próprios criaram.

Agradeço ao deputado federal Marcel Van Hatten, que com sua gentileza e elegância características me recebeu e se dispôs a contribuir com o arremate final deste livro, bem como à sua excelência Maria Teresa Belandria, a embaixadora da Venezuela no Brasil, que com sobriedade, simpatia, inteligência, sabedoria e, mesmo triste com a situação em seu país, mantém a esperança característica daquelas personalidades que constroem a história de um povo, e com muita gentileza viu a possibilidade de esta obra auxiliar no trabalho de recuperação de sua sociedade e reconstrução de seu lar.

Agradeço ao coronel do Exército Paulo Ubirajara Mendes, que, com dedicação, respeito, elegância e presteza, garantiu que os contatos e processo para a confecção do Prefácio nunca se encerrassem e foi de uma sobriedade ímpar em cada momento – um homem sério e dedicado que nos serve de exemplo de como age um profissional; e especialmente a minha querida amiga Maria de Lourdes Martins Lucchin, que, com honradez, sobriedade, caráter e postura exemplar, me estimulou à busca e permitiu que eu acreditasse ser possível dar ao livro o toque especial, vindo por meio do senhor Vice-Presidente da República, o qual enobreceu a obra com sua percepção especial e diferenciada, de um homem que viu a história ocorrer e é um dos seus construtores, razão pela qual, finalmente e de forma gigantesca, agradeço a ele, ao general Antônio Hamilton Martins Mourão, não apenas pela sua gentileza, elegância e presteza, mas também pelo exemplo que tem sido de um homem que nunca perdeu suas características gentis, mesmo alcançando os maiores triunfos como profissional e ser humano, mesmo tendo se tornado uma personalidade histórica, cujo simples andar muda o cenário a sua volta, e que, independentemente dessas questões, vem mostrando também a todos como um vulto histórico pode ser um verdadeiro cavalheiro e continuar sendo simples e humilde, mesmo que tenha se tornado uma personalidade sobre quem livros serão escritos.

PREFÁCIO

Foi com imensa satisfação e muito honrado que aceitei o convite para prefaciar o livro de Marcelo Suano, que leva o instigante e atual título "Como destruir um país – Uma aventura socialista na Venezuela".

A história é conhecidamente cíclica, o que não afasta a possibilidade de, no futuro, tentarem recontá-la conforme interesses ou prismas diversos. É nesse contexto que esta obra agrega valor histórico, por tratar de episódios significativos e contemporâneos da Venezuela, mostrando com clareza ao leitor que a "aventura chavista" está custando muito caro àquele sofrido povo.

As manchetes, fotografias e filmagens tão divulgadas nos dias atuais nos mostram uma Venezuela destruída, revelando a triste expressão da verdade e materializando aos olhos do mundo a decadência daquele belo país, onde vivi por dois anos e hoje testemunho a ruína de um povo, que teve seus direitos básicos sonegados, sob o jugo de governantes cruéis e inescrupulosamente apaixonados pela ideologia obsoleta da esquerda socialista.

O livro de Suano descreve, com riqueza de detalhes, o período compreendido desde a reeleição de Hugo Chávez, em outubro de 2012, passando por sua morte, a ascensão de Nicolás Maduro e os fatos que se sucederam, até o ano de 2017, com a posse da Assembleia Nacional Constituinte.

A figura indubitavelmente carismática de Hugo Chávez foi capaz, durante algum tempo, de aglutinar a população em torno do ideário do sonho bolivariano, usando sempre a camuflagem democrática, aliada a poderosas ferramentas de propaganda, que maquiaram com eficiência as características totalitárias do regime.

O governo Chávez nasceu no contexto da onda esquerdista que inundou a América Latina no final do século XX, caracterizando-se por práticas nefastas e demagógicas como o populismo, fraudes eleitorais, retórica antiburguesa (nacional e internacional), desvirtuamento da hierarquia no estamento militar, emprego das estruturas de Inteligência para coagir e reprimir a oposição, cooptação política do Poder Judiciário e seu uso como se Legislativo fosse, controle da imprensa e dos bens de consumo.

A morte de Hugo Chávez, vitimado por violento câncer, apresentou uma grande interrogação ao regime. Nicolás Maduro, formado ideologicamente em Cuba, surgiu como alternativa viável e resposta imediata ao problema, mesmo sendo infinitamente menos preparado para o cargo e sem o carisma necessário. Suas ações e inações fizeram com que o país continuasse imergindo no atual período de trevas.

A realidade da Venezuela, materializada pela instabilidade, isolamento e fragmentação política, tornou possível a ascensão de uma nova e jovem liderança, Juan Guaidó, que hoje capitaneia contundentes reações da sociedade civil contra o regime, em oposição à cruel repressão perpetrada pelo aparato estatal, enquanto o povo vive o caos na saúde, a absoluta falta de alimentos e remédios, constantes apagões e todo tipo de desgraças.

O futuro é uma interrogação, os mares estão revoltos, mas o povo venezuelano saberá achar o caminho para apaziguar o país e retomar a caminhada rumo à paz e ao merecido progresso de sua sociedade.

Antônio Hamilton Martins Mourão
Vice-Presidente da República Federativa do Brasil

PARTE 1

PARA DESTRUIR UM PAÍS É IMPORTANTE DISTORCER PRINCÍPIOS, VALORES E CONCEITOS!

Distorça o significado de democracia

Bolivarianos, deturpemos a democracia:
se parte da população nos escolheu,
agora só nós temos direitos. Já o povo, apenas deveres!

Os vinte anos de bolivarianismo na Venezuela praticamente impuseram uma deturpação da democracia no país. A ideologia implantada cria uma espécie de laço de sangue entre os bolivarianos, que acham que receberam direito divino ao poder que alcançaram, com a pretensão de redimirem o povo.

Por isso, acreditam e declaram que não podem ser reprovados! O partido político funciona como o caminho para identificar os membros da família bolivariana e fazer uma linha de sucessão inquestionável, devendo os herdeiros no poder serem apenas do partido e de nenhum outro lugar. É uma crença inabalável entre eles.

Devido ao caráter de salvador da pátria que o regime bolivariano deu aos seus líderes e suas personagens importantes, ao caráter místico até, e acrescentamos o modelo de dominação carismática que foi colocado no país por Hugo Chávez, a frase que resume toda essa história é: "**Chávez é o Messias, e os demais partidários os seus apóstolos**". Ah, claro, como se veem como uma espécie de nova nobreza, Chávez também é o Rei dos reis!

Para entender o que a convocação da Assembleia Nacional Constituinte significa, que imediatamente após ter sido convocada ficou conhecida em todos os lugares, incluindo pela esquerda latino-americana, como a "*Constituinte do Maduro*", é importante ver os fatos que se desdobram desde a reeleição de Chávez para presidente, em outubro de 2012, até o dia 30 de julho de 2017, o que será feito na parte dois deste livro.

Compreender esse processo permite que, hoje, se entenda a distorção na luta entre a Assembleia Nacional e a Assembleia Constituinte, bem como os passos dados pelo atual presidente da Assembleia Nacional, Juan Guaidó, de se declarar presidente interino do país, bem como por que Maduro argumenta que tem o apoio legal, argumento que se enfraquece à medida que o percurso nesse período é descortinado para todos.

Foram quatro anos e meio de combate duro entre bolivarianos e antibolivarianos; governistas e opositores (incluindo vários bolivarianos da origem); entre governo e sociedade; grupos do governo acusados de terem tomado o Estado em proveito próprio e os membros do partido de sustentação do bolivarianismo, o PSUV; entre as instituições; bem como de combates entre pessoas com grupos governamentais e o povo, sendo a figura curiosa e importante de Diosdado Cabello (que já foi quase de tudo no país) um exemplo de alguém nessa condição. Sobre ele falaremos mais adiante.

Além disso, é uma guerra dura que veio se dando entre Maduro e seu grupo contra todos os que viram nele a expressão mais acabada do esgotamento do sistema político, do modelo econômico, das políticas públicas ineficazes e da maneira carismática e propagandística como é executada a liderança do chavismo. Da mesma forma, é também uma guerra entre Nicolás Maduro e os bolivarianos que o consideraram como o responsável pela destruição da herança chavista.

Em síntese, assusta que não queiram admitir isto: é uma condição de guerra permanente! É quase uma guerra civil! E seria visto assim se o povo tivesse condições de se armar, já que esse direito lhe foi retirado durante os vinte anos de governo, incluindo campanhas de desarmamento, com destaque para a de 2015. Embora, diga-se de passagem, o volume de armas de fogo no país sempre tenha sido enorme, graças a um ato do próprio Chávez, em 2002, quando mandou distribuir armamentos ao povo para se defender da tentativa de retirá-lo do poder que ocorreu naquele momento.

Já se tornou consenso mundial que a *Constituinte do Maduro* é apenas o ato para eliminar qualquer forma de oposição no país. Ele a convocou para calar as vozes discordantes, uma vez que havia perdido a capacidade de se impor sobre a oposição, no momento em que, em dezembro 2015, a Assembleia Nacional passou a ser controlada em 65% pelos opositores. A Constituinte convocada em 2017 foi um "*cala-boca*" aos opositores ou uma espécie de "¿Por qué no te callas?" (*Por que não te calas?*) ao povo venezuelano, imitando a manifestação de irritação do então rei da Espanha, Juan Carlos, quando já não aguentava mais ouvir Chávez falando. Naquele caso era um exemplo de cansaço em relação à impertinência; neste, a impertinência de alguém que se julga mais que um rei, abusando do povo.

A partir do momento em que tomaram posse os novos deputados, em janeiro de 2016, estes se prontificaram a trabalhar efetivamente para pôr fim ao que estava sendo produzido na Venezuela: uma crise econômica sem precedentes e uma instabilidade política ao ponto de ruptura social.

Tal freio seria possível porque a Assembleia Nacional era, até aquele momento, na Constituição que não se sabe se será extinta, nem quando será, o órgão central a partir do qual todos os atos políticos dos demais poderes podiam ser definidos, autorizados e controlados em várias situações, bem como a instituição por meio da qual todas as demais instituições, exceto o Executivo, tinham permissão para preencher seus cargos diretivos. Começou, assim, por parte dos opositores, a tentativa direta, bem como constitucional e legítima, de reconquista das instituições e entidades públicas, tirando-as do controle dos chavistas.

Da mesma forma, tentaram impedir que Maduro preservasse o modo autoritário de conduzir a política na Venezuela, bem como que aumentasse o controle estatal sobre a economia, pois foi essa maneira de agir que destruiu a produção, acabou com a diversificação industrial, impediu o empreendedorismo, gerou a crise econômica e levou o país a um índice de pobreza maior que aquele existente antes de Chávez assumir o poder.

Curiosamente, tem sido perguntado se a Venezuela é governada por uma ditadura e, se sim, quando isso começa. O regime bolivariano se construiu de forma confusa, pois foi montado, segundo o discurso propagado, com a pretensão de destruir a ordem anterior para garantir a inclusão social, e quis se apresentar como uma democracia, pretensamente para estabelecer um Estado Democrático de Direito.

Essa ambição era igual à de todos os governos que emergiram pela América Latina no final da década de 80 e durante a década de 90 do século XX, pois eles surgiram com o alegado desejo de substituir os governos e regimes políticos dos anos 60, 70 e parte dos 80, bem como tudo aquilo que eles representavam.

Formalmente, o regime venezuelano foi montado com vários dos elementos que realmente existem num regime democrático, ou seja, tem divisão de poderes do Estado; está escrito na Constituição que é dada força expressiva ao Legislativo; existe processo e exercício eleitoral rotineiro; há pluripartidarismo; o sistema eleitoral, teoricamente, tenta propiciar a representação dos mais variados segmentos sociais.

Em síntese, tem alguns dos elementos que se espera existirem num regime democrático. Mas, se esses elementos são condições necessárias para que esse modelo tenha vida, não são ainda suficientes para permitir que a democracia se desenvolva, pois na forma como tais elementos são organizados e administrados no dia a dia é que são criados outros meios tão importantes quanto aquilo que está escrito numa Carta Constitucional para que a democracia se concretize e exista, e esses meios e instrumentos acabam sendo incorporados à Constituição ao longo do tempo, exatamente para que o regime democrático se consolide.

Para que se viva numa democracia, também é exigência que os instrumentos que são instaurados no dia a dia sejam construídos com a plena e livre atuação da vida política e social de um povo, coisa que não pode ocorrer sem que sejam aplicadas e constantemente respeitadas as liberdades fundamentais dos cidadãos.

Dentre elas estão as liberdades de expressão, de organização e de manifestação, bem como o direito a escolher livremente maneiras de buscar informações, ou seja, que não seja admitido o controle do Estado sobre os meios de comunicação. Além disso, que ninguém seja punido pela discordância. O direito de discordar, por si, já pode ser uma excelente régua para medir a vida democrática de um povo.

Como exemplos de elementos essenciais para a consolidação do regime democrático, podemos citar o estabelecimento dos limites para a interferência de um poder do Estado sobre o outro; os canais criados para que o cidadão obtenha informações sobre o que ocorre dentro do governo (o que gera transparência); e, ainda, tudo aquilo que deve ser criado de legislação para impedir que o governo controle a sociedade civil e seja obrigado a se submeter a ela.

Para ficar bem concreto, e pegando um exemplo claro do que acontece na Venezuela, é uma afronta à democracia que um serviço de inteligência de Estado, uma agência de espionagem, possa monitorar seus cidadãos e prendê-los, com poder de polícia, tal qual ocorre no país, em que o Serviço Bolivariano de Inteligência (Sebin) invade a casa de opositores e os leva para a cadeia! Isso é mais que uma afronta, é uma monstruosidade, que aconteceu sempre no país, e recentemente ocorreu com Guaidó.

Pode-se dizer que a democracia se constitui no seu exercício com todas as liberdades necessárias para o dia a dia do cidadão e com o controle sobre os atos do governo, sem o qual um regime não pode ser dito democrático, sendo, na realidade, apenas uma máscara para iludir a todos e permitir que se exerça o poder de forma autoritária.

Sem isso, tais elementos (divisão de poderes, pluripartidarismo etc.) tornam-se apenas parte de um escudo para que tiranos se apossem do poder, não saiam mais dele e, em nome de supostos direitos que os governantes têm, destruam a liberdade do povo.

Tristemente, o fazem com base em direitos e poderes que lhes foram dados pelo povo, exatamente com os instrumentos de um regime democrático, cuja construção não foi concluída porque esses indivíduos passaram a usar do que lhes foi dado para impedir que a sociedade e o cidadão controlem os seus atos.

Sem liberdade, a democracia morre, se é que chegou a nascer! E não adianta haver propaganda sobre ações de inclusão social, medidas assistencialistas que foram adotadas por determinado tempo para diminuir a fome e as carências da população, independentemente de terem sido reais e terem significado algo de bom e necessário.

Certamente, foram usadas para iludir o povo de que este tem o poder em suas mãos. Mais importante, para convencê-los de que devem apoiar o grupo governante, já que vendem a ideia de que sem esse grupo a sociedade não receberá mais tais benefícios e medidas de inclusão social, uma vez que criam a falsa certeza de que somente os governantes no poder pensam nisso ou somente eles podem fazer algo positivo. É exatamente o que ocorreu na Venezuela desde 1999.

Situações como essa nos lembram uma peça publicitária do jornal *Folha de S.Paulo* veiculada na TV no Brasil, na década de 80 do século passado, em que começava mostrando a imagem com um ponto preto; à medida que a câmera se afastava, outros pontos iam surgindo, até chegar a uma distância correta, em que se via um retrato que só era possível ser identificado quando observado da perspectiva e distância adequadas.

Enquanto a imagem ia adquirindo contornos, mas não se sabia ainda o que surgiria, uma voz de fundo ia falando:

"Este homem pegou uma nação destruída, recuperou sua economia e devolveu o orgulho ao seu povo! Em seus quatro primeiros anos de governo, o número de desempregados caiu de seis milhões para novecentas mil pessoas. Este homem fez o produto interno bruto crescer 102% e a renda per capita dobrar. Aumentou os lucros das empresas de 175 milhões para 5 bilhões de marcos e reduziu uma hiperinflação a no máximo 25% ao ano. Este homem adorava música e pintura, e quando jovem imaginava seguir a carreira artística. É possível contar um monte de mentiras dizendo só a verdade! Por isso, é preciso tomar muito cuidado com a informação e o jornal que você recebe!".

O retrato em questão era de Adolf Hitler! Essa peça publicitária é muito interessante, pois, independentemente do perfil ideológico atual do jornal, naquela peça publicitária, o brilho intelectual dos seus autores praticamente resume os problemas que temos quando se adota um caráter fanático na ação política e se aceita e defende um comportamento messiânica dela, tal qual se deu na Venezuela com o chavismo e se dá ainda hoje com Maduro e muitos outros bolivarianos.

O afirmar que "É possível contar um monte de mentiras dizendo só a verdade!" significa apenas que não se pode tomar os fatos separados e os atos positivos isolados para avaliar o que está sendo feito. A Venezuela é um caso, mas o mesmo se espalha pela América Latina, incluindo o Brasil, principalmente na propaganda eleitoral do partido que esteve no poder por 13 anos.

Principalmente, não se pode ignorar a forma como esses atos positivos foram realizados, para concluir que o resultado é e será benéfico. O como está sendo feita a ação é tão importante quanto saber o que precisa ser feito para que um povo respire uma vida livre.

A tendência é esquecer que a democracia se autoconstrói no seu exercício e na existência de todas as condições e instituições necessárias para que ela esteja atuante, e não apenas com a presença de um ou outro dos seus elementos.

Um exemplo comum desse erro está em considerar que a democracia se confunde com a existência do voto, acreditando que a simples vivência de eleições mostra que se habita um ambiente democrático.

Não é raro ouvir lideranças justificando que não se pode contrapor os atos de governantes, ou retirá-los do cargo, pelo fato de eles terem sido escolhidos pela maioria do povo. Ou seja, não se pode questioná-los, contrapor-se a eles, ou buscar afastá-los (ressalte-se que pelas formas legais, por meio de canais institucionais), pois é antidemocrático, já que foram eleitos pelo povo. É a tal da narrativa dos que não querem sair do poder, mesmo que a sociedade esteja com ojeriza em relação a eles.

Como foi escolhido, tem o direito de lá permanecer independentemente do que possa estar fazendo em prejuízo da sociedade que apostou nele, seja por erro de avaliação dos eleitores, seja porque o sistema eleitoral é inadequado ao ponto de criar amarras que levam para a política apenas o que se tem de pior no meio social, ou o sistema eleitoral é inadequado por ter sido estruturado para fazer com que a busca pelos cargos de mando seja dada a apenas determinados grupos.

Uma das provas de que na Venezuela não está ocorrendo o exercício da democracia e, além disso, que o regime democrático está reduzido ao voto é que, ao longo desses quase sete anos em que Nicolás Maduro está na presidência venezuelana, tentou-se o seu afastamento pela revogação do mandato, algo constitucional no país e desejado pela maioria dos cidadãos; no entanto, todos os instrumentos legais e ações ilegais foram usados para impedir qualquer ação desse direito da cidadania, que é controlar os governantes e afastá-los quando eles agem destruindo a sociedade.

Para impedir que tal exercício democrático se concretizasse, foram aplicadas várias formas de violência, desde as legais, embora sob mascaramentos, e as ilegítimas, embora dentro da lei, até as claramente ilegais.

Podemos citar como estando nesse bolo a repressão contra as manifestações populares que ocorriam dentro da lei; a detenção de manifestantes e de líderes opositores sob alegação de distúrbio da ordem; a prisão de lideranças políticas sob a acusação de terrorismo; e a prisão de cidadãos que discordaram do governo (isso é "*crime de opinião*"!!!), alegando-se tudo o que fosse conveniente para fazê-lo.

Também para justificarem essas ações, comprovando que para eles democracia se resume ao voto, ou se confunde apenas com isso, argumentam que o presidente Maduro não pode ser afastado pelo simples fato de que isso é antidemocrático, já que ele foi eleito, ignorando, claro, as manobras usadas para garantir o pleito favorável.

Além do mais, declaram que as vozes discordantes não são representativas, não são maioria, por isso o governo tem o direito e o dever de silenciá-las, embora tal coisa, não ser a maioria, não seja o essencial para vermos a distorção desse argumento. E ainda há um agravante nesse argumento: as pesquisas de opinião, os analistas independentes e até mesmo os índices oficiais chegam a afirmar que as manifestações conseguem há muito tempo alcançar número majoritário da sociedade, conforme amplas divulgações na mídia.

Curiosamente, todas as formas de silenciar a discordância são feitas em nome da democracia! Complementarmente, se deve dizer ainda que a justificativa moral para exigir a permanência no poder é de que suas intenções e objetivos são produzir a igualdade do povo e a extinção da pobreza na sociedade. Como suas intenções são essas, não podem ser afastados, já que eles são os porta-vozes do futuro. Mais adiante neste livro veremos por que se dizem representantes do progresso, já que tem até teoria para explicar tal coisa.

Como dito, esses defensores do regime consideram que existe equivalência entre voto (sufrágio, eleições) e democracia, mas o exercício do voto não é suficiente para que ela exista. O sufrágio é uma condição necessária, pois expressa a voz individual e coletiva, mostrando a escolha daquilo que pode melhor representar o desejo dos segmentos sociais, do povo e do cidadão. Além disso, ele estabelece a alternância no poder, impedindo que alguém se adone dos cargos considerando-os como propriedades sua.

Contudo, novamente, o voto não é uma condição suficiente para que algo seja dito democrático, porque não traz consigo os instrumentos para que o poder continue sendo do povo e não seja transferido sem condições e sem limites para quem este escolheu, diga-se de passagem, apenas como seu representante, ou seja, apenas como um servidor, nada além disso.

Somente a existência do voto também não traz consigo que haja o estabelecimento claro e eficaz dos limites ao exercício do poder, ou o estabelecimento das formas de controle dos poderosos e as maneiras de puni-los em seus atos errados, limites que devem ser implantados e não podem ser destruídos pela vontade de quem chegou ao cargo de mando.

Mesmo porque, acrescente-se, o fato de alguém ter sido escolhido pela maioria dos eleitores lhe confere única e exclusivamente uma autorização para, em nome do povo, e não em substituição a ele, conduzir grupos e gerenciar meios na produção de projetos que possam resolver os problemas da sociedade e buscar o equilíbrio entre as suas partes, bem como a harmonia entre os segmentos que a compõem.

Por isso, não se pode conceber que na essência da democracia esteja a ideia de que, junto com a concessão de tal autorização a quem quer que seja, também está a doação ao eleito para que ele seja intocável, principalmente se estiver eliminando os que discordam dele, os que são diferentes de sua ideologia, ou seja, se estiver extinguindo a oposição, que sempre vai existir, por menor que seja.

Pelo que tem sido visto, esse discurso e ação são típicos tanto do governo Maduro quanto do bolivarianismo, e também da esquerda latino-americana, que não admitem a possibilidade de a verdade estar fora da sua doutrina e de sua ação política. O silenciamento dos que discordam deles é o que está ocorrendo de forma mais crua e dura neste momento no país.

Ressalte-se ainda que a autorização que o povo confere a alguém que é eleito não atribui inquestionabilidade aos seus atos, imunidade para os seus erros, invulnerabilidade em relação aos seus desmandos, menos ainda inimputabilidade em relação aos crimes que possa cometer.

A democracia exige, para que possa viver e ser preservada, que todos os atos dos governantes sejam transparentes, bem como que sejam acompanhados, controlados e passíveis de impedimento e punição, caso fique claro que foram de má-fé, ou errados por produzirem resultados prejudiciais – ressaltando-se que diante de provas concretas que confirmem os erros cometidos.

Claro, também, que tudo deve ser feito por meios institucionais, e não por ação individual e pelo uso da violência. Por isso mesmo a democracia necessita que sejam criados os instrumentos de investigação ao governo e de acompanhamento dos atos dos governantes.

Contudo, exatamente porque a democracia só adquire corpo no seu próprio exercício é que também não basta apenas criar instrumentos para o que foi dito. Eles têm de ser executados no dia a dia, e devem existir condições para que sempre sejam produzidos novos freios aos poderosos quando eles tentam aproveitar-se de brechas legais para que as formas de controle sobre eles sejam extintas, ignoradas ou distorcidas.

Isso aconteceu, por exemplo, logo depois que a oposição venceu as eleições legislativas em 2015, algo que veremos adiante. Que se grite em alto e bom som: **só pode haver democracia se o povo tiver meio de controlar seus governantes e de se defender de seus abusos**.

Numa única afirmação, a democracia não se reduz a uma ou outra instituição que a constitui, ou a um ou outro comportamento; ela é composta de um conjunto de instituições que permitem ao povo **escolher quem o governa; participar do governo, em alguma medida; controlar os poderosos; submetê-los a sua vontade e retirá-los do exercício de mando se estes não se mostrarem dignos da função que desempenham, ou forem incompetentes na execução dos projetos**.

Ela pressupõe, nesse sentido, que haja transparência, liberdade de opinião e de manifestação, e ampla capacidade institucional de retirar do poder o empregado escolhido pelo povo que não quer entender qual é o seu verdadeiro lugar.

O povo não é escravo do governante! Este, sim, que é o seu servidor, tem o dever de prestar contas sobre o que faz – mais importante ainda, prestar contas sobre como faz –, e sobre ele deve recair a mais dura punição legalmente estabelecida sobre a sua má-fé, se ela for identificada. Parafraseando Voltaire: será linda a era que nascerá após o último governante autoritário ser enforcado nas tripas do último político corrupto! Sem pregar violência e fazendo analogia, claro, em defesa de uma penalização dura e exemplar sobre esses dois tipos de excrecências da política.

Voltando à pergunta se a Venezuela é governada por uma ditadura e, se sim, quando isso começa, pode-se dizer que o regime chavista começou com a idealização democrática, mas não com a implantação de uma democracia.

O exercício da política ao longo desse período se desenvolveu construindo um regime autoritário, com a tomada do governo pelo partido governista (inicialmente, o MVR – Movimento Quinta República – e, depois, o PSUV – *Partido Socialista Unido de Venezuela*) em suas amplas estruturas; com a tentativa ainda não concluída de tomada absoluta do Estado pelos chavistas; e com a pretensa absorção da sociedade pelos bolivarianos. Porém, eles ainda não foram vitoriosos, pois, hoje, a sociedade venezuelana é majoritariamente contrária ao governo, ao partido, ao regime bolivariano, ao chavismo e ao seu atual presidente. Além disso, o cenário internacional mudou, com as derrotas da esquerda pelo continente e uma nova rebelião contra Maduro, a qual poderá trazer uma situação trágica ao país, independentemente do resultado.

Nesse processo, ocorreu uma concentração de poder nas mãos de uma corrente ideológica (a esquerda bolivariana), depois num partido e posteriormente num grupo. Como, ao longo do período, sobreviveram alguns canais institucionais para o povo se manifestar e existiu a possibilidade de opositores tentarem chegar a cargos de mando, tanto que exerceram e exercem alguns governos regionais e municipais, não se concluiu a implantação de um regime totalitário nem conseguiram estabelecer uma ditadura perfeita, isso, claro, até a fatídica data de 30 julho de 2017, que gerou o embrião que está formando, desenhando o monstro, e, dependendo do que ocorrer nesse momento, em 2019, se os militares continuarem com Nicolás Maduro e o sangue jorrar pelo país.

A pretensão totalitária existiu desde o início e foi aplicada ao longo da luta política do dia a dia no país. Porém, a forma selecionada para fazê-lo foi a tomada das instituições, usando o instrumento democrático do voto, com a mentira propagandística de que ele era suficiente para expressar o que a democracia é.

Além disso, ludibriando a todos dizendo que os bolivarianos estavam sendo democráticos em tudo o que faziam apenas porque queriam resolver o problema da inclusão social e foram escolhidos por parte do povo para isso. Esquecem que, excetuando-se alguns extremistas segregadores que ainda existem pelo mundo, a inclusão social é o desejo de todas as linhas políticas atuais. O que as diferencia é a forma de consegui-la.

Nesse sentido, não houve ditadura plena ao longo desses anos, mas a construção paulatina de um "*autoritarismo iluminado e salvador*", na alegada busca da inclusão social e com a pretensão de trazerem o progresso. No entanto, neste momento, certamente ela poderá ser instaurada, sem disfarces, como dito acima. Ressalte-se que o desejo claro foi e é o de concluir um projeto totalitário no país, em que a sociedade seria tutelada e depois absorvida pelo Estado, por isso, pelo regime bolivariano e pelo partido que governa.

Se tal coisa não chegou a ser efetivada, e a ditadura não chegou a ocorrer sem disfarces, certamente se deu porque ainda sobreviveram algumas das instituições e comportamentos da democracia durante esse período de destruição da verdadeira vida democrática.

Em especial, sobreviveu o pedaço de uma delas no país, embora sempre tolhida, monitorada, reprimida e sob violência. Mas, por existir, em algum grau, por menor que seja, ela impediu que a ditadura se instaurasse claramente nesse período: sobreviveu, ainda que raquítico, depauperado e perseguido, um pouco da liberdade fundamental de opinar, se organizar, se expressar publicamente e de obter algumas informações não controladas pelo Estado.

Deve-se ressaltar, contudo, que não se pode dizer que uma sociedade seja efetivamente democrática porque isso ainda existe, ainda mais da forma mais pífia, já que tal liberdade também aparece em menor alcance em regimes autoritários – e a Venezuela sob Hugo Chávez é um bom exemplo disso.

É um paradoxo triste, mas que mostra como a democracia é uma flor frágil que precisa ser muito bem cuidada. Infelizmente, a presença em alguma medida dessas liberdades fundamentais também não é suficiente para dizermos que uma sociedade é democrática.

Relembrando, em regimes autoritários elas também estão presentes, embora em graus mínimos, pois nesses regimes tais comportamentos e ações são autorizados relativamente para determinados grupos, mas não para toda a sociedade, sobre a qual se impõem constrangimentos e se faz repressão.

No entanto, aqui está o ponto fundamental, se elas podem aparecer em menor dimensão nos regimes autoritários, é inquestionável que, caso não apareçam numa sociedade, então é certo que se está vivendo sob uma ditadura.

Um regime democrático exige, de forma concreta e institucionalizada, tanto que haja a inclusão dos mais variados segmentos sociais como que nenhum dos grupos que chegue ao poder possa se sobrepor aos demais com o intuito de impedir que as divergências sejam expressadas; anular as vozes diferentes; extinguir as discordâncias legítimas, feitas por canais legais; e impedir a apresentação e negociação das demandas que vão contra o que esse grupo considera como sendo a sua linha política e seu programa de governo.

Ou seja, um regime democrático exige que nenhum dos grupos possa extinguir o debate ou apagar a discordância por considerá-la maléfica. E, mais uma vez, isso só é possível com a preservação dessas liberdades fundamentais de forma ampliada, e não apenas para um grupo.

Nesse sentido, pelo que observamos do processo histórico que se inicia em 1999, a Venezuela não era ainda uma ditadura, mas, além de isso sempre estar no horizonte do bolivarianismo, esta já começou a se apresentar com a convocação da Constituinte, no dia 30 de julho de 2017, e com a decisão, tomada no dia 18 de agosto, de a Assembleia Constituinte assumir funções da Assembleia Nacional.

De então, a ditadura tentou se mostrar claramente, pois foram reduzidos ou encerrados os canais que podem impedir a extinção das liberdades no país, e qualquer cidadão está sob o peso das decisões de um único grupo, que tem meios para legalizar a instauração da violência como forma de ação política, sendo isso, sim, uma condição e um elemento que dão corpo concreto a um regime ditatorial.

Foi tal coisa o que os chavistas fizeram ao longo de sua existência e neste período recente em especial, sob Maduro: **distorceram o significado da democracia e violentaram o seu povo sob o argumento de que o fazem para garantir o progresso social e a igualdade**. Sempre o mesmo discurso e a mesma desculpa, mas isso foi um tique nervoso da esquerda por toda a região, é bom que se diga. Não é à toa que também desvirtuaram o significado de uma Assembleia Constituinte.

Distorça o sentido de uma Constituinte

Que a Assembleia Constituinte seja a forma de calar a boca da oposição e intimidar o povo!

Em 30 de julho de 2017, o presidente venezuelano, Nicolás Maduro, concretizou sua ameaça de instaurar uma Assembleia Constituinte, botando mais gasolina no fogo da crise política, social e econômica de seu país.

A propaganda e o discurso foram de que ela é necessária para reformar o sistema político, sendo, assim, o instrumento adequado para solucionar a situação em que se encontra a Venezuela.

A ideia de uma nova Constituição traz a imagem de um pacto, um novo Contrato Social, partindo da conclusão de que a antiga não tinha mais funcionalidade e não conseguia dar conta daquilo que os especialistas chamam de "*espírito do povo*" e "*espírito da época*". Ou seja, não consegue mais corresponder ao que o povo é em determinada época, já que ele mudou e incorporou a adaptação às novas realidades e surgiram novas necessidades.

De maneira mais crua e realista, no entanto, a ideia de uma nova Constituição para um país traz à cabeça situações que estão postas diante de todos, e destaco três possíveis:

1. **Existe uma Constituição, mas ela não tem meios e instrumentos eficientes para responder àquilo que a sociedade quer**: isso significa que o documento constitucional não tem formas definidas para acompanhar as transformações na sociedade, as quais poderiam fortalecer cada vez mais as instituições que essa Constituição criou, exatamente porque permite que se façam as alterações necessárias nas leis, sem descartar os fundamentos daquela sociedade. Ou seja,

com o documento antigo não há como fazer leis que acompanhem a realidade surgida do trabalho e esforço do dia a dia que existe nas relações entre as pessoas. Isso mostra uma gigantesca fraqueza do texto constitucional, já que ele não permite acompanhar as mudanças que ocorreram ao longo do tempo. Nesse caso, a Constituição acaba impossibilitando que o Poder Legislativo do Estado (o instrumento que deve realizar as mudanças da legislação) faça as alterações necessárias nas leis, respondendo ao espírito atual do povo, por isso a Constituição não consegue acompanhar as novas necessidades sociais e se torna cada vez mais desligada da realidade.

Certamente, será dito que ela teve uma falha de construção interna e, por isso, tem prazo de validade, pois inevitavelmente cairá, restando apenas saber quando. As instituições que ela criou estão erradas, por não conseguirem observar os pontos que são essenciais para que até mesmo o exercício transformador na política aconteça.

Talvez por essa razão não seja possível fazer as adaptações exigidas ao longo do tempo, ficando em descompasso com a sociedade, e, quando precisam realizar as adaptações, acabam vendo uma estrutura social em abalo, tendo de responder de forma desorganizada aos desejos do povo, aos desígnios sociais, aos projetos de partidos políticos, às ações legais e legítimas da sociedade que são apresentadas por intermédio de seus cidadãos.

Ressalte-se que a estabilidade seria conseguida se existissem mecanismos, pois as modificações nas leis seriam produzidas exatamente pelo canal correto para fazê-las, o qual deve ser estruturado e fortalecido para tanto: o Poder Legislativo, seja ele denominado Assembleia, Congresso, Parlamento ou outra denominação qualquer.

Ou seja, de forma concisa, nesta primeira situação, as instituições políticas não conseguem dar conta daquilo que lhes cabe: apresentar soluções aos pedidos da sociedade, exatamente porque a Constituição é falha, está mal escrita, mal estruturada, mal fundamentada, foi mal construída e não apresenta os canais e instrumentos necessários;

2. **A Constituição tem mecanismos, mas eles são inadequados e inoperantes:** a segunda situação que vem à mente é que os mecanismos para acompanhar e responder às mudanças de uma época até existem, mas não são capazes de fazer alterações de fundamento sem se ter de refazer as instituições políticas do país. Nesse caso, todos veem como obrigatório que o próprio Legislativo seja reorganizado ou que a Carta Constitucional seja substituída por outra, mais adequada. Essa situação é diferente da anterior, em que os mecanismos não existem. Neste caso, eles até estão previstos e aparecem na Constituição, mas não se consegue fazer muita coisa.

Sempre há um travamento de quaisquer ações que visem mudanças, daí ser necessário ou reescrever o regimento interno de um Parlamento, o qual diz como o parlamentar deve se comportar para qualquer coisa dentro de um Legislativo, inclusive como deve propor e aprovar as leis e atuar para realizar as alterações da legislação de um país, ou, então, começar um processo constituinte, pois nada funciona ou anda.

O pior cenário é quando se desrespeita a Constituição por ela não dizer como resolver os problemas que surgem, mas ela define parâmetros que devem ser seguidos. Exemplo claro se deu no Brasil no momento da votação no Senado do *impeachment* da ex-presidente Dilma Rousseff. Para resolver os problemas dos políticos que ali estavam, ignoraram a Constituição e ficaram produzindo caminhos naquele momento para afastar a presidente, mas não puni-la.

É um exemplo de uma Constituição que tem os instrumentos, mas eles não são satisfatórios e claros, abrindo espaço para qualquer coisa de baixo nível e, pior ainda, com peças teóricas para explicar o desrespeito à lei.

O problema é que, nesse caso de se pensar uma Constituinte, sempre aparece no horizonte a dúvida se será uma Constituinte originária ou não, que, de uma forma mais simples, significaria perguntar se o processo constituinte vai preservar as chamadas cláusulas pétreas, aquelas leis que não podem ser mudadas, já que, se forem, podem gerar qualquer coisa, inclusive a destruição daquela sociedade e a instituição de outra completamente diferente;

3. **A Constituição foi ultrapassada pelo conflito político e social, pois não reflete o sistema político que ela criou, nem a relação que se estabeleceu entre o sistema político e a sociedade**: também traz em mente a situação em que a luta política gerada na sociedade e estabelecida nos poderes do Estado chegou a um ponto em que os mecanismos constitucionais não conseguem resolver as diferenças, dar repostas ou buscar mediação.

Nesse caso, as lutas entre as partes estão em plena ebulição, e não há caminho para produzir acordo, demonstrando que a Constituição é mais uma vez falha e mal escrita, ou que a organização social construída por ela fracassou em sua pretensão de produzir uma sociedade equilibrada, com harmonia.

Talvez porque a Carta Magna e seus mecanismos políticos não foram e não são capazes de produzir uma sociedade justa, mas, também, e certamente, por um erro de "*engenharia institucional*", significando isso que houve erro na forma como se construíram os poderes do Estado, dizendo o que são, quais papéis lhes cabem, bem como a maneira de se relacionarem. Além do mais, que houve erros na formulação de todos os possíveis meios criados para que a sociedade pudesse interferir no governo, participando dele e limitando-o, para o bem dela própria. A Venezuela vive essa situação. Não há meios de o povo impedir as ações do Executivo, mesmo que a Constituição prescreva tal possibilidade. Um exemplo claro é o Referendo Revogatório de Mandato Eletivo. Ele existe e está previsto no documento constitucional, mas fazê-lo funcionar é quase impossível, como veremos na parte dois deste livro.

A Constituição da República Bolivariana da Venezuela tem em seus artigos mecanismos para permitir as adaptações necessárias ao texto, que podem ser executadas pelo Poder Legislativo, conforme as regras de maioria qualificada, bem como a possibilidade de convocação de uma Constituinte, estando explícitos, nos artigos 347 e 348, que esta pode ser instaurada mediante convocação do "*Povo*", por intermédio de suas instituições.

No entanto, o melhor seria dizer que a convocação é feita por meio de suas autoridades, e não do povo, já que não fica claro no texto o processo a ser seguido. Mesmo que a Constituição diga que o povo é o depositário do Poder Constituinte originário e possa diretamente convocar a Assembleia Constituinte com 15% dos eleitores solicitando-a, para fazê-lo ele necessitará da legalização da convocação, o que ocorre pela autorização de um poder do Estado que pode estar totalmente politizado, ideologizado ou aparelhado, o que seria equivalente mais especificamente do Poder Eleitoral, algo que não consta nos artigos citados, mas está na lei ordinária que acaba definindo o que deve ser feito.

De forma mais direta, afirma-se que a Constituinte pode ser convocada, mas a descrição do processo que deve ser usado é nebulosa. Para não trazer dúvidas, seguem abaixo os artigos para leitura:

Capitulo III
De la Asamblea Nacional Constituyente
Artículo 347
El pueblo de Venezuela es el depositario del poder constituyente originario. En ejercicio de dicho poder, puede convocar una Asamblea Nacional Constituyente con el objeto de transformar al Estado, crear un nuevo ordenamiento jurídico y redactar una nueva Constitución.
Artículo 348
La iniciativa de convocatoria a la Asamblea Nacional Constituyente podrá hacerla el Presidente o Presidenta de la República en Consejo de Ministros; la Asamblea Nacional, mediante acuerdo de la dos terceras partes de sus integrantes; los Consejos Municipales en cabildos, mediante el voto de las dos terceras partes de los mismos; y el quince por ciento de los electores inscritos y electoras en el Registro Civil y Electoral.
CONSTITUCIÓN DE LA REPÚBLICA BOLIVARIANA DE VENEZUELA, paginas 344-345.

Em português:
Capítulo III
Da Assembleia Nacional Constituinte Artigo 347
O Povo da Venezuela é o depositário do poder constituinte originário. No exercício do dito poder, pode convocar uma Assembleia Nacional Constituinte com o objetivo de transformar o Estado, criar um novo ordenamento jurídico e redigir uma nova Constituição.
Artigo 348
A inciativa de convocação da Assembleia Nacional Constituinte poderá fazê-la o Presidente ou Presidenta da República em Conselho de Ministros; a Assembleia Nacional, mediante acordo de duas terças

partes de seus integrantes; os Conselhos Municipais em Prefeituras, mediante o voto das duas terças partes deles; e os quinze por cento dos eleitores e eleitoras inscritos no Registro Civil e Eleitoral.
CONSTITUIÇÃO DA REPÚBLICA BOLIVARIANA DA VENEZUELA, páginas 344-345.

É importante ressaltar que ela permite a convocação de uma Constituinte Originária, ou seja, dá a possibilidade de que sejam descartadas todas as leis, inclusive aquelas cláusulas que são a expressão do caminhar em direção a um modelo específico de sociedade que estava sendo pensado quando a Constituição foi escrita.

Independentemente dessa situação venezuelana, que leva a ponderar sobre a necessidade ou não de se convocar uma Constituinte, a História nos mostra, contudo, que, quando uma Assembleia Constituinte surge no cenário de um país, isso não se dá em momento no qual todos, de forma iluminada e pacífica, chegam à conclusão de que deve haver alterações nas leis fundamentais para adaptá-las às novas exigências daquele povo.

Ela é convocada porque uma ruptura surgiu, uma crise política irreversível se instaurou, de maneira que se torna irrelevante se há ou não mecanismos adequados para mudança de leis na Constituição que se quer aposentar, se é que ela merece ser aposentada. Na realidade, ou se está diante de um processo transformador para evitar a ruptura da sociedade, ou está ocorrendo uma situação revolucionária, ou ocorreu um golpe de Estado, com a mudança de regime político e também possível mudança de forma e sistema de governo.

O que existe de fato é a vontade de alguém ou de um grupo que detém poder para jogar fora tudo o que havia, se desejável for para ele, ou para eles, já que percebem que seus interesses não estão sendo atendidos, ou que podem ser enfrentados por outros grupos, quando não pelo povo, que começou a se organizar para mudar sua condição injusta de sujeição.

Indo direto ao caso dessa Constituinte venezuelana convocada por Nicolás Mauro, pode- se afirmar, sem receio, que **ela foi imposta pela vontade de um grupo que deseja preservar o poder contra as exigências de um povo que sofre ausência de liberdade, vive uma crise econômica decorrente da implantação de um modelo que fracassou ao longo dos últimos vinte anos, por várias razões, e hoje observa uma fratura social poucas vezes vista na sua história.**

A reflexão que melhor define a Constituinte imposta é de que foi "***o ato supremo para derrubar um Legislativo e calar as vozes da oposição, que se levantou em processo que dura os quase mesmos vinte anos para tentar confrontar um dos mais perfeitos exemplos no mundo de ação política capaz de destruir um país***".

Engana-se aquele que queira tomar como referência a crise dentro deste atual Parlamento venezuelano, ou dele com o Executivo, para afirmar que a oposição está impedindo o governo venezuelano de atuar e, por isso, o chavismo precisa dessa ação para não possibilitar mais que as vozes chamadas por eles de "*reacionárias*" destruam o que foi construído pelo bolivarianismo.

Como peça de propaganda usando o mito do líder, chegam mesmo a dizer que não podem ser destruídas as conquistas conseguidas pela luta pessoal e sofrida do denominado Comandante Chávez, ou Companheiro Chávez, como falam os aliados pela América Latina. Ou seja, para a propaganda, dizem que as conquistas foram conseguidas graças, exclusivamente, ao "*Triunfo da Vontade*" de Chávez e dos bolivarianos contra o que dizem ser todo o mal que há naquela sociedade.

Essa expressão curiosa, no entanto, serve bem para expressar o que os bolivarianos indicam indiretamente quando se referem à Venezuela, ao seu regime, aos seus líderes e a sua política, bem como quando se referem ao desejo de Chávez e ao sonho do bolivarianismo. Sim, podemos entender que eles usam da ideia do "*Triunfo da Vontade*" como sendo aquilo que os chavistas realizaram com a sua luta quando descrevem a ascensão e as conquistas do bolivarianismo.

No entanto, não se pode esquecer que tal expressão ilustra de maneira mais ampla e correta as conquistas típicas de ditadores, mais precisamente o modelo surgido na década de 30 do século XX, quando a democracia foi vista como um estorvo e um empecilho à implantação de um projeto de poder, um projeto social, um planejamento governamental, ou ao estabelecimento da suposta grandeza de um povo, tanto quanto ao seu crescimento, desenvolvimento e renascimento.

Se alguns julgam que a democracia é menos importante que a implantação de um projeto de sociedade, por mais digno que seja esse projeto imaginado, certamente já existe um erro de origem na proposta, pois, se a democracia tem falhas, ainda assim não foi inventado nenhum modelo melhor do que ela para executar projetos, tanto que mesmo os candidatos a ditadores da atualidade, especialmente na América Latina, afirmam que desejam todo o poder para si, ou para o seu grupo, ou para o seu governo, em nome dela e para a sua defesa. Nesse sentido, os ditadores dos anos 30 foram menos hipócritas.

Engana-se ainda aquele que queira considerar que a situação na Venezuela chegou a esse ponto porque a oposição se comportou sempre em confronto com Hugo Chávez e suas políticas públicas, impedindo que a inclusão social ocorresse no país.

Esse discurso é o dos que estão no poder e daqueles que ideologicamente se posicionam ao seu lado. É um discurso de vitimização dos governantes venezuelanos e dos bolivarianos que tenta justificar as falhas e erros cometidos ao longo desse tempo, afirmando que não houve erro propriamente dito.

Dizem que, na realidade, apenas não conseguiram executar o que queriam devido à contraposição que receberam das denominadas elites burguesas, ou da conspiração internacional, dos imperialistas associados, da extrema direita venezuelana apoiada pelos imperialistas americanos etc., pois estes não queriam que as políticas fossem implantadas e assim pudessem preservar os seus interesses particulares.

É um erro aceitar esse discurso, pois todo governo ou grupo de poderosos que quer anular as vozes discordantes, ou destruir a possibilidade de diálogo, se justifica da mesma forma e age da mesma maneira para impedir que alternativas apareçam ao seu planejamento, não raro, alternativas que poderiam levar a resultados muito melhores. Usam da mesma estratégia para anular o outro e da mesma justificativa para essas ações violentas contra a liberdade da sociedade.

Engana-se também aquele que queira considerar que a crise se deu porque o atual presidente, Nicolás Maduro, não tem a capacidade administrativa e política de Chávez, porque é incompetente e, portanto, o regime e o modelo econômico têm de ser preservados, já que, na realidade, ele apenas não está sendo conduzido adequadamente, razão pela qual o exercício deste governo está fracassando, mas não o bolivarianismo.

Ou seja, a ruína estaria se dando por culpa de uma liderança fraca, mas não devido à estrutura política e ao modelo econômico criados e implantados. Por isso, para não produzir ruptura com o regime, acreditam esses defensores que se deve arrumar uma forma de substituir o líder fraco, garantindo a estrutura tal qual ela é, ou acreditam que se deve suportar o atual governante, para preservar o sistema político.

É estranho, mas parece que esse é um modelo de ação política da atualidade que não é específico da Venezuela e dos bolivarianos. Inventa-se que é melhor suportar por determinado tempo o que não é adequado, para impedir que algo pior apareça, preservando o que existe, o que foi feito e o mesmo grupo, embora em menor número de membros, até que melhores condições permitam a alteração das lideranças. Quanto ao povo, sua fome, desemprego e angústias..., são apenas detalhes, e que suportem até o final.

Tais desculpas não respondem ao que ocorre e foi produzido na Venezuela. O regime implantado por Hugo Chávez e seus partidários tinha em si o gérmen da destruição pela sua própria concepção, implantação e forma como foi se estruturando, mesmo que se possa dizer que havia grandes problemas sociais que precisavam ser solucionados, e muito improvavelmente esses problemas seriam resolvidos por aqueles que estavam no poder antes do surgimento do bolivarianismo, se é que teriam o desejo de fazê-lo. Dizer que algo precisava ser realizado não significa nada, pois tão importante quanto dizer o que precisa ser feito é saber como vai ser feito.

Assim, um grupo com uma ideologia, um projeto e um líder surgiu. É admissível que tenham apresentado um bom sonho e tenham feito algumas ações corretas, mas os erros cometidos, pela forma como foram montadas a política e a economia, jogaram fora a chance de produzir uma mudança real que preservasse uma sociedade equilibrada e livre.

O modelo que implantaram tinha e tem em si o indicativo da destruição, pois não consegue acompanhar a mudança ocorrida na ciência, na tecnologia, na organização da cadeia produtiva, na economia mundial e nas relações internacionais, especialmente nestas.

Pode-se afirmar que Chávez e parte de seu grupo até entenderam um problema e fizeram uma aposta, mas errada, diga-se de passagem, e perceberam uma maneira de atuar no mundo contemporâneo, tanto que conseguiram certa longevidade, duas gerações. Contudo, assustadoramente, o fizeram com os instrumentos e mentalidade de um nível de atraso que só poderia gerar contradição, esgotamento e ruptura.

Independentemente disso, é possível observar que foram criativos, mas o problema da criatividade na política é que, quando se tenta ser criativo para ir contra a realidade, e não para conseguir se harmonizar com ela, o resultado é desunião, violência, desagregação, combate, fome e sangue derramado. De outra forma: **o resultado é a destruição de um país e o sofrimento de um povo**.

PARTE 2

UMA CRÔNICA DA VIOLÊNCIA

Alavanque os medíocres

Sem medíocres no poder, não há como destruir um país!

O questionamento vivido por Nicolás Maduro começou exatamente no momento em que ele substituiu interinamente Hugo Chávez, quando este, após vencer o pleito eleitoral de 2012, adoeceu, foi removido para Cuba e lá ficou durante semanas, até ser transportado novamente para a Venezuela. A partir de então, Maduro continuou, mas porque tentaram esconder a real condição de Chávez; porém, não houve mais como negar que ele estava morto.

Maduro era o vice-presidente escolhido pelo Comandante, já que, no sistema político venezuelano, o vice-presidente não é eleito juntamente com o presidente, mas indicado por este após tomar posse, como se fizesse parte da equipe ministerial.

Ao ser erguido ao posto interino, enquanto esperava o retorno de Chávez, que estava em Cuba, Maduro recebeu contraposição e questionamentos de todos os setores. Bolivarianos julgavam-no fraco e possivelmente escolhido por Chávez por receio de que o cargo ficasse nas mãos de alguém com condições e histórico para lhe fazer frente.

Na época, Diosdado Cabello, que hoje está na Constituinte e foi presidente da Assembleia Nacional, era citado como um dos nomes fortes do bolivarianismo, exercia cargo elevado e tinha uma biografia expressiva, pois ficara com Chávez desde a tentativa de golpe que ele tentou dar em 1992. Em síntese, era uma figura histórica, tinha currículo, tinha uma percepção sobre o que era e o que deveria ser o bolivarianismo e poderia ser capaz de exercer uma liderança com alta probabilidade de produzir seguidores, embora não fosse detentor do carisma que Chávez tinha.

Maduro, pelo contrário, tinha o que o presidente mais desejava: era fraco, mediano, sem grande expressão, ascendeu pelos quadros do partido e em sua atuação como sindicalista. Por ser considerado como menos provido de destaques, tanto intelectualmente quanto em termos biográficos, não tinha condições de se realçar em quaisquer cenários nos quais Chávez estivesse presente.

Como em toda experiência de liderança carismática, a exercida por Chávez, para se preservar, exigia que fosse constantemente retroalimentada. Ou seja, exigia que o líder apresentasse apenas a si como modelo, como referência para o povo, que fosse visto como o único portador da chave que abre os caminhos e o condutor do processo histórico.

Perfis como esse de Maduro são necessários, senão a dominação carismática não se mantém. Nesse sentido, quando ela se instaura sobre uma sociedade, já se espera que, cedo ou tarde, surgirá o problema da sucessão, pois dificilmente estará ativo alguém com capacidade real de substituir o líder "*amado*" pelo povo. Certamente, os mais habilitados a serem líderes serão afastados, constrangidos, impedidos de ascender e isolados, exatamente para que não possam fazer sombra ao líder supremo.

Normalmente, aqueles que receberão os holofotes e chances reais de comandar politicamente são os vistos como limitados por ele, os que não produziram relação direta com a sociedade e não têm empatia com o povo, ou, na realidade, são apenas os incompetentes que ascendem para depender de quem os elevou. Essa característica, inclusive, é a mais visível, pois o comum é que subam ao lado do líder pessoas menos dotadas de condições de liderança, capacidade discursiva, aptidão administrativa, aptidão intelectual, quando não aqueles que se contentam e até sentem satisfação em se abrigar à sombra de alguém que tenha força de liderança.

A dominação carismática gera este tipo de coisa: lideranças se cercando de pessoas limitadas para que não sejam confrontadas, e sucessões fracassadas porque não há como aparecerem indivíduos que exerçam uma função que depende essencialmente e mais especificamente da atual relação afetiva e da empatia que se criou entre o líder e os liderados.

Em casos como o que se deu na Venezuela, em que Chávez escolheu como sucessor imediato alguém que não tinha admiração e respeito dos demais seguidores, menos ainda empatia com o povo, e esse teve de assumir com a morte prematura daquele que o guindou ao cargo, é mais que esperado que, desde o momento em que ascendeu ao posto, ele passasse a receber a contraposição de todos.

Da mesma forma, e exatamente por isso, é que durante o seu exercício governamental suas ações foram apenas para se defender e para tentar se manter no cargo, indiferente às necessidades sociais, aos desejos do povo, à administração eficiente da coisa pública e à aplicação de um programa de governo coerente.

A subida real de Maduro, no entanto, veio de um golpe do destino, a morte de Chávez, que não se esperava que ocorresse de forma tão brusca. Porém, destaque-se, foi o próprio presidente morto quem preparou o campo para a confusão que ocorreria neste mandato de Maduro. Em especial durante a batalha das eleições presidenciais, ao longo de 2012.

Diga que a eleição é importante, mas, no fundo, saiba que a despreza

Para ser reeleito, Hugo Chávez usou de todos os caminhos possíveis para impedir o que parecia ser impossível: que a oposição conseguisse derrotá-lo, já que havia muitas suspeitas de que ela tinha condições reais de fazê-lo.

Um sério indicativo disso foi inclusive a vitória do seu partido, o PSUV, nas eleições legislativas de 2010, que só ocorreu porque houve certa reengenharia na distribuição de mesas, seções e zonas eleitorais, fundindo zonas ou fragmentando-as de maneira calculada para que não existisse dúvida de que o partido governista vencesse.

As campanhas foram polarizadas, com o presidente, especialmente ele, fazendo todos os tipos de acusações contra os opositores. Acusava-os de mentir, de receber influência externa, financiamento dos EUA, de serem representantes do narcotráfico. Além disso, usou de todos os meios para impedir que a oposição fizesse campanha. Por exemplo, interrompia o horário de propagada eleitoral dos opositores para colocar no seu lugar a Fala do Presidente, apresentando ao povo suas ações administrativas.

Complementarmente, não havia pesquisas confiáveis. Às vezes, os responsáveis por elas não apresentavam dados e índices corretos, pois estavam associados ao governo e trabalhavam em regiões já certas como favoráveis ao chavismo, ou deformavam metodologicamente a pesquisa de outra maneira. Mas, principalmente, não havia como conseguir um retrato fiel do eleitorado, já que muitos entrevistados tinham receios de se pronunciar, ou, quando o faziam, respondiam de forma a não correr riscos, respondendo sempre favoravelmente ao presidente.

Assim, ao longo de todo o ano de 2012, sempre que se tocava no tema das eleições presidenciais que ocorreriam em outubro, os índices apontavam uma vitória com grande margem de votos favoráveis à reeleição de Hugo Chávez. No entanto, quando os números apareciam, surgia no ar uma dúvida enorme, pois todos se questionavam como poderia haver tanta diferença se as eleições legislativas de 2010 haviam apontado que os opositores estavam cada vez mais fortes, diante de uma crise que estava aumentando.

Provavelmente, os números para a oposição estavam na casa dos 40% da preferência do eleitorado, bem próximo da metade, se já não houvessem ultrapassado o governante. Esses questionamentos, no entanto, eram abafados pela propaganda do governo, pelos comerciais de TV, pelos encontros de Chávez com a população, nos quais ele realizava verdadeiras peças teatrais.

Como exemplo de pesquisa eleitoral, em uma realizada entre os dias 23 e 27 de julho de 2012 pelas agências "*Instituto Venezolano de Análises de Dados*" (*IVAD*) e *Hinterlaces,* e anunciada no dia 5 de agosto pelo jornalista e ex-vice-presidente venezuelano Vicente Rangel na cadeia de televisão Teven, foi dito que Hugo Chávez se mantinha muito à frente do candidato opositor Henrique Capriles.

Pelos resultados dessa consulta, em que foram entrevistadas 3.851 pessoas, Chávez estava em média 31,4% à frente do segundo colocado. Porém, a pesquisa se deu nos estados de Yaracuy, Anzoátegui e Cojedes, onde havia três governadores do *Partido Socialista Unido de Venezuela (PSUV)*, partido de Hugo Chávez.

Em Yaracuy e Cojedes, Chávez detinha 65% e 60%, respectivamente, contra 21,8% e 32% de Capriles, segundo o IVAD. Em Anzoátegui, pela Hinterlaces, ele alcançava 49% contra 26% de Capriles. Também foram apresentadas pesquisas de avaliação da sua administração, nos mesmos lugares. Em Yaracuy, 85,5% a consideravam positiva. Em Anzoátegui, o resultado apresentou 66%, e em Cojedes o índice foi de 84%.

Observadores apontaram na época que os saldos favoráveis ao presidente certamente estavam sendo definidos pelo controle que o Estado tinha sobre a sociedade, bem como pelo controle que Chávez tinha sobre os poderes e instituições do Estado venezuelano. Além disso, havia também o controle do governo sobre a imprensa, ressaltando-se ainda que eram pesquisas feitas em lugares com governadores bolivarianos no poder.

Especularam também que o presidente tinha contado com um intenso e competente conjunto de profissionais de marketing político que o auxiliavam em seus discursos para anular as críticas. Um exemplo dessa condução estratégica do discurso ocorreu no reconhecimento dos erros administrativos que poderia ter cometido. **O objetivo era esvaziar as acusações que receberia na campanha e centrar foco na reivindicação de mais tempo para terminar a tarefa que iniciara.**

Em seu oitavo comício eleitoral, por exemplo, ele afirmou: "Às vezes não fomos eficientes em dar as respostas às necessidades do povo. Eu me comprometo que o próximo governo será melhor que este que está para terminar". Ele e seus assessores acreditavam que essa forma de conduzir o argumento seria capaz de anular as acusações de Capriles, como a de que os recursos venezuelanos tinham sido usados para o exterior, ao invés de aplicado no país, tal qual este dizia: "*Utilizamos* [a Venezuela, no caso, o governo de Chávez] *os recursos para arrumar os rumos de outros países, para dar emprego a outras pessoas em outros países. Este governo tem a Venezuela em ordem alfabética. Primeiro a Argentina e os demais países*".

Além disso, Chávez era orientado a dizer que o setor da imprensa que ele ainda não havia conseguido controlar era o responsável por não informar corretamente e não divulgar as obras feitas pelo seu governo ao longo dos anos. Declarava em campanha eleitoral: "*Os meios de comunicação só obedecem aos interesses dos seus donos, que são da direita.* Devemos continuar dando a conhecer a obra da revolução". A isso ele chamava de "*déficit comunicacional grande*". Era também uma forma de responder às acusações de Capriles sobre o controle dos meios de comunicação.

Da mesma maneira, ao acusar a imprensa ainda não controlada, ele tentava invalidar as denúncias e solicitações do opositor ao Conselho Nacional Eleitoral para que este regulasse as transmissões simultâneas e obrigatórias de rádio e televisão, pois, de acordo com Capriles, as declarações de Chávez nesses programas tinham fins eleitorais. Ou seja, o tempo de propaganda do governante estava multiplicado em relação ao da oposição.

Analistas, na época, apontavam que o presidente tinha maioria das intenções de voto, mas não conseguiam avaliar nem medir a real diferença que existia, nem se ela poderia ser revertida, pois, segundo tinha sido indicado por muitos observadores internacionais, as informações eram fragmentadas, estavam sob controle, da mesma forma que as pesquisas anunciadas podiam estar sendo direcionadas.

Também havia um risco elevado de o presidente estar recebendo apoio indevido e mesmo externo, e um exemplo foi a acusação de que os chefes de Estado do Mercosul tiveram como objetivo impactar em sua eleição ao votarem pela inclusão da Venezuela no bloco regional.

Por esse conjunto de razões, não dava para construir cenários precisos, mas apenas estimar que Chávez realmente estava na frente devido ao grupo de fatores que o favorecia. Embora, deve-se destacar, também fosse admissível uma alavancagem da oposição tal qual ocorrera nas eleições legislativas, pois, afinal, as informações eram imprecisas para medir se era real a fraqueza dos opositores, conforme o governante ficava declarando. Apesar dessa imprecisão toda, ninguém acreditava que Chávez perderia, pois eram desproporcionais as vantagens materiais e os controles institucionais que ele tinha, algo que lhe permitia ter domínio sobre a sociedade.

Na reta final da campanha eleitoral, por volta do mês de setembro, estava sendo questionada a situação privilegiada de Hugo Chávez, que se mostrava com ampla vantagem ao longo do mês anterior.

De acordo com dados apresentados pelas análises de intenção de voto, o Comandante ainda mantinha uma margem expressiva de pontos à frente do seu concorrente opositor, Henrique Capriles, mas já surgiam institutos apontando empate técnico entre os dois, até mesmo com ligeira vantagem para Capriles.

Contudo, não havia garantia sobre os números apresentados, devido à incerteza sobre os trabalhos dos variados institutos, mas também, principalmente, graças à forma como a política vinha sendo conduzida no país. Ninguém tinha como certificar qual a verdadeira margem da vantagem de Chávez, e, por isso, estava óbvio que sua situação não era tranquila.

As ações políticas dos bolivarianos eram de confronto físico, tal qual ocorre ainda hoje, algo que mostra ser a violência na Venezuela uma característica não do governo atual, mas, sim, do regime ao longo das duas décadas em que veio se construindo.

Naquela campanha de 2012, por exemplo, os grupos se confrontavam diretamente nos comícios e passeatas, com ameaças de morte diretas para o candidato da oposição, além de brigas entre partidários de ambos os competidores.

O uso de militantes para brigar durante os comícios do opositor era tão corriqueiro, e tão metodológico para os bolivarianos, que era possível comparar o procedimento usado pelo grupo do presidente com aquele adotado pelos fascistas nas décadas de 20 e 30 do século XX, na Europa, quando partidários invadiam e impediam comícios, faziam ameaças aos candidatos opositores e brigavam durante os discursos dos candidatos para impedir que lhes fosse dada a palavra.

Detalhe, essa descrição é exata para os dois momentos (fascismo na Europa nos anos 20 e 30 do século XX e eleições venezuelanas de 2012), e também é válida para hoje. Essa técnica de impedir o outro de se pronunciar estava sendo usada em todos os campos, momentos e situações: nos comícios; nas redes de rádio e TV, com interrupção forçada; na propaganda eleitoral; nas reuniões da oposição; nos discursos em lugares públicos; nas palestras de opositores etc.

Um exemplo foi quando o governo interrompeu a transmissão de um evento do qual Capriles participava, substituindo-a por pronunciamento presidencial em rede nacional de rádio e TV com duração de duas horas, como forma de impossibilitar a manifestação política do opositor. Ao longo dessas horas, ele fez propaganda sua sobre um programa para comemorar a inauguração do ano letivo no país, quando entrou em contato com crianças para que estas lhe agradecessem pela escola, pelo material escolar etc.

Capriles imediatamente se manifestou no Twitter declarando: "*Cadeia de rádio e TV para a lorota continuar caindo em cima dos venezuelanos a 20 dias da eleição*". Além disso, declarou que sua proposta criticava a revolução socialista de Chávez: "*Minha revolução* é *que você tenha* água, *luz, emprego. Essa* é *a minha revolução*"; em vez de "*revolução*", haverá "*evolução*".

Tais frases e ideias que estavam sendo ditas naquele evento não podiam ser divulgadas. Daí as ações violentas e os cortes de pronunciamentos que sofreu. Declarou ainda que sua intenção era melhorar os vários problemas que vivia a Venezuela, e não o mundo, numa alusão direta ao fato de Chávez usar o dinheiro do país para emprestar aos aliados socialistas pela região: "*Tantos problemas que vemos na nossa Venezuela, vocês imaginem que eu chegue como presidente e lhes diga para esquecerem da água, da luz, do emprego. Não, isso não* é *importante. Aqui o importante* é *a paz do planeta,* é *salvar a espécie humana*".

Os opositores se irritaram com a atitude do presidente e o acusaram de estar usando de meios inadequados para impedir o crescimento do outro candidato, tanto que, desde o dia 1º de julho, data de início da campanha, até aquele momento, Chávez já tinha mais de 70 horas de propaganda (dados apresentados pelo boletim *Alerta Eleitoral*, de organizações sociais venezuelanas), sem ter sido impedido pelo *Conselho Nacional Eleitoral* (CNE). Ou seja, ele tinha conseguido esse tempo desproporcional devido à possibilidade de uso da máquina pública.

A então presidente do CNE, Tibisay Lucena, afirmou que o órgão não poderia regulamentar as redes nacionais convocadas pelo governo, apesar de ser a sua instituição a responsável pela regulamentação do processo eleitoral do país, algo que demonstrava a total submissão do Poder Eleitoral, um dos cinco poderes do Estado venezuelano (Executivo, Legislativo, Judiciário, Cidadão e Eleitoral), ao Poder Executivo.

Os ataques do presidente e de seus partidários ao candidato opositor foram aumentando. Estimulou-se a veiculação de denúncias de corrupção na campanha de Capriles, tanto que houve o afastamento de um dos assessores do concorrente por supostamente ter recebido dinheiro de um empresário que pediu apoio a ele. Capriles negou a corrupção, mas afastou o acusado e declarou: "*O tempo nos dará a razão, o tempo nos permitirá deixar as coisas claras, e, como toda tempestade, no começo* é *muito dura, mas depois chega a calmaria. Sempre a verdade sai na frente. (...) Não há nada de mau, de irregular (em receber dinheiro), é a dinâmica eleitoral pedir apoio eleitoral*".

Infelizmente, Capriles deveria estudar também um pouco os ditados populares russos. Nesse exemplo da tempestade, não se diz que depois da tormenta vem a calmaria. É um povo reconhecido pela sua capacidade de sobrevivência e que sempre olha o mundo de forma mais dura. Para o russo, todos devem estar sempre preparados diante da crueza da realidade, e, como o mundo é cruel, ele sempre espera que, ao invés da bonança ou calmaria, "*depois da tempestade o que vem é a enchente*". Parece que é o que vem ocorrendo na Venezuela de 2012 para cá, e olha que a tempestade ainda não acabou – e uma nova começou em janeiro de 2019!

Após a apresentação de um vídeo sobre o acontecido, em entrevista coletiva Capriles afirmou sobre Caldera, o acusado de corrupção, que "*Ele não tem o direito de utilizar meu nome, e nenhuma pessoa tem o direito de utilizar meu nome para obter benefícios pessoais*". No entanto, o caso passou a ser usado de forma intensa pela equipe de Chávez, que, independentemente de ter abusado da máquina pública para fins eleitorais pró-presidente, foi ao CNE pedir investigação.

Acusaram que houve casos de suborno, corrupção e forma irregular de financiamento de campanha. Ressalte-se que, pelo que tinha sido divulgado, o responsável pela entrega do dinheiro de suborno, ou caixa dois, foi um enviado de um empresário próximo ao chavismo, algo que deixava a situação ainda mais confusa.

O que importava era existirem acusações e alguns fatos que permitiriam a ativação do CNE contra a oposição, situação que não acontecia quando se tratava de ações e denúncias contra o presidente.

Henrique Capriles, brigando com as armas que tinha, ficou constantemente desafiando Chávez para um debate público, mas este recusou-se a participar de qualquer enfrentamento direto com riscos de se ver constrangido a responder as questões mais complicadas a respeito da longa crise que seu governo trouxera, ainda mais diante do fato de ele sempre alegar que havia mudado o país.

Além disso, estava na pauta da discussão que ele tinha levado a Venezuela à perda de investimentos externos, bem como diminuído os investimentos públicos para diversificação da malha industrial, sem contar que tinha transformado o Estado venezuelano em um aparelho para o assistencialismo, com a criação de uma estrutura autoritária e antidemocrática de governo, e baseado a economia praticamente apenas no petróleo.

O maior agravante se dava pelo fato de ter gerado tal destruição apesar do longo tempo que teve para concentrar esforços, recursos que fluíram de forma intensa devido ao alto preço do petróleo na primeira década do século XXI, e realizar investimentos no país. Ao invés de fazer isso, dedicou-se a projetar o poder da Venezuela na região, a espalhar a ideologia para os vizinhos e a fazer uma política externa completamente fora das reais condições venezuelanas: um país pobre, exportador de *commodities* e constantemente em conflito interno.

Ou seja, não há como pensar que a crise que hoje vive a Venezuela decorre do que está acontecendo neste momento. Isso não é real. Antes de Maduro chegar ao poder, o cenário era o mesmo, apenas não tão caótico, e, já naquele momento da reeleição de "*el Comandante*", as críticas que se faziam ao governo e ao bolivarianismo eram iguais às que Maduro recebia até a convocação da Constituinte e continua recebendo depois dela. Da mesma forma, também se reproduz o comportamento do governante de apenas desqualificar os opositores em vez de debater propostas. Afinal, o exercício da política para os bolivarianos se mostrou ser desqualificar e calar o outro, por quaisquer meios que estiverem em suas mãos.

Como exemplo, ao longo de várias chamadas e discursos, Capriles declarava que "*os venezuelanos gostariam de escutar um debate sobre propostas, os venezuelanos não querem ouvir insultos*"; ou indagava "*Qual é o problema – pergunto ao candidato do governo – de fazermos uma horinha (de debate) em rede nacional de rádio e televisão, com cada um apresentando seu programa, sua proposta?*"..., afirmando "*São vocês (apontando para o povo para o qual discursava no bairro de Petare, subúrbio de Caracas) que devem decidir, são vocês que precisam escutar e comparar, eu tenho uma proposta para cada um dos problemas da Venezuela. Não tenho interesse em aprofundar um projeto político, o que me interessa é construir uma Venezuela melhor*". Mas isso não surtia efeito, pois as respostas de Chávez eram apenas de recusa pela desqualificação do candidato opositor. Declarava-o como insignificante. Em suas palavras, Capriles "*não é nada*" e não tinha propostas.

Chávez sempre adotou a postura de proximidade com o povo para intensificar o seu carisma, tática que lhe garantiu acesso direto às camadas mais pobres da população, a qual lhe dava a sustentação eleitoral. No entanto, ao longo dos últimos anos até aquela eleição, mesmo que ele tivesse obtido alguns significativos sucessos em programas sociais, os fracassos econômicos, a queda da produção industrial, os problemas da *Petroleos de Venezuela S. A.* (PDVSA), o desabastecimento da população e as acusações de perseguição política e atentados aos direitos humanos levaram a uma perda significativa desse apoio.

Isso era tão claro que as eleições legislativas realizadas em 2010 apresentaram apenas uma pequena vitória do partido presidencial, o *Partido Socialista Unido de Venezuela* (PSUV) – ainda assim, sob a acusação de terem ocorrido manipulação e alteração das regras, com a fusão de regiões eleitorais, mudança de legislação e extinção de áreas eleitorais para impedir que o PSUV fosse derrotado.

Além do mais, após o saldo frustrante daquele resultado para o mandatário, foi adotada uma medida legislativa antes da posse do novo Congresso, como maneira de blindar o governo do crescimento dos opositores na Assembleia Nacional. Foi permitido ao presidente que governasse sem autorização e controle do Legislativo, por meio das denominadas *Leis Habilitantes*.

Essa situação não seria autorizada com os novos deputados eleitos para a Assembleia Nacional que assumiria no início do ano de 2011. Fazendo um salto no tempo para a situação de Maduro, com a vitória da oposição nas eleições legislativas de 2015, ele não conseguiu fazer antes da posse do novo Congresso, em 2016, o mesmo que fez Chávez naquele momento, em 2010. Não é à toa que Nicolás Maduro precisou calar a Assembleia Nacional em 2017 com a tal Constituinte.

Faltando 14 dias para as eleições presidenciais, os institutos de pesquisa apresentavam resultados divergentes acerca de quem estaria na liderança da preferência eleitoral. De acordo com a empresa Datanalisis, por exemplo, em pesquisa divulgada no dia 19 de setembro, Chávez deteria 14,7 pontos de vantagem sobre o opositor Henrique Capriles, apresentando 43,8% contra 29,1%, restando ainda 8,8% de indecisos e 14,4% de consultados que não responderam à pergunta, ressaltando-se que estavam na disputa seis candidatos, embora as chances de vitória se concentrassem apenas em Chávez e Capriles.

Outras pesquisas divergiam dos números apresentados pela Datanalisis, além de divergirem entre si. Por exemplo, numa mesma semana, a empresa Predicmática apontou que o candidato opositor apresentava 48,3% contra 43,9% de Hugo Chávez, enquanto a pesquisa realizada pelo Instituto Venezuelano de Análise de Dados (IVAD) mostrou Chávez com 50,3% contra 32,2% de Capriles.

Apesar dessas diferenças e divergências, sabia-se que Chávez ia vencer, pois dificilmente alguém conseguiria derrotar o amplo uso dos recursos disponíveis que ele tinha para a campanha eleitoral. Como exemplo disso, houve a distribuição de mais de um milhão de exemplares da compilação de relatos de Chávez no livro que estava sendo publicado com o título *Cuentos Del Arañero*.

O próprio ministro da Cultura venezuelano da época, Pedro Calzadilla, tinha feito declaração em que apenas reforçava essa distorção do processo eleitoral, pois disse o seguinte: "*A meta é distribuir 1 milhão de exemplares em formatos distintos. Cerca de 60 mil estão circulando em formato tradicional e 300 mil vão circular como tabloide na semana que vem*". O livro, que também ficou disponível na internet, foi escrito pelos cubanos Jorge Legañoa e Orlando Orama, reunindo um total de 175 relatos de Chávez retirados do seu programa semanal "*Alô, Presidente*".

Nada mais explícito do que isso como exemplo do uso da máquina pública para beneficiar um candidato numa eleição. Acrescente-se que, como foi dito, Chávez usou recursos estratégicos que extinguiram a possibilidade de concorrência. Podemos listar:

1. Mobilizou as massas para sufocar manifestações contrárias às suas em comícios e reuniões da oposição;
2. Concentrou seu discurso em acusações contra Capriles, em vez de apresentar projeto de governo;
3. Recusou qualquer debate eleitoral com os opositores;
4. Aterrorizou as classes mais pobres, levantando a hipótese de que, se ele fosse derrotado, o novo presidente cancelaria as ações de inclusão social, como as Missões Bolivarianas, ou seja, aquelas ações do governo para resolver problemas sociais pontuais. Como exemplo, podemos citar as missões voltadas para saúde e, dentre elas, os mutirões de médicos que faziam cirurgias de catarata para as populações carentes;
5. Declarou que a ajuda e assistência à população mais pobre da Venezuela seriam canceladas, pois se tratava de programas sociais governamentais.

Curiosamente, foram recursos idênticos ao usado pela ex-presidente brasileira Dilma Rousseff em sua campanha eleitoral de 2014, quando veiculou propaganda afirmando que, se perdesse as eleições, o presidente eleito cancelaria o programa Bolsa Família e todos os programas sociais, além de ter declarado isso também durante um debate eleitoral. O mesmo ocorreu agora, em 2018, quando se tentou insuflar a ideia de que uma derrota do PT seria o equivalente ao encerramento das ações de inclusão social, dentre elas os programas governamentais para os mais pobres. O que é compreensível, pois se trata de uma mesma forma mental de tratar a política e o processo eleitoral dentro da democracia: **apenas atacar o outro, tentando mostrar que ele agirá contra o povo, cancelando medidas necessárias aos mais pobres, em síntese, reduzir o opositor a ser alguém que somente olha para a elite do país.**

Destaca-se ainda que os discursos de campanha do presidente foram articulados com as manifestações feitas pelos seus grupos de apoiadores, já que, intencionalmente, eram mobilizadas as pessoas que recebiam benefícios das Missões Bolivarianas para se manifestarem, criando a imagem de que ele era o protetor do povo, tanto que o governo apresentava essas ações com o lema "*As missões são do povo e estão com Chávez*". O efeito propagandístico foi muito grande.

A Capriles, o principal candidato opositor e único capaz de derrotar Chávez, restou reivindicar que o mandatário aceitasse o debate público discutindo propostas governamentais, conforme escrevia em seu *Twitter* ("*Uma hora em rede para debater diante de toda a nossa Venezuela as propostas do Progresso vs o continuísmo. O país quer ver!*"), e defender-se afirmando que Chávez estava mentindo sobre a real situação venezuelana, bem como sobre as propostas de governo, tanto sobre a sua própria quanto em relação à da oposição. No *Twitter* também escreveu: "*deixe de mentir aos venezuelanos sobre nossas propostas usando recursos que são de todos*".

O que restava à oposição era a expectativa de que, mesmo com a derrota, a diferença fosse pequena. Isso mostraria a divisão na sociedade venezuelana, bem como que não era real o alegado amplo apoio ao governo, já que também tinha de ser levado em conta que o voto no país não é obrigatório e a vitória se dá num único turno pelo candidato que tiver o maior percentual de votação. No caso do presidencialismo, diga-se de passagem, esse modelo é um dos que mais fragilizam a democracia.

Na última pesquisa de intenção de votos divulgada na Venezuela, no dia 25 de setembro, pelo instituto Datanalisis, foi apresentado que a diferença entre os dois concorrentes havia caído para aproximadamente 10%, mostrando uma aceleração do candidato opositor, Henrique Capriles, na reta final de campanha, mesmo com tudo o que Chávez estava fazendo.

Os dados apresentados indicaram que o presidente permanecia com 47% dos votos, e Capriles com 37,2%, mas este vinha com crescimento constante, razão pela qual ganhava cada vez mais espaço e levava a que todos aceitassem que a eleição se encontrava em aberto.

Tal pesquisa concordava com a de outras duas empresas feitas por consultorias que apontavam o empate técnico entre ambos e faziam projeção sobre os números daqueles que se apresentaram como indecisos, levando os dois oponentes a igualdade nos números.

A interpretação era de que o avanço de Capriles se devia principalmente ao fato de ele estar sendo intenso em sua campanha, tendo realizado 62 viagens, visitado 260 cidades e feito dezenas de comícios a mais que Chávez. Este, provavelmente por sua pior condição física devido ao câncer, reduziu a forma ativa que o caracterizou de apresentar-se constantemente diante do povo mais pobre, no qual consolidou sua base eleitoral.

Em função dessa carência por parte do governista, abriu-se um espaço para que Capriles fizesse visita às regiões onde Chávez tinha domínio e levantasse questões que comprometiam o discurso assistencialista do presidente, dentre elas o fato de não terem sido feitas as reformas necessárias em 14 anos de poder.

O presidente, diante desse crescimento dos opositores e da possibilidade de vencerem, se fez de vítima, a tática que sempre o acompanhou desde que assumiu o poder, em 1999. Para tanto, ele criava uma possível acusação contra si, a colocava na boca do adversário e a disseminava na mídia. Assim, defendia-se antecipadamente de uma acusação que ele dizia que certamente seria feita no futuro breve. Na imprensa dá-se a isso o nome de "*plantar factoides*".

Curiosamente, conseguia anular o que viria depois, pois desgastava o problema trazendo para o presente possíveis argumentos do opositor para afetá-lo moralmente, mesmo que fossem verdadeiros. Assim, no momento em que fosse trazida a questão ao público, ela não tinha efeito, pois já estaria colocada dentro de uma estratégia de defesa.

É um estilo eficaz de vitimização em que antecipadamente alguém se defende de um crime que deve estar cometendo, já que se prepara agora para o ataque que virá, reduzindo quaisquer acusações futuras a meras calúnias.

Nesse sentido, deve-se tirar o chapéu, pois parecia um enxadrista se antecipando ao adversário, colocando-se no lugar dele para atacar a si mesmo de forma a esvaziar os movimentos futuros.

Uma grande vantagem desse tipo de procedimento é instaurar a confusão antes, torná-la constante, mas desgastá-la, e sobreviver a ela, porque não apenas foi ele que a antecipou, como também o fez com os seus instrumentos, por isso já estando preparado para suportar o fato. Assim, no ambiente confuso, por mais absurdo que possa parecer, ele olha o cenário e consegue ver ordem, já que entende como contornar os passos que virão.

Como exemplo disso, duas semanas antes da eleição ele passou a declarar que a oposição estava tramando e articulando elementos, dados, documentos e fatos para acusá-lo de fraudar as eleições, e ela faria isso logo depois do anúncio dos resultados do pleito do dia 7 de outubro. Ou é um profeta, ou sabe que é verdade. Talvez por isso já considerava como ganha a eleição, apesar de as pesquisas eleitorais indicarem o contínuo crescimento do seu adversário, Henrique Capriles.

Segundo afirmou, seria uma forma de recusar o resultado e tentar tumultuar o país. Ou seja, já estava tumultuando antes. Em suas palavras:

> "*Alguns dirigentes da direita radical, da extrema direita, estão fazendo planos para ignorar a vitória do povo em 7 de outubro, para cantar fraude e chamar sua gente* às *ruas para cometer violência. (...). Recomendo que não se atrevam. Digo a todos os dirigentes políticos da direita que se preparem para jogar limpo no 7 de outubro, para respeitar o resultado eleitoral que, certamente, será a favor da revolução bolivariana*".

Além disso, recusou novamente participar de um debate eleitoral com o opositor e referiu-se a ele de forma considerada ofensiva:

> "*Está desafiando Chávez para um debate?! Primeiro aprende a falar, garoto, entra na missão Robinson (programa estatal de alfabetização), menino. Você é um analfabeto político, um ninguém! Como quer debater com Chávez, menino?!*".

Em síntese, a campanha inteira se deu no nível mais baixo possível, mas sempre tentando fazê-lo dentro da preservação da imagem de que se vivia uma realidade democrática, com eleições limpas, embora tudo o que pudesse contrariar essa condição estivesse sendo feito.

Essa estratégia do presidente de se antecipar a um provável confronto, fazendo denúncias em que aparece como vítima e ameaçando preventivamente com resposta violenta, fazia parte de seu estilo político, mas, naquele momento, seria um indício da preocupação que tinha com o crescimento do opositor e com as variações apresentadas nas consultas de intenção de voto.

Segundo as últimas pesquisas, a diferença entre ambos estava na casa dos 10%, mas ainda havia 11,6% de indecisos. Ou seja, a eleição estava aberta, por isso ele poderia estar preparando uma ação contra a oposição, não se descartando a fraude e tendo como certa a intimidação durante o pleito eleitoral, tanto que convocou os partidários a vigiar as urnas, conforme o seu comunicado público: "*Em cada mesa de votação vamos organizar patrulhas (...). A melhor maneira de neutralizar os planos desestabilizadores da extrema direita é vencê-los de maneira esmagadora, como vai ser* (...). Ainda há tempo para convencer os indecisos".

Como Chávez temia o crescimento constante de Capriles, no período imediatamente anterior ao dia do voto ele adotou o procedimento tático de impedi-lo de se manifestar, interrompendo novamente a transmissão de ato político da oposição para colocar, por mais de uma hora, em rede nacional, a transmissão da presença do presidente numa cerimônia de formação de policiais.

Capriles manifestou-se declarando: "*Sabe o que é?! Ele tem medo de que isto seja visto em toda a Venezuela*". E foi aplaudido pela população que o ouvia, demonstrando que havia um segmento forte contrário ao mandatário, e que poderia essa manifestação popular incentivar os indecisos.

O que mais assustou Chávez, no entanto, foi a forma como Capriles se comportou na campanha. Como ele não dispunha dos recursos que o presidente tinha, dentre eles o uso explícito da máquina pública, restou-lhe usar da estratégia que Chávez adotou para ganhar sua primeira eleição: **visitar casa por casa em intensa campanha de viagens por todas as regiões do país, tal qual foi dito**.

O seu crescimento mostrou que a ação surtiu efeito, podendo resultar numa surpreendente vitória caso os dados das pesquisas estivessem errados, algo admissível diante das divergências existentes, e caso ocorressem alguns eventos fortuitos contra Chávez, fazendo com que o candidato opositor conseguisse converter para sua causa os 11,6% de indecisos que ainda restavam sob disputa.

Mas Chávez soube se reorganizar nos últimos momentos, e outros trunfos estratégicos foram usados. Um deles foi a adoção da autocrítica pública. Novamente, ele afirmava que sabia haver pontos que precisavam ser melhorados, principalmente nas regiões e cidades que não receberam todos os auxílios que deveriam, por isso precisava de mais seis anos de governo.

Também fazia anúncios de impacto. Dois exemplos foram o lançamento do satélite venezuelano, o "*Miranda*" (realizado no dia 29 de setembro, em território chinês, no centro espacial de Jiuquan – província de Gansu), e a assinatura do "*Acordo de Cooperação Bilateral*", na área energética, com a Rússia.

Isso produziu resultados entre os eleitores, pois foi usado como uma resposta às críticas sobre as perdas de investimentos estrangeiros. Afinal, com o acordo russo, estava prevista a criação de uma empresa, a Petrovictória, uma *joint-venture* entre a venezuelana PDVSA (estatal) e a russa Rosneft.

Bem próximo do pleito, acusou Capriles de receber dinheiro do narcotráfico como financiamento de campanha, bem como de banqueiros foragidos do país. Declarou: "*Esses grandes empresários que estão concedendo muito dinheiro para a sua campanha, e do exterior também, banqueiros foragidos, alguns mafiosos, lavagem de dinheiro, narcotráfico*".

No entanto, o que essa forma de fazer campanha mostrou foi a fragilidade institucional do processo eleitoral venezuelano, que ainda hoje se mantém, pelo qual não havia e não há debates, mas apenas campanhas com discursos individuais sem contraposição de ideias.

Nele o direito de resposta é mediado pela interpretação do órgão eleitoral, que na época estava sob o controle do Executivo, pelos vínculos diretos de seus componentes com Hugo Chávez e o seu partido, o *Partido Socialista Unido de Venezuela* (PSUV). Ressalte-se que, hoje, ainda está, e pelo mesmo processo, embora adaptado, ou seja, devido aos vínculos com o PSUV e com Maduro e/ou os principais líderes bolivarianos, embora deva ser destacado que, depois da Constituinte convocada em 30 de julho de 2017, já não se pode dizer muito mais sobre ele, exceto que faz o que Maduro manda.

Pela estrutura do sistema eleitoral, os discursos de campanha se reduzem a raciocínios falaciosos (falsos em sua essência e por sua estrutura) por parte do governo, já que quem está na presidência adota constantemente o recurso do "*Argumentum Ad Hominem*", pelo qual se desqualifica o argumento do opositor com crítica ao autor, mas sem olhar o conteúdo das declarações que foram feitas.

Além de falaciosos, os discursos também são violentos, e por isso os projetos de governo ficam a reboque do combate direto entre os adversários, que acabam reduzindo seu comportamento ao usar dos instrumentos de força que cada um tem disponíveis. Como o governo tem a seu dispor os instrumentos de repressão do Estado, sempre ele leva vantagem, independentemente de quem tem a maioria.

Na ONU, o representante permanente da Venezuela, Jorge Valero, fazia constantes declarações alertando sobre uma "*provável*" manifestação golpista dos opositores no caso de serem derrotados por Chávez, algo considerado como certo por todos do governo, mesmo com os receios que vinham crescendo de que os opositores vencessem.

Valero chegou a afirmar oficialmente nas Nações Unidas: "*Denunciamos responsavelmente à comunidade internacional que setores nacionais antidemocráticos e golpistas, aliados a poderosos interesses externos, tentarão utilizar a violência para ignorar a vontade popular*".

No entanto, além desse enorme temor da derrota, havia outro tão grande quanto, que acabou se confirmando e definiu a condução da política venezuelana após a morte de Chávez: a provável expressiva votação para a oposição, acontecimento que dividiria a Venezuela e levaria a medidas de alta repressão para combater o crescimento dos opositores.

A questão é que não existiam garantias de que o presidente não sofreria abalos em sua saúde ao longo dos seis anos do mandato seguinte, e, caso ele desaparecesse, certamente seria difícil o surgimento de outro líder governista capaz de substituí-lo, podendo levar a Venezuela à fragmentação social.

De certa forma, era uma maneira de preparar a população e a comunidade internacional para o cenário que ocorreria com a hipótese cada vez maior de uma vitória do mandatário venezuelano no dia 7 de outubro, mas com diferença inexpressiva.

Com os resultados anunciados, confirmou-se a tendência indicada pela maioria dos institutos de pesquisa divulgada poucos dias antes do pleito: a vitória do candidato governista, com uma margem próxima de 10%.

Houve muitas divergências entre os estudos, com vários dos institutos discordando entre si, chegando alguns a apontar uma possível vitória de Henrique Capriles, seja por tê-lo identificado na frente de Hugo Chávez, seja por apostar numa tendência de crescimento até o dia 7 caso ele mantivesse a aceleração demonstrada ao longo da última semana.

Os resultados, contudo, mostraram que havia um limite no processo de crescimento de Capriles, e as perguntas passaram a se concentrar nos cenários que podiam ser construídos, além das tentativas de explicar a razão da vitória do presidente.

Que "el Comandante" vença, mesmo que tenha perdido

Antes das eleições, instituições internacionais aportaram na Venezuela para verificar o grau de confiança no processo eleitoral, especificamente nas garantias que poderiam ser dadas acerca do sigilo de voto durante o pleito eleitoral.

A conclusão apresentada em informe divulgado pelo *think-tank* norte-americano *Wilson Center* e pelo *Instituto Internacional para Democracia e Assistência Eleitoral* (Idea, na sigla em inglês) foi: "*confiável e permite controle e monitoramento pela oposição e exclui a possibilidade de fraude massiva que não seja detectável*".

Da mesma forma, também foram citadas duas personalidades, o acadêmico mexicano José Woldenberg e o ex-diplomata chileno Genaro Arriagada, que declararam ter o sistema ganhado legitimidade de 2006 para aquele momento. Eles afirmaram:

"*Como questionar totalmente [o sistema] sem considerar que, em duas das últimas quatro votações, ele mostrou triunfo da oposição? Isso não impede de apontar suas limitações, mas elas não são de magnitude tal que impeçam atuar dentro dele*".

Foi uma referência à derrota de Chávez no referendo de proposta de Reforma Constitucional e em relação às eleições legislativas de 2010, em que o governo perdeu as eleições no voto geral e ficou com maioria no Congresso apenas devido ao sistema distrital misto e às mudanças feitas pelo Conselho Nacional Eleitoral nas circunscrições eleitorais.

Ambos os especialistas, contudo, não explicaram, em suas avaliações, essas alterações realizadas pelo CNE, com fusões, criações e extinção de zonas e seções eleitorais, feitas alguns meses antes das eleições que eles citaram, e aplicadas em função das vantagens e desvantagens do partido governamental, o *Partido Socialista Unido de Venezuela* (PSUV).

Inclusive, tal coisa trouxe à mente que houve um estudo prévio do CNE, direcionado a fazer reorganização para não permitir que os opositores levassem vantagem nas áreas sensíveis a eles, impedindo que o número de deputados eleitos da oposição conseguisse ser superior ao de deputados eleitos do governo, mesmo que eles conseguissem a vitória na somatória geral dos votos, tal qual aconteceu.

É complicado, mas foi o que ocorreu: a oposição ganhou na somatória geral dos votos, mas ficou com menos deputados na Assembleia Nacional. As razões são três:

1. O sistema misto com voto personalizado (feito direto no candidato) para um determinado número de deputados, e voto proporcional (em que se vota em um partido) para outro percentual de deputados;
2. O fato de que onde o voto é proporcional quem ganhava leva tudo;

3. Mais importante, a reorganização feita pelo CNE levou em conta os dados que eram guardados sobre quem tinha mais preferência nas regiões, distritos, zonas etc. Começa, assim, a ficar claro: fundem-se e separam-se circunscrições e zonas em função da garantia de que a maioria será dada aos governistas. Sim, é um cálculo prévio.

Outros analistas mais críticos se pronunciaram. Conforme as notícias dos jornais da época, eles alertavam que o sistema poderia ser dito como confiável e impossível de fraudar, desde que a oposição e o governo tivessem capacidade de conferir o resultado mesa por mesa (eram 37 mil mesas por todo o país), algo necessário, principalmente pelo fato de ter sido levantada a hipótese de eleitores governistas terem votado pelos ausentes, em conluio com os mesários. Como a coalizão opositora (a Mesa de Unidade Democrática – MUD) afirmou que tinha estrutura para fazer essa fiscalização, os analistas internacionais acataram a lisura do processo de votação.

No entanto, o que precisa estar na mente e ficar claro é que os problemas do processo eleitoral, no caso, a sua vulnerabilidade, a sua fragilidade e o desequilíbrio, se apresentaram antes da votação, sendo as acusações de fraude, ou o que quer que seja, um elemento a mais.

Conforme foi divulgado seguidamente pela mídia internacional, Chávez fez tudo o que é antidemocrático e usou de todas as deformações possíveis numa campanha eleitoral, sem ser constrangido por qualquer instituição, ao ponto de ser válido dizer que o sistema político e eleitoral venezuelano, em si, é uma farsa. Esperando não ser cansativo, mas repetindo e estendendo mais o que foi dito um pouco antes, podemos citar:

1. Usou constantemente dos recursos públicos (como foi o caso da impressão de milhares de livros com discursos de Chávez e

distribuição do total de um milhão deles, dentre impressos e eletrônicos, para instituições, órgãos e a população);

2. Adotou o método de interromper em cadeia nacional os discursos de Capriles;
3. Mobilizou os seus partidários para usar de violência e impedir comícios do opositor;
4. Estimulou o confronto bélico na sociedade, ao fazer declarações de que, no caso de Capriles perder a eleição, poderia ocorrer uma guerra civil. Isso foi visto mais como uma ameaça de Chávez para o caso de sua derrota do que como hipótese de ação por parte dos opositores;
5. Fez acusações pessoais contra o adversário, o qual não recebeu direito de resposta;
6. Recusou-se a participar de debates em que haveria condições de confrontar os projetos dos adversários e criar a possibilidade de desmentidos daquilo que ele falava sobre a oposição;
7. Usou da ligação direta e pessoal entre os membros do Conselho Nacional Eleitoral (CNE) com o governo e seu partido, o PSUV. Assim, garantiu que as ações do órgão fossem sempre parciais a seu favor. Além disso, assegurou também que este ignorasse os momentos em que a oposição foi atacada, recusando-se a dar a ela o direito de se defender. Da mesma forma, desconsiderou os pedidos de esclarecimento feitos pelos opositores para o entendimento público de algumas questões.

Um caso interessante desta última situação ocorreu quando os opositores solicitaram que o órgão explicasse à população as razões pela quais a lisura do voto estaria garantida, já que muitos afirmavam existir possibilidade de engodo. Havia suspeitas de que Chávez usaria de meios para fraudar as eleições, e o CNE sempre dizia que não, que isso era impossível, pois o sistema era infalível.

Então os opositores pediram que os técnicos fossem à TV e ao rádio e explicassem por que seria impossível, mas o órgão se recusou a dar as explicações. A resposta foi de que isso pesaria contra o governo, pois levantaria suspeitas; pelos critérios avaliados, uma campanha de esclarecimento seria desfavorável a um dos lados, e cabia a ele garantir isonomia!!!

Ficou a pergunta sobre a lógica dessa resposta, pois, na realidade, retirar qualquer dúvida sobre a lisura da votação pesaria a favor do governo, e não contra, já que daria legitimidade ao governante, se reeleito fosse, e, além disso, diminuiria a abstenção eleitoral.

Havia vários fantasmas circulando o processo eleitoral. Por exemplo, todos tinham medo de que o sigilo do voto pudesse ser rompido. Diante dessa possibilidade, muitos dos beneficiários do assistencialismo governamental tinham medo de ser descobertos caso votassem contra Chávez. Certamente eles perderiam seus benefícios. Além disso, os funcionários públicos temiam ser perseguidos ou exonerados.

Era um caso concreto. Tanto que o cadáver desse fantasma específico, que parte dos venezuelanos e a oposição viam na sua frente, era a chamada "*Lista Tascón*". Uma lista negra que resultou em demissões e foi adotada como critério para contratação no serviço público quando, em 2004, pessoas assinaram um pedido revogatório contra Chávez.

Ainda reforçando as suspeitas sobre o CNE, foi considerada como mais um ponto crítico das eleições a ausência de observadores internacionais. O Conselho recusou a presença deles, admitindo apenas o que chamou de "*acompanhantes*", além de não ter convidado observadores da União Europeia ou da Organização dos Estados Americanos

(OEA). Restou a União de Nações Sul-Americanas (Unasul), muito vinculada a Chávez, que, por sinal, aceitou acompanhar pessoalmente as personalidades internacionais que para lá se deslocaram!!!!

Certamente, além desses abusos, foram exatamente estes dois elementos os que pesaram de forma desproporcional a favor do mandatário: massa de cidadãos condicionados ao assistencialismo do governo e massa de funcionários públicos.

O grande volume de dependentes do Estado foi criado a partir do constante assistencialismo governamental, por isso esse gigantesco grupo ficou receoso de perder seus benefícios com a vitória da oposição, principalmente com as acusações que Chávez e seus partidários fizeram de que ela encerraria todos os programas sociais se chegasse ao poder.

Foi para evitar que Capriles conseguisse responder à tal acusação que "*el Comandante*" evitou debater diretamente com ele. Se permitisse que apresentasse de forma comparativa a sua proposta com a do governante, ele poderia explicar o que afirmava constantemente, de que tinha o Brasil como exemplo, conforme foi disseminado na mídia internacional.

Segundo consta, ele interpretava o modelo brasileiro como sendo uma economia com amplo espaço à iniciativa privada, por isso uma economia de mercado, mas com políticas de inclusão social. Ele afirmava que manteria as políticas assistencialistas que o chavismo havia criado. Segundo ainda Capriles, não tinha como extinguir essas políticas sociais, pois, sem elas, ocorreria um grande desequilíbrio e provável caos.

A outra grande massa de dependentes do Estado foi gerada especialmente pelo inchaço da burocracia administrativa e pelo avanço do Estado na economia, quando encerrou empresas privadas e estatizou-as, tornando seus empregados funcionários públicos.

Estes sempre ficaram temerosos com as declarações de Chávez de que Capriles adotaria um "*choque neoliberal*", reprivatizando empresas estatizadas e gerando desemprego em massa. O que seria possível ocorrer, mas não por um suposto "neoliberalismo", e sim porque a criação dos empregos públicos pelos bolivarianos seguia um raciocínio político e ideológico, e não administrativo e econômico, portanto, não seria surpresa se ocorressem muitas demissões de funcionários que foram contratados por razões políticas.

Essas declarações de Chávez também não puderam ser respondidas adequadamente, já que não houve debates, os tempos de rádio e TV do presidente foram superiores e Capriles teve suas declarações impedidas e interrompidas em muitas ocasiões.

Vista da perspectiva do processo eleitoral, somente a existência desses dois grandes grupos de dependentes do Estado já mostra como a eleição é desequilibrada na Venezuela, sem contar as ações ilegais e ilegítimas, e dificilmente ela poderia ser justa e realmente democrática. Foram fatores que influenciaram diretamente no resultado obtido por Hugo Chávez.

Com esse quadro, de nada adiantava a oposição mostrar que não havia mais de onde retirar dinheiro para o Estado se manter como fornecedor de recursos para a economia, seja por meio de empresas públicas e grandes empreendimentos estatais, seja como provedor de dinheiro para o assistencialismo e responsável pelo pagamento de salários para milhões de funcionários públicos.

Nem adiantou dizer que Chávez tinha acabado com a possibilidade de receber investimentos externos diretos devido ao seu contínuo trabalho contra a iniciativa privada, uma vez que, com a violência realizada para extinguir o empresariado, ninguém desejaria botar dinheiro no país, correndo tantos riscos.

Afirmações como essas por parte dos opositores significavam também críticas explícitas à declaração do presidente de que ele aceleraria o programa socialista para implantar rapidamente seu projeto, ou seja, que ele aumentaria as estatizações, combateria o empresariado e, para garantir o sucesso das ações, também intensificaria o controle sobre os opositores, usando de todos os meios que fossem necessários.

Chávez já vinha aumentando as relações comerciais com a China e a Rússia e abrindo mais espaços para receber investimentos desses países em parceria com o governo, na mesma intensidade em que estava reduzindo a participação do empresariado local na economia.

Era uma forma de responder às críticas de que ninguém queria investir no país. Mas a busca por esses recursos no futuro breve, pós-eleição, serviria apenas para contrabalançar a falta de dinheiro do governo e para conseguir manter por tempo necessário as suas políticas de assistência social.

Os recursos e parcerias com chineses e russos não vinham para gerar crescimento do parque industrial, para diversificar a economia e para desenvolvê-la com empreendedorismo. Não havia como fazer isso, pois a inciativa privada era uma inimiga fundamental. A razão era manter um fluxo de dinheiro para não perder a sua base de apoiadores nas camadas pobres da população, que precisaria estar crente de que ele iria resolver os problemas rapidamente, assim que destruísse os inimigos. Não esqueçamos que, **para os bolivarianos, o culpado da desgraça no país é sempre o outro, o não bolivariano**.

O problema para eles é que já estava no horizonte a possibilidade de Chávez ver reduzido seu tempo no novo governo, devido ao câncer.

A hipótese de seu desaparecimento era o cenário mais complexo, pois não se identificava quem poderia ser capaz de substituí-lo sem gerar divisões entre os aliados e com força suficiente para confrontar uma frente oposicionista.

Para a oposição, que foi derrotada, mas viu que mantinha a metade do país ao seu lado, o trabalho agora pedia que fossem realizadas ao menos quatro tarefas:

1. Primeiro, teria de manter a frente unida (no caso a MUD) em torno de um nome forte, para não perder o trabalho realizado até aquele momento, pois um dos elementos que levaram o bolivarianismo a se impor na sociedade foi a incapacidade de os opositores conseguirem uma ação conjunta. Não existia uma resposta unificada àquilo que o chavismo declarava que era produzido por ele.

Acreditava-se que seria mantida a aliança em torno de Capriles. Ele não venceu a eleição, mas tinha condições de vencer no futuro, pois ainda era jovem e poderia trabalhar os pontos da proposta que Chávez não permitira que fosse apresentada naquele momento: **provar que** é **possível abrir a economia e manter a inclusão social**.

Para tanto, teria de desdobrar a estratégia eleitoral em um projeto de país, em uma ideia de sociedade e em uma forma de ver o governo que tivessem apoio de toda a oposição. Tão importante quanto, que pudesse confrontar a doutrina criada pelo grupo chavista, a qual, se não é totalmente coerente, ou não tem consistência, conseguiu mobilizar o imaginário do povo por certo tempo. Além disso, se apresentou como uma saída viável para uma massa enorme de cidadãos pobres e miseráveis do país, produzindo resultados palpáveis no início.

2. Se Capriles (no caso, aquela oposição) adotou a tática que Chávez utilizou em 1998, de fazer campanha de casa em casa, e teve

resultados expressivos na eleição de 2012, ele também deveria usar a tática chavista em relação ao seu programa de governo. Ou seja, tal qual Chávez fez com seu projeto de poder, a oposição deveria converter o seu programa num projeto de país e de Estado, mas da perspectiva da centro-direita, tal qual ele se posicionou.

Nisto consistiria sua segunda tarefa: não bastaria ter uma proposta reativa à visão de mundo de Chávez e ficar respondendo ao que o bolivarianismo dizia; havia a obrigação de ser propositivo. Nos seis anos seguintes, a oposição teria de mostrar uma doutrina capaz de concorrer com a de Chávez, acabando com uma deficiência comum às oposições de centro-direita na América do Sul, que não conseguem mostrar por que sua forma de ver o mundo, de ver a política, a economia e a sociedade é melhor que a da esquerda. Dizer isso para rico é fácil. Competente é aquele que consegue mostrar para quem é pobre.

3. Como terceira tarefa, a oposição teria de se recompor rapidamente do abalo pela derrota e manter o mesmo ritmo para ganhar o maior espaço possível nas eleições para governadores que aconteceriam logo depois. Somente assim poderia conservar uma linha de defesa contra o governo central e impedir que se concretizasse a ameaça de Chávez de que implantaria o socialismo rapidamente, usando de todos os recursos para tanto.

4. A quarta tarefa consistia na necessidade de a oposição criar centros de resistência jurídica e política, nacionais e internacionais, contra as investidas que viriam do governo, viessem essas investidas de onde viessem: seja por meio da aceleração da implantação do denominado "socialismo do século XXI", atropelando a sociedade; seja por meio das ações para sufocar as vozes opositoras ao longo do novo mandato.

Devido ao longo período de tempo até as eleições presidenciais seguintes (seis anos), todos evitavam desenhar cenários, pois o crescimento da oposição nas eleições legislativas de 2010 se confirmara, e o seu tamanho fora preservado nas presidenciais de 2012, mas faltava a ela uma carta programática eficiente, bem como uma ação mais articulada de todos os opositores – daí a necessidade das tarefas citadas.

Para não correr riscos, o presidente teria obrigatoriamente de resolver os problemas políticos, sociais, econômicos e administrativos que vinham gerando aumento no número de críticos e opositores. Dentre esses problemas estavam o desemprego, as crises energéticas, o desabastecimento, a queda da economia, a queda da produção, a diminuição do parque industrial, a violência disseminada no país e a violenta repressão contra o povo. Estes últimos casos, em especial a redução da repressão, eram algo em que ninguém acreditava devido ao modelo autoritário de Estado que fora produzido, mas também devido às ameaças que Chávez havia feito diante do crescimento da oposição.

Num quadro como esse, ficou claro que, para o bolivarianismo sobreviver, o modelo chavista teria de ser mantido e radicalizado, de forma que o cenário mais provável era de que uma ditadura teria de ser implantada.

Até mesmo as condições internacionais eram amplamente favoráveis. Havia grandes possibilidades de a Venezuela receber recursos da Rússia e da China, e a América Latina ainda era um amplo campo favorável ao bolivarianismo, sendo, para muitos dos aliados regionais de Chávez, até fonte de orgulho ver o que ocorria em território venezuelano.

Era curioso ver naquela época, como é assustador ver hoje, esses aliados ignorarem a violência que é usada pelo governo no país. Pior ainda é vê-los justificando tal coisa como sendo necessária para produzir o socialismo.

Além disso, para tristeza de todos, parece que, para auxiliar na tese dos bolivarianos de que eles precisavam usar de mais violência contra a oposição, Capriles começou a ser visto pelo seu próprio grupo como moderado demais para enfrentar o chavismo.

Os opositores passaram a entender que somente com medidas radicais teriam condições de enfrentar o radicalismo dos bolivarianos, tanto que personagens como Leopoldo Lopez, mais extremado que Capriles, adquiriram maior proeminência.

Essa conclusão da oposição mostrava que ali se chegara a um ponto sem retorno, já que a polarização tinha adquirido condição de não permitir retrocesso, e a violência seria instaurada, mas também caiu como uma luva para o discurso do governo de que era necessário mais repressão contra aqueles que impediam a implantação do projeto socialista.

O impacto maior, contudo, ocorreu com a maneira como o adoecimento de Chávez se deu naquele momento. Todos sabiam que ele tinha câncer e poderia não terminar o mandato. Também se suspeitava que a campanha eleitoral fraca que fizera havia decorrido da sua condição física abalada.

O problema é que não se contava que a doença o afastasse de forma tão brusca, e tão cedo. Ele ficou muito tempo internado sem que o povo soubesse realmente o que ocorria e sem haver um rumo para a política no país. O que trouxe foi uma completa desorganização, tanto para um lado quanto para outro. De certa forma, foi essa tragédia para os bolivarianos que atrasou a implantação da ditadura!

Use qualquer mentira necessária

Num sábado, dia 8 de dezembro, Hugo Chávez admitiu o retorno do câncer de que sofria, bem como que seria necessária uma nova cirurgia, levantando a possibilidade de não poder assumir o cargo presidencial em 10 de janeiro de 2013.

Ele deixou no ar que o risco de morte estava presente, e também circulou nos meios de imprensa a informação de que deveria ter sido operado no máximo no dia anterior ao do anúncio, 7 de dezembro. No limite, durante aquele final de semana.

Não teve como negar, por isso declarou:

> *"É absolutamente necessário, imprescindível submeter-me a uma nova intervenção cirúrgica, e isso deve acontecer nos próximos dias, inclusive os médicos recomendavam que fosse ontem ou neste fim de semana. (...) Preciso voltar a Havana, amanhã (domingo), aqui tenho uma carta a pedir autorização à Assembleia Nacional para que me seja concedida autorização para sair do país com o objetivo de nova intervenção. Para ir enfrentar esta nova batalha".*

E pediu a união dos bolivarianos, aproveitando para tornar sua cirurgia mais uma jogada. O objetivo era encurralar a oposição, mas também inviabilizar que algum nome forte dentro do grupo bolivariano se levantasse, já que determinou naquele momento que todos dessem apoio a Maduro, alguém visto no meio como medíocre, um submisso e sem brilho.

E precisava colocar essa personagem no palco. Claro, na volta, seriam muitos os que poriam em dúvida suas condições reais de dar continuidade à denominada revolução bolivariana, e ele não poderia titubear em permitir a ascensão de um nome forte.

Suas palavras foram dramáticas, afinal, certamente era mais um momento político para destruir os opositores e ganhar potência para seu projeto, pois queria voltar da cirurgia com força total, e, caso voltasse mais abalado, não poderia ter uma sombra sobre si.

Conforme suas palavras:

> "*Com o favor de Deus, como em ocasiões anteriores, sairemos vitoriosos. (...) unidade, unidade, unidade... (...) os adversários não descansarão na intriga. (...) o vice-presidente, o companheiro Nicolás Maduro, fica à frente. (...) Ainda que soe duro, quero e devo dizer que, como diz a Constituição, se se apresentar alguma circunstância que a mim me inabilite para continuar à frente da presidência, Nicolás Maduro não só nessa situação deve concluir o período, mas é a minha firme opinião, plena, irrevogável, absoluta, total* é *que nesse cenário que obrigaria a convocar eleições presidenciais, vocês elejam a Nicolás Maduro como presidente da República Bolivariana, eu vos peço desde o meu coração*".

Era certo que o país iria passar por uma fase crítica de instabilidade no caso da morte de Hugo Chávez. Pela Constituição venezuelana, se ele morresse ou fosse impedido de ser reinvestido no cargo, alguém assumiria interinamente e teriam de ser convocadas novas eleições em 30 dias. O mesmo aconteceria se o presidente fosse obrigado a deixar a presidência nos quatro primeiros anos de governo.

Ressalte-se que, no primeiro caso, quem assumiria interinamente deveria ser o presidente da Assembleia Nacional, e apenas no segundo caso quem ascenderia seria o vice- presidente e convocada a nova eleição.

A questão era que Chávez ainda não estava morto, não tinha sido impedido de assumir, e não tinha sido afastado, já que recebera apenas uma licença para tratamento médico, razão pela qual o cargo foi ocupado interinamente por Nicolás Maduro, a quem Chávez declarou seu herdeiro político. No entanto, não se sabia se os partidários do chavismo o acompanhariam, e já havia notícias de intrigas e distanciamentos, sendo incerto se a unidade dos bolivarianos iria ser mantida, tal qual o Comandante solicitara.

A oposição também ficou perdida, pois o ponto unificador dos opositores era o confronto com o presidente, algo que deixaria de existir. Surgia no horizonte a possibilidade de que eles trabalhassem em candidaturas próprias, mesmo que a imagem de Henrique Capriles estivesse consolidada como o grande líder opositor daquele momento, tendo arrematado 6,5 milhões de votos quando concorreu à presidência. Além disso, as pesquisas apontavam que ele era preferido em relação a qualquer nome do governo.

No entanto, como dito, o fenômeno Chávez é um caso característico de liderança carismática, e a simples indicação feita por ele deu peso enorme ao seu indicado, com capacidade de fazê-lo participar da eleição seguinte com desenvoltura, caso fosse necessário.

Mas, quando a dominação do povo pelo líder ocorre pelo carisma que existe, qualquer cenário é possível, já que a perda do líder deixa um vácuo de poder incapaz de ser ocupado por algum dos seus aliados, que crescem somente à sua sombra e sem brilho, para não ofuscar o mandatário.

Isso foi tão claro que parte dos opositores daquele momento saiu do próprio chavismo por ter se indisposto com o mandatário, porque mostrou capacidade de voar com asas próprias; exatamente por isso, recebeu contraposição direta de Chávez.

Diante do cenário, para o candidato oficialista ser derrotado em possível novo sufrágio, seriam necessárias novas condições mínimas, dentre elas:

1. Que a oposição mantivesse a mesma postura e unidade, considerando que o inimigo não era Chávez, mas o chavismo e todos os seus representantes, logo, o continuísmo, com ou sem o presidente;
2. Que os aliados de Chávez rompessem e não garantissem o apoio necessário a Maduro, o indicado dele; e
3. Que o governo adotasse o mesmo comportamento de outubro, ou seja, que usasse de todas as artimanhas e violências para calar a oposição; que interferisse nos discursos dos opositores; que não participasse de debates públicos confrontando projetos; que usasse a máquina pública para propaganda e para impedir qualquer avanço do líder opositor. Essa condição era necessária porque tal comportamento já era conhecido, já estava sendo confrontado e não havia mais o líder hipnótico para convencer de que era a vítima.

Chávez tinha viajado para Cuba para o tratamento, e o povo ficou sem saber o que estava acontecendo. Uma cortina foi colocada sobre a situação, tanto que os opositores passaram a questionar o grau de segredo envolvendo o caso e acusaram de irresponsabilidade a ausência de transparência sobre a saúde do presidente.

No entanto, tudo era possível, e até mesmo essa dúvida sobre o que acontecia com Chávez poderia ser apenas um golpe de marketing eleitoral dele para influenciar nas eleições para governadores que iriam ocorrer em breve, e nas quais concorria também o seu recente oponente derrotado nas eleições presidenciais de outubro, Henrique Capriles.

A questão é que o grau de cuidados, a tensão envolvida no momento do discurso, o fato de o líder bolivariano ter retornado ao país apenas para fazer aquele discurso e indicar Nicolás Maduro como herdeiro político e pedir ao povo que votasse nele para o caso de vacância do cargo presidencial traziam mais indícios de que a morte de Chávez poderia ocorrer.

No dia 11 de dezembro, o jornal Voz da Rússia publicou nota afirmando ter informações de dentro dos centros de tratamento em que Chávez estava sendo cuidado e, segundo elas, ele teria entre dois e três meses de vida.

A nota trouxe a declaração do médico venezuelano José Rafael Marquina, que, com base em fontes de médicos que tratavam do mandatário, prognosticou que "*a doença tomou de novo uma forma agressiva, ele tem metástases na região lombar, existe uma compressão de um nervo na espinha lombar, o que pode levar à paralisia*". A conclusão era de que seu tempo de vida era apenas esse, e, se sobrevivesse, ele não teria condições de assumir a presidência em 10 de janeiro de 2013.

O presidente da Assembleia Nacional venezuelana, Diosdado Cabello, levantou então a hipótese de adiar a posse presidencial, prevista constitucionalmente para aquele dia. A situação de Chávez tinha se complicado.

No dia 19 de dezembro, quarta-feira, o ministro da Comunicação e Informação, Ernesto Villegas, admitiu a situação da doença e das condições de sua recuperação, apesar do total encobrimento da condição real de Chávez. Declarou: "*O estado geral do presidente é estável. Anteontem, segunda-feira, 17 de dezembro, ele foi diagnosticado com uma infecção respiratória, a equipe médica começou a tratar imediatamente e ela foi controlada*".

Apesar disso, declarou que a recuperação era boa e que ele já estava dando ordens de sua cama no hospital, e, pelos boletins médicos, a condição era estável e o presidente se encontrava em recuperação, sendo normal o surgimento de infecções do gênero. Era uma tentativa de convencer todos a aceitarem a sugestão de Cabello para o adiamento da posse.

A proposta dele era inconstitucional e poderia trazer mais instabilidade ao país, porém, sabia-se que o chavismo teria apoio popular devido à situação dramática criada com a doença, que foi usada amplamente como mobilizador da base bolivariana para as eleições estaduais ocorridas no dia 16 e resultou no avanço do PSUV em mais quatro estados. Agora, o partido do presidente estava governando 19 dos 23 existentes. Antes administrava 15.

No entanto, em várias localidades as eleições foram apertadas, confirmando que a sociedade estava dividida, mesmo que o chavismo estivesse se mantendo. Ou seja, no caso de a hipótese de adiamento da posse ser levada adiante, haveria turbulência, mesmo que nesse curto prazo estivesse ocorrendo apoio de parte significativa da população.

Faltando dez dias para que o presidente Hugo Chávez fosse reempossado no cargo de Presidente da República Bolivariana da Venezuela, a indecisão e insegurança sobrevoavam a sociedade venezuelana.

No dia 1º de janeiro de 2013, o jornal espanhol ABC informou que a situação do mandatário se encontrava em pior estado do que vinha sendo divulgado pelos canais oficiais, declarando que Hugo Chávez estava em coma induzido, com febre constante e não reagia aos antibióticos, sendo alimentado por meio intravenoso desde a cirurgia que retirara "*quase meio metro de intestino*". O jornal informou ainda que as máquinas poderiam ser desligadas, causando a morte dele.

Os representantes do governo declararam que o estado de saúde do presidente era "*tranquilo e estável*", conforme havia postado em seu Twitter o ministro da Ciência e Tecnologia e genro de Chávez, Jorge Arreaza.

Nicolás Maduro, o escolhido para ser o sucessor, em entrevista dada à rede de TV venezuelana Telesur, afirmou que ele se encontrava "*consciente da complexidade de sua condição*", querendo com isso desmentir que Chávez estava em coma.

O conflito de informações era intenso, com constantes negações por parte do governo e exigências, pela oposição, de detalhes sobre a real condição de saúde do presidente, acusando que as autoridades estavam usando de "*aparatos de manipulação e propaganda [com o intuito de] confundir o país e criar um clima de tensão*".

Em comunicado emitido pela frente opositora, a Mesa de Unidade Democrática (MUD), a oposição denunciou que "*A incerteza domina o governo e com palavras eles pretendem esconder o que a cada dia é mais certo: (...) os que primeiro desrespeitam a saúde do presidente são os funcionários mais graduados do governo, que fazem discursos bajuladores a Chávez, mas não têm a estatura para informar qual* é *a verdadeira situação de saúde do chefe de Estado*". Acusaram ainda: "*O governo não quer reconhecer que há uma ausência temporária do presidente em funções e começa a lançar, com recurso ao seu aparelho de propaganda, uma enxurrada de rumores que visam enganar o país e criar um clima de tensão*".

A questão da ausência temporária é essencial, pois, segundo era noticiado na mídia venezuelana, partidários de Chávez, membros do *Partido Socialista Unido de Venezuela* (PSUV), sob o comando do presidente da Assembleia Nacional, Diosdado Cabello, estariam criando a sensação de que Chávez poderia retornar a qualquer momento, razão pela qual ele estava sugerindo o adiamento da posse para ocorrer agora em sessão do Tribunal Constitucional.

A proposta revoltou os opositores, pois seria um golpe na Constituição venezuelana, que prescrevia que, **na impossibilidade de o presidente eleito tomar posse no dia determinado, 10 de janeiro, Cabello, como presidente da Assembleia Nacional, deveria assumir interinamente e convocar eleições dentro de 30 dias.**

A situação estava tensa. O campo das informações era o espaço de batalha naquele momento. Os indícios eram de que Chávez realmente tinha piorado, sendo mais provável que estavam corretos os anúncios feitos pelo jornal espanhol ABC no dia 1º de janeiro, bem como as informações divulgadas no dia 11 de dezembro de 2012 pelo jornal Voz da Rússia de que Chávez teria entre dois e três meses de vida.

Criou-se mais cenário de luta dentro do governo para resolver a questão de quem deveria ser o sucessor do presidente, uma vez que a escolha de Nicolás Maduro não agradara a segmentos importantes do chavismo, especialmente os militares, embora também estivesse no planejamento do grupo garantir que os opositores não avançassem no espaço político que estava sendo aberto.

Havia ainda o receio, em parte da população venezuelana e na comunidade internacional, do juramento que fora realizado pelos partidários de "*el Comandante*", em cerimônia presidida por Diosdado Cabello, pelo qual proclamaram: "*Com todas as forças dos nossos ancestrais, juramos ser leais. Não haverá força capaz de nos dividir, de nos separar, até alcançarmos a vitória definitiva*".

Esse juramento de lealdade tinha um contorno muito distante do que ocorre em um regime democrático e é mais próximo dos regimes fascistas, em que uma promessa de sangue solda os vínculos de lealdade de um grupo com a figura mítica de um líder.

Foi o que se viu nos fascismos europeus dos anos 20, 30 e 40 do século XX. Ademais, a fragilidade das instituições venezuelanas, que são muito personalizadas, levaria a que elas se esfacelassem à medida que a ausência do líder messiânico produzisse vários possíveis substitutos que usariam da sua imagem para alcançar o poder.

Era constante a suspeita de que a proposta de Diosdado Cabello de adiar a posse de Chávez tinha como meta impedir que Nicolás Maduro se concretizasse como o sucessor do presidente. Para tanto, ele precisaria de tempo para juntar o partido em torno de seu nome e, mais importante, garantir que as Forças Armadas o seguissem de forma segura.

Os militares, por sinal, sempre foram peças essenciais no processo. Conforme apontavam os observadores, "*as Forças Armadas vão adquirindo [papel] como árbitro na luta pelo poder que se gesta no interior do chavismo*". Para ilustrar a sua importância, naquele momento, ex-militares governavam em 11 dos 23 estados venezuelanos, ocupavam três pastas do governo, controlavam o aparato de assistência social e ocupavam a presidência da Assembleia (Cabello é ex-militar).

Além disso, elas estavam em vários órgãos administrativos do país, seja pela presença direta das Forças, seja pela transposição do modelo militar de organização e administração para as demais instituições.

Curiosamente, isso respaldava a avaliação feita na época pela psicóloga política Colette Capriles, professora da Universidade Simón Bolívar, de que o Exército (podendo ser extensível às Forças Armadas como um todo) era um "*corpo biopolítico*", conforme declaração feita à imprensa brasileira, mais especificamente ao portal G1.

Acrescentava ainda a essa sua percepção de que o modelo militar estava sendo aplicado em todos os lugares que "*Este regime assume para mudar e ordenar a vida das pessoas. (...) E para isso construiu um sistema eficaz de localização e mobilização dos indivíduos por meio de organizações em que devem se inscrever, às vezes sem sua vontade, que os conduzem do berço ao túmulo*".

É uma referência ao fato de o militar ser convocado independentemente de sua vontade e ter de se adaptar a um estilo específico de vida e organização, mas não se deve esquecer que isso é para o fim de prover a defesa do país perante outros países.

Ela falou tal coisa não para criticar as Forças Armadas, mas para denunciar o uso delas na construção do regime bolivariano, levando consigo sua forma de organização, seus valores e uma massa de pessoas que dela participam por dever diferente do dever político-partidário e ideológico.

Deve-se ressaltar que Chávez criou vários aparatos militares, ou com configuração paramilitar. Apesar de o Exército ser a peça fundamental, as Forças são compostas ainda pela Armada (Marinha), Força Aérea, Guarda Nacional e Milícia Bolivariana, havendo sobre esta última uma interrogação de como se comportaria em caso de defesa do regime, uma vez que ela apresenta conteúdo ideológico e é vinculada ao regime político, e não ao Estado venezuelano. Mais uma reprodução do que ocorreu na década de 30 do século XX, mais precisamente na Itália fascista, Espanha franquista e Alemanha nazista.

Diante do quadro que se desenhava, a conclusão era de que Chávez não iria mais assumir a presidência e, se o fizesse, seria por tempo curto, forçando a que a Constituição fosse cumprida, ou seja, que ocorresse uma nova eleição.

Além disso, apostava-se que, no curto prazo, o vazio produzido pelo líder carismático certamente beneficiaria os bolivarianos, devido ao temor do futuro com a sua ausência e pela comoção de parte da população que dependia diretamente das políticas assistencialistas do mandatário e de seu regime.

Dentre as mais prováveis possibilidades, estava a de um regime militar ser imposto ao país, trazendo grandes consequências para a região, pois os questionamentos sobre a democracia na Venezuela desestabilizariam os discursos de parte da esquerda latino-americana.

Nesse sentido, mais uma vez a incerteza deu força à mediocridade. Ou seja, a manutenção de Maduro acabou sendo vista como uma salvação da ideologia de esquerda, mais que do regime chavista, da doutrina bolivariana ou do governo do PSUV.

Em 18 de fevereiro, Hugo Chávez retornou ao país, após mais de dois meses (71 dias) de afastamento. Ele chegou de surpresa a Caracas, e sua presença foi muito usada para mobilizar os partidários.

Várias manifestações populares mostraram, sem sombra de dúvidas, que a propaganda maciça do governo, identificando o presidente com o povo e construindo sua imagem de salvador, juntamente com as políticas assistencialistas, produziram efeitos ao longo daqueles catorze anos em que governou.

Isso foi tão bem feito que esse segmento da população chegou ao ponto de santificá-lo e a tornar quaisquer posicionamentos dos opositores como sendo palavras contra o povo e contra o cidadão venezuelano, logo, contra o país. Poucas vezes o messianismo se mostrou de forma tão clara e tão elevada no nosso continente.

Por muito pouco, Chávez e seus apóstolos não ascenderam com vida aos céus, levados para sentarem à esquerda de Deus. Ressalte-se que teria de ser à esquerda, pois deus (agora, após a chegada de Chávez, escrito com letra minúscula) não poderia ser louco de colocá-los no lado errado. Se fizesse isso, mostraria desconhecer que, para o bolivarianismo, o lado do bem é à esquerda, razão pela qual deus estaria mostrando não ser onisciente, e acabaria sofrendo uma nova revolta, sendo jogado do paraíso para ter de se virar com Lúcifer no inferno.

Essa resposta popular era esperada, uma vez que Chávez era uma personagem amada pela camada mais pobre da população e realmente adotara algumas políticas de inclusão social que produziram efeitos no início de seus catorze anos de governo, mas as paixões foram estimuladas porque o silêncio sobre a real situação do presidente foi usado pelas autoridades como forma de acendê-las e para criar um ambiente inadequado a qualquer manifestação contrária vinda da oposição.

Além disso, a ideia também era produzir um sentimento popular de apoio aos atos que contrariavam a Constituição, especialmente o adiamento da posse de Hugo Chávez, que seria feita o mais breve possível após sua chegada, talvez no próprio hospital, de onde o presidente despacharia com o vice-presidente, Nicolás Maduro, o qual teria a função de administrar o país enquanto ele se recuperava.

A autorização foi dada pela Assembleia Nacional para que ele permanecesse o tempo necessário em Cuba, sendo respaldada pelo Tribunal Superior de Justiça (TSJ), mas os dois posicionamentos adotados por essas instituições, que eram plenamente dominadas pelo partido de Hugo Chávez, criaram uma brecha constitucional, pois desrespeitaram a Constituição ou fizeram um remendo inadequado.

Não se sabia se ele optaria por prosseguir na presidência ou se renunciaria para continuar o tratamento em solo venezuelano. A primeira hipótese era a mais certa, já que impediria riscos de cisão interna no grupo bolivariano, principalmente com o cenário de serem necessárias novas eleições caso ele renunciasse.

Apesar de ter produzido os resultados estratégicos desejados, a situação política era frágil, pois vários setores, além da oposição, sabiam que o país caminhava numa condição nebulosa e o governo funcionava apenas devido à solidariedade mecânica entre os seguidores chavistas e parte da população que era beneficiada pelas políticas adotadas pelo presidente.

Funcionava porque havia esse tipo de solidariedade identificada pelo sociólogo Emile Durkheim que resulta da aproximação de pessoas que têm valores e sentimentos comuns, como uma torcida de futebol, em que quase ninguém se conhece, mas gostam da mesma coisa e ficam juntos um apoiando o outro sem entenderem a irracionalidade do que fazem, e, no momento em que o objeto do amor se desfaz, olham para o lado e veem que só há desconhecidos.

O principal líder opositor, Henrique Capriles, deu boas-vindas ao presidente, mas foi rígido nas suas considerações sobre a situação que o país vivia. Declarou no seu Twitter (@hcapriles):

> "*Bom dia, lendo a notícia de que o presidente retornou, seja bem-vindo à Venezuela, tomara que seu retorno gere sensatez em seu governo*" (...); "*Que o retorno do presidente signifique que o Sr. Maduro e os ministros se coloquem a trabalhar, há milhares de problemas a resolver*" (...) e "*Tomara que o retorno do presidente seja definitivo e signifique a paralisação imediata do #PaquetazoROJO* ('pacotão vermelho')".

Referia-se à desvalorização de 32% do bolívar venezuelano em relação ao dólar norte-americano, no caso do pacotão vermelho.

A recepção do povo foi excelente para a estratégia dos chavistas, mas não havia informações sobre as reais condições de Hugo Chávez, nem possibilidade de construir um cenário estável para o país. Além disso, o seu retorno, da forma como ocorreu, foi apenas mais um lance do jogo de xadrez entre o governo e a crescente oposição com o objetivo de garantir apoio popular para a aceleração do processo de estatização na Venezuela, denominado por Chávez como aceleração da revolução bolivariana no rumo da implantação do que ele chamava de "socialismo do século XXI".

A questão da saúde do presidente venezuelano Hugo Chávez revelou para o mundo uma fase de guerra psicológica na Venezuela que estava sendo travada antes do combate político previsto para ocorrer nos meses seguinte, quando haveria a luta real entre os governistas e opositores, mas também entre os partidários do mandatário, que, embora tivessem apresentado para a sociedade venezuelana um acordo em torno da continuidade do projeto chavista, mostravam discordâncias entre si e disputavam a herança política do presidente.

Desde que retornara ao país, as informações foram de que Chávez se encontrava em fase de recuperação e vinha mantendo o trabalho administrativo do governo, despachando com os ministros e demais autoridades. O vice-presidente Nicolás Maduro informou explicitamente, ao canal de TV estatal, que o mandatário continuava no comando.

Afirmou em entrevista ao canal de TV estatal que ele "*está dando ordens e trabalhando por seu povo. (...) Ele pode dar ordens porque é o chefe da revolução e porque estamos absolutamente subordinados à sua liderança*". No entanto, indiretamente admitiu que a situação era bem pior do que vinha declarando, já que, pela declaração, Chávez tinha dificuldades para se comunicar e só conseguia "*escrevendo e por outras formas que ele inventou. Você sabe que o presidente Chávez é muito criativo e suas mãos não estão atadas quando é preciso comunicar ordens, orientações e preocupações*".

A nova batalha de informações, que inclusive levou a essas manifestações de Maduro, começou no dia 27 de fevereiro, quando o ex-embaixador do Panamá na Organização dos Estados Americanos (OEA) Guillermo Coches colocou em seu Twitter que "*O presidente Chávez está morto há quatro dias. Ele estava com morte cerebral desde 30 ou 31 de dezembro. Seus filhos decidiram desconectar [os aparelhos]. (...) O mais provável é que o presidente foi desligado há quatro dias dos aparelhos de manutenção da vida*".

A informação se espalhou pelo mundo e incomodou o governo venezuelano, que se viu obrigado a responder à declaração e a acusar Coches por meio do *site* da rede de TV estatal venezuelana, declarando que "*o advogado panamenho parece gostar de ser o centro das atenções ao divulgar constantes mentiras*", aproveitando ainda para responsabilizá-lo pela divulgação de foto errada de Chávez entubado, que foi publicada no jornal El País, que, por isso, se desculpou pelo equívoco.

O diplomata panamenho, por sua vez, treplicou pelo Twitter, primeiro, desafiando: "*Desafio o governo não a me questionar – isso ele faz a todo o instante –, mas a mostrar Chávez à Venezuela e ao mundo.* Não poderão fazer isso". Depois, questionando e provocando: "*Seis horas após a notícia sobre a morte de Chávez [ter sido divulgada], ainda não o mostraram vivo.* Será que farão isso?".

A questão estava sendo vista de duas formas apenas: a primeira, que Chávez estava morto, embora não se soubesse desde quando; a segunda, que ele estava em estado terminal, ou inconsciente, e os familiares e seus partidários estivessem esperando o momento certo para desligar os aparelhos.

A resposta governamental, que servia para as duas abordagens, era de que o presidente estava se recuperando e mantinha as atividades, mas não adiantava apresentar provas sobre isso, pois, quaisquer que fossem, elas não seriam aceitas pelos opositores. Maduro declarou: "*Os traidores jamais vão acreditar em nada que se diga ao povo sobre a saúde de Chávez*".

A maioria do povo acreditava que a situação era grave e com grande probabilidade de que Chávez realmente já estivesse morto, pois a recusa em apresentá-lo não se justificava apenas pelos cuidados que sua situação exigia.

Além disso, as informações sobre novos tumores podiam estar sendo disseminadas pelo governo como forma de manter a população desinformada do real estado de saúde, ou da morte do presidente, criando um amortecedor para quando ela tivesse de ser anunciada.

Com esse argumento ele não seria acusado pelo povo de não ter dado a informação verdadeira, perdendo a credibilidade ainda mais num momento em que seria escolhido o herdeiro definitivo de Chávez e precisava ser mantida a fé nos princípios da política adotada pelos bolivarianos.

Em síntese, a pergunta se voltou para as razões do adiamento da apresentação dos fatos reais, caso se confirmasse que Chávez estava morto, e, dentre as respostas possíveis, três começaram a ganhar força:

1. Que estavam buscando formas de contornar a Constituição para evitar qualquer risco de perda do poder;
2. Que estavam definindo estratégia para não permitir uma vitória da oposição, no caso de se verem obrigados a realizar nova eleição 30 dias após um anúncio de afastamento definitivo do presidente, nesse caso, independentemente de estar ou não morto, mas apenas incapaz de governar. Para tanto, usariam de quaisquer meios psicológicos, dentre eles, a consolidação do presidente como mártir,

algo que estava sendo feito com afirmações como a de que "*O nosso comandante está doente porque deu a sua vida por aqueles que nunca tiveram nada*";

3. Que estavam tentando resolver as cisões dentro do chavismo sobre quem seria o herdeiro, independentemente da escolha de Chávez.

Em qualquer hipótese, o cenário era de que haveria desordem e violência, não se descartando a possibilidade de um golpe de Estado. Se "*el Comandante*" queria implantar uma ditadura, agora ela poderia ocorrer, mas sem ele no comando. No entanto, chegou-se a um termo: era melhor manter Maduro como o ungido pelo messias, para evitar que existissem riscos para a continuidade do regime.

Tenha uma sucessão de "comandantes" ruins

Mas tinha de ser este o novo chefe?

Ao longo de março, uma pesquisa eleitoral realizada pela empresa local Datanalisis, publicada pelo Banco Barclays e divulgada no dia 18 daquele mês, apontou que Nicolás Maduro, o escolhido por Hugo Chávez como herdeiro político, seria eleito com 49,2% dos votos. De acordo com a sondagem apresentada, o candidato opositor, Henrique Capriles, obteria apenas 34,8% da preferência eleitoral.

A situação no país continuava tensa devido ao clima de perplexidade e vazio produzido pela morte do ex-presidente, bem como pela forma como os membros do governo trataram a investidura do vice-presidente, Nicolás Maduro, como "presidente interino", apesar de a Constituição ser clara de que o cargo fosse ocupado pelo presidente da Assembleia Nacional, no caso Diosdado Cabello, o qual, por sua vez, teria de conduzir o processo eleitoral que estava ocorrendo. Foi mais um desrespeito à Constituição, ignorando as regras estabelecidas.

As estratégias eleitorais estavam sendo apresentadas, e provavelmente a conquista de Maduro seria maior que a de Chávez no ano anterior (2012), principalmente pelo efeito que a morte do ex-mandatário estava causando em seus seguidores.

No entanto, os dados apresentados mostravam que iria ocorrer apenas uma transferência de votos, e não um avanço do candidato governista, razão pela qual o opositor fazia comparações de Chávez com Maduro para tentar frear qualquer aumento, e até mesmo que muitos chavistas desistissem dele. Não precisavam votar em Capriles, bastaria que ficassem em casa e não votassem em ninguém.

Capriles mostrava que Maduro não tinha competência para substituir Chávez, menos ainda para conduzir o país diante da crise que a Venezuela vivia, que ia da esfera política (agora graças ao vácuo de liderança deixado por Chávez) até a econômica, que passava pelo desabastecimento, por problemas de infraestrutura, de energia, fuga de capital do país, pouco dinamismo na produção etc., além da insegurança pública que o cidadão venezuelano vinha sofrendo.

Além disso, era ressaltado o fato de o governista estar se anulando em relação à imagem do ex-presidente, o que indicava a sua fraqueza. Afirmava: "*Nicolás não chega ao tornozelo do presidente Chávez. (...) A maior fraqueza de Nicolás é que parece que ele nem existe, que a campanha é só a imagem do presidente (Chávez)... Nicolás não está à altura. (...) Eu estava lutando boxe contra Cassius Clay! Agora estou enfrentando um outro boxeador, é um jogo diferente... (...) Gostaria de voltar a enfrentar o mesmo atleta. Infelizmente, por decisão de Deus, o presidente morreu*".

Além dessas comparações, falava do que não fora feito naqueles dias em que Maduro estava no poder. O objetivo era levar o eleitor a pensar no que iria ocorrer ao longo dos seis anos seguintes. Tentava mostrar ao povo que o interino não tinha programa de governo e, por isso, apenas usava de artifícios para desviar a atenção do cidadão.

Declarava: "*Nicolás tem 100 dias de governo. Foram os piores 100 dias desses 14 anos. (...) Para os seguidores do presidente, os ministros que eram os corruptos, ineficientes e incompetentes que fizeram todos os danos. Bem, esse é o grupo que quer governar*".

Como o governante não tinha proposta, não poderia falar dos problemas venezuelanos nem conseguia desmerecer os opositores, ele reduziu sua campanha a falar do suposto complô para matá-lo (com ajuda americana!), bem como de ter ocorrido um possível assassinato de Chávez (!!!), mas, principalmente, da divinização deste.

Novamente, o recurso mais usado pela oposição também foi chamar Maduro para um debate público sobre propostas governamentais. Se conseguisse levá-lo à discussão, certamente seria uma vitória para os opositores, pois os seguidores de Chávez davam credibilidade ao interino e depositavam suas esperanças por ter sido indicado por "*el Comandante*", mas poderiam querer ouvir o herdeiro para acreditar que ele era merecedor de toda a confiança que fora ofertada. Era certo que num debate ficaria claro como ele era fraco e incapaz.

Forçando essa tática, Capriles afirmou: "*O país quer que debatamos. Coloco hoje a Nicolás na mesa (...) Temos um mês. Vamos debater Nicolás e Capriles. (...) Vamos debater a insegurança, a economia, a energia elétrica, a água, emprego, expropriações*". Como Maduro havia dito, no dia 13 de março, que só aceitaria debater caso o opositor se desculpasse com a família de Chávez sobre os questionamentos acerca da verdadeira data da morte do ex-presidente, rapidamente Capriles se desculpou para conseguir fazer o debate antes das eleições (dia 14 de abril), proeza que não havia conseguido com Chávez no ano anterior. Declarou no dia seguinte: "*Se alguma palavra minha ofendeu o presidente, vai minha desculpa pública*". Ou seja, não havia mais justificativa para se evitar o confronto de ideias e de discursos.

Os estrategistas eleitorais da oposição, no entanto, preferiram apontar que as constantes declarações de Capriles estavam produzindo um resultado contrário, levando a que os chavistas moderados e alguns cidadãos indiferentes começassem a garantir seus votos a Maduro, devido ao sentimento de perda despertado e pela irritação contra o opositor, que estava sendo gerada pelas declarações que ele vinha fazendo.

Do lado oposto, Maduro e seus apoiadores centravam foco em mostrar o herdeiro escolhido por Chávez como alguém à altura, mas eles vinham adotando estratégia também arriscada, uma vez que estavam colocando o ex-presidente na condição de santo e profeta, quando não, como dito, próximo a uma entidade divina.

A título de exemplo, o ministro venezuelano de Planejamento e Finanças, Jorge Giordani, sobre quem mais adiante falaremos, afirmou que "*o presidente Chávez se imolou. Estes últimos* [certamente queria dizer dias] *foram difíceis do ponto de vista de sua saúde (...). Ele se imolou pelo povo venezuelano. (...) Hoje, já que (Chávez) não está presente, devemos continuar a luta que ele empreendeu, a luta pela qual praticamente se imolou*".

Nicolás Maduro, por sua vez, foi mais adiante em suas afirmações e declarou Chávez como o "*Cristo Redentor dos pobres*" e, a reboque, se autoproclamou como o seu apóstolo. Afirmou: "*Se o nosso comandante Chávez foi chamado o Cristo Redentor do pobre da América, nós somos os apóstolos e nos tornaremos os protetores e salvadores também daqueles pobres*".

Além do mais, vinha fazendo afirmações que podiam levá-lo a baixas considerações por parte dos cidadãos, como a de que Chávez, ao lado de Cristo, influenciara na escolha do papa argentino, afirmando Maduro, durante um ato transmitido pela televisão oficial: "*Nós sabemos que nosso comandante ascendeu até essas alturas (o céu), está frente a frente com Cristo. Alguma coisa influenciou para que fosse escolhido um papa sul-americano, alguma mão nova chegou e Cristo lhe disse: chegou a agora* (sic – talvez tenha desejado falar 'a hora') *da América do Sul. Assim acreditamos*".

Ele não atentou para o fato de que o atual papa Francisco, pouco antes daquela época, tinha se apresentado enquanto cardeal como opositor de Cristina Kirchner (aliada de Chávez e do bolivarianismo) e naquele momento chegara a se manifestar simpático à ala conservadora da Igreja Católica, algo que poderia pesar contra essas declarações de Maduro no futuro.

No entanto, manifestações como essas representam mais que um messianismo, é quase a criação de uma nova religião, numa espécie de desdobramento caricaturesco do cristianismo.

Havia certo tempo a percorrer ainda até a eleição, embora muito curto, e, nesse, alguns fatores poderiam beneficiar e prejudicar tanto a um candidato quanto ao outro. No caso de Maduro, corria-se o risco de que o seu discurso se tornasse cansativo e sem inovações, além de ele vir a ser mal interpretado em declarações como essas que divinizavam Hugo Chávez.

No caso de Capriles, ele poderia gerar uma união em torno de Maduro caso continuasse usando como estratégia de discurso diminuir a personalidade de seu oponente, tornando-o uma vítima capaz de ganhar pontos devido a essa condição que Capriles lhe impôs. Nunca podemos esquecer: a vitimização é uma arma poderosa em nossa região!

De qualquer forma, também nessa eleição, os cenários apontavam para uma vitória da situação, no caso, do presidente interino. Os fatores estruturais impediam que o voto migrasse para a oposição, como a massa de dependentes do Estado, os beneficiários das políticas assistencialistas e o grande número de funcionários públicos, temerosos de uma política de austeridade a ser imposta pelo candidato da Mesa de Unidade Democrática (MUD), Henrique Capriles.

Ou seja, parecia que se repetiria o cenário da eleição de Chávez, pois isso era estrutural, tal qual ocorre ainda hoje, apesar das perdas atuais, em que os membros do Estado e seus dependentes diretos do assistencialismo não podem aceitar qualquer mudança, e se colocam a defender o regime até as últimas consequências.

Acreditava-se que tais votos não poderiam mudar, mantendo a diferença aproximada de dez pontos percentuais, como apontavam as pesquisas. Mas havia a esperança de aparecer dentro do chavismo um grupo desejoso de apostar numa inovação sugerida e declarada pela oposição, desde que tal grupo entendesse essa proposta e visse que os opositores não fariam mudanças bruscas, continuando o trabalho de inclusão social. Por isso, era fundamental para Capriles o debate com Maduro, quando jogaria todas as suas fichas, inclusive para tentar convencer de que era de centro, com certos traços de esquerda.

Conforme estava declarando desde a disputa do ano anterior, tal qual também já foi citado, tinha como modelo político e econômico o Brasil. De forma mais clara, ele afirmava querer a inclusão social, com associação entre Estado e empresariado, e não a exclusão de um dos dois do processo de desenvolvimento econômico.

Era o discurso para dizer que o empresariado não deveria ser prejudicado, mas também teria de ser mantido o papel que o ex-presidente atribuía ao Estado, acreditando que isso faria um certo grupo de socialistas migrar para seu lado, acrescido da comprovação de que Maduro era fraco e incompetente.

Ainda assim, caso conseguisse fazê-lo, as chances de vitória eram baixas, de forma que a principal meta do opositor passou a se concentrar em reduzir a diferença percentual entre os dois lados políticos ao máximo possível, já que, dessa forma, Capriles poderia se consolidar como o principal líder da oposição e apostar num futuro breve, quando as prováveis divergências internas do chavismo poderiam enfraquecer o grupo e permitir que um líder de outro segmento político se apresentasse como o carreador das esperanças dos segmentos mais pobres da população venezuelana.

Fraude as eleições e diga que foi uma vitória apertada. Que a oposição engula o resultado, verdadeiro ou não!!!

O resultado da eleição, no entanto, surpreendeu a todos, e surpreendeu muito: Maduro venceu, mas com uma diferença de 1,78%. Ele obteve 7.587.579 votos (50,61%), contra 7.363.980 votos (49,12%) de Capriles.

Ficou mais claro ainda: o país estava dividido em duas metades quase iguais, altamente polarizado e com o ódio à flor da pele. A diferença de 223.599 mil votos era inexpressiva, levando-se em consideração que o índice de participação eleitoral, segundo pesquisas independentes, deve ter oscilado entre 60% e 70%.

Maduro, ao invés de pedir união, declarou que não conversaria com a burguesia, apostando que a tática do inimigo interno gera melhores resultados para a preservação do poder do que a busca pela convergência e por um projeto comum.

A oposição levantou suspeitas, e o resultado não foi reconhecido, sendo pedida a recontagem manual dos votos, algo negado pela presidente do CNE, pois, como todos sabiam, o órgão estava sob controle do Executivo. Ele teve apoio da presidente do Tribunal Supremo de Justiça (TSJ), Luisa Estela Morales, que garantiu "*não existir*" possibilidade de contagem manual dos votos, já que o sistema eleitoral é eletrônico.

Indiretamente, ela ainda acusou Capriles de querer estimular a violência, algo que cairia como uma luva para colocá-lo na cadeia. Declarou textualmente: "*Estão enganadas as pessoas que acreditam que esse tipo de contagem pode ocorrer (...) incita o início de uma luta sem fim nas ruas*".

Isso, contudo, é mais um ponto que demonstra a fragilidade das instituições políticas e jurídicas do bolivarianismo, pois fazem com que a sociedade seja sobreposta e tutelada pelo Estado e desrespeitada pelo governo. A recontagem de votos era necessária, já que havia muitas suspeitas, não sobre as urnas, mas sobre o controle que o governo tinha do processo eleitoral.

A situação não se acalmou, e ocorreram várias manifestações, com panelaços e ataques a centros do PSUV. Após os resultados, o confronto entre as partes gerou mortos e feridos, sendo um momento muito perigoso para a oposição, tanto que Capriles veio a público dizendo respeitar a decisão da presidente do CNE, Tibisay Lucena, e pediu calma.

O clima de violência na sociedade e de ataque ao PSUV era propício para a instauração da repressão sem desculpas e a implantação da ditadura sem máscaras que Chávez ameaçara em dezembro do ano anterior, começando pelo estado de exceção.

Além disso, até essas ações contra sedes do partido governista eram suspeitas, mesmo porque nunca se pode esquecer da lição dada na Alemanha da década de 30, no conhecido "Incêndio do Reichstag", ocorrido poucas semanas depois de Hitler ter assumido o poder.

Até hoje não se sabe quem foi o autor desse incêndio no Parlamento alemão, havendo uma ala enorme de pesquisadores que consideram ser mais provável que os próprios nazistas tenham colocado fogo e posto a culpa nos comunistas para, assim, terem a justificativa de reprimir todo o povo, além dos comunistas, liberais e demais segmentos políticos, e propor o fechamento do Parlamento.

Ou seja, a lição é: **não tome como a única ou como sendo a principal explicação aquilo que um governo informa sobre a desordem que está ocorrendo no país, pois ele pode ser o próprio autor do crime cometido, atribuindo-o a outros para justificar a repressão sobre o povo, a extinção da democracia e o massacre dos opositores.**

Os problemas continuaram, e, de lá para cá, o que se viu foi apenas uma repetição da mesma tensão, mesmos confrontos, mesma violência e mesma tentativa do governo de extinguir os opositores para garantir o processo acelerado de implantação do socialismo do século XXI.

Quando em vida, Chávez acreditou que a crise pela qual passava o país não seria resolvida por meio de uma convergência, já que os modelos sugeridos por bolivarianos e opositores eram contrapostos em todos os sentidos.

Em síntese, as estatizações tinham de ser concluídas rapidamente, acreditando que daí poderia surgir uma produção econômica ampliada, gerenciada pelo governo, capaz de solucionar os problemas. Curiosamente, parece que Chávez também sabia que esse dinamismo é improvável numa economia centralizada e estatizada, por isso, em sua estratégia política, apostou tanto na integração da América Latina.

Como se esperava, a posse de Maduro foi tensa e carregada de ameaças contra os opositores. Estes, por sua vez, a partir de então, apostaram em dois caminhos: o afastamento do presidente eleito por vias legais e o avanço de posições, já que ocorreriam outras eleições para os Executivos municipais e estaduais, além das legislativas de 2015.

A estratégia política era interessante, mas não teve como produzir resultado, desconsiderando o hábito do governo de desrespeitar a Constituição, devido à capacidade repressora que detém, gerada pela grande força bélica de que dispõe ao seu lado.

Não tem como produzir resultado uma estratégia de ganhar posições sem levar em conta a importância das Forças Armadas, as Milícias Bolivarianas – por si próprias – e algo que tanto Chávez como Maduro se preocuparam em garantir: o desarmamento do povo, pois, dessa maneira, estaria impedida qualquer hipótese de guerra civil, exceto se ocorresse interferência externa.

Porém, essa possibilidade de interferência seria dar de presente a desculpa vitimizadora por excelência dos bolivarianos para justificarem qualquer repressão. Nas suas cabeças, o imperialismo quer invadir o país e está financiando uma revolta do povo venezuelano, por meio da oposição, que defende os interesses da elite burguesa. Foi exatamente usando desse argumento que Maduro conseguiu governar em 2016 com uma autorização da Assembleia para confrontar os EUA, podendo, se necessário, agir contra o próprio povo!

Sem nos anteciparmos muito, pois ainda chegaremos ao ano de 2014, e há muita coisa para relatar sobre a violência contra o povo em 2013, em 21 de setembro de 2014, Nicolás Maduro anunciou o lançamento do Fundo Nacional de Desarmamento (FND), no montante de 300 milhões de bolívares, aproximadamente US$ 47,6 milhões (na cotação da época), para estimular a população civil a entregar as armas que detinha em sua posse.

Para tanto, foram criados sessenta Centros de Desarmamento para receber as armas que seriam entregues pelos seus detentores em troca de compensação financeira. Maduro declarou: "*Aprobado y arranca el plan nacional de desarme con esta nueva etapa con los recursos aprobados, con la instalación de 60 centros de desarme y con la participación del movimiento por la paz y la vida (...) Sigamos detrás del sueño, detrás de la utopia, la utopia de una Venezuela en paz. (...). Hace falta ir al desarme para coronar el proceso de paz. Hace falta que este desarme se haga con la colaboración de la juventud desde su conciencia*" ("*Aprovado e iniciado o plano nacional de desarmamento com esta nova etapa com os recursos aprovados, com a instalação de 60 centros de desarmamento e com a participação do movimento pela paz e pela vida. (...) Vamos continuar atrás do sonho, atrás da utopia, a utopia de uma Venezuela em paz. (...) É necessário ir ao desarmamento para coroar o processo de paz. É necessário que esse desarmamento seja feito com a colaboração da juventude de sua consciência*" – tradução livre).

O governo estava num processo de retirada das armas da população ao longo dos últimos anos. Em 2013 foi aprovada lei que aplicava pena de até vinte anos de prisão por porte de armas, baseando-se numa necessidade exposta por estatística de 2009 que apresentava que, numa população de trinta milhões de habitantes, havia quinze milhões de armas.

Os opositores, por sua vez, afirmavam que grande parte dessas armas foram distribuídas em 2002 pelo próprio governo para grupos apoiadores do chavismo, que eram chamados de "*colectivos*", quando ocorreu a tentativa de golpe de Estado contra Hugo Chávez.

Esse volume de armamentos passou a ser redistribuído na sociedade e era usado no crime e na violência disseminada pela população, que apresentava, naquele momento, índice de 53 homicídios para cada cem mil habitantes, o segundo maior do mundo. Era inferior apenas ao de Honduras, que detinha o índice de 90,4 mortes para cada cem mil habitantes.

Naquela conjuntura, como não houve mais esclarecimentos sobre o plano de desarmamento da população, sobre como funcionariam os Centros e sobre a maneira como o fundo seria usado, imaginou-se que estaria sendo preparada uma ação militar por parte do governo, reduzindo qualquer capacidade de reação por parte do povo, apesar de se saber que as armas de pequeno porte não interferem em questões desse nível. Completando as críticas contra a medida de desarmamento, especialistas apontaram que não existia perspectiva de que os criminosos seriam desarmados e, mais importante, também não existiam garantias de que os grupos pró-governo entregariam os armamentos que tinham em sua posse.

Ou seja, a explicação da criminalidade era fraca para justificar a medida, de forma que todos tinham certeza de que o objetivo era impossibilitar qualquer hipótese de reação armada à violência governamental. Ainda mais com tantas manifestações e confrontos.

Voltando a 2013, como era de se esperar, o ano foi tumultuado e com vários confrontos entre oposição e governo. O restante do mês de abril foi de enfrentamentos nas ruas, resultando em muitos mortos e feridos.

Nas redes de TV a polarização foi clara, com governistas acusando a oposição de ser violenta, e esta tentando mostrar que buscava manifestações pacificamente, mas era agredida. A Globovisión era mais direta ainda e dizia que o governo roubara a eleição. Não foi à toa que Maduro fez de tudo para fechá-la e estatizá-la, tal qual havia tentado Hugo Chávez antes dele.

Nesse sentido, a mídia entrou na guerra de forma a ser um dos instrumentos de batalha. As redes oficiais acusavam até os opositores de incendiarem os centros de saúde onde cubanos atendiam pessoas em regiões muito pobres.

O hábito cubano de mandar médicos para receber dinheiro, como se médico fosse uma *commodity* para gerar dinheiro ao Estado, já era atividade comum na Venezuela desde que Chávez assumira o poder.

Ele foi ampliando aos poucos a parceria com os cubanos, de forma que parcela expressiva da população questionava as razões de o governo enviar dinheiro para Cuba em troca de serviços e de médicos e não fazer contratos diretos com esses profissionais, que poderiam ir para lá de vários lugares do mundo. Questionavam que, se fosse um acordo entre dois países, então que os profissionais não fossem explorados pelo governo de Cuba, recebendo parcela diminuta daquilo que seria o valor acordado por profissional.

Em síntese, as críticas foram as mesmas que ocorreram no Brasil com o programa Mais Médicos. Como a reação dos opositores por lá ocorria havia muito tempo, fazer acusações de que postos de saúde estavam sendo incendiados demonizava mais a oposição, já que os cubanos atendiam em regiões pobres, aumentando o apoio dos segmentos populares que dependiam do Estado, os quais se entregavam ao governo como seus defensores.

Por essa razão, as TVs contrárias a Maduro se apressavam em desmentir as acusações de incêndios a centros médicos, mostrando fotos comprovando que eram mentirosas as acusações, já que eles estavam intactos.

O resultado dessa guerra midiática em que os meios de comunicação apenas buscaram apresentar como certo o lado que defendiam foi o aumento da polarização. As partes da população em confronto passaram a ler e assistir unicamente aos canais que estavam dos seus respectivos lados. Assim, conseguiu-se evitar que o povo fizesse uma avaliação mais próxima da realidade sobre o que estava ocorrendo no país.

Para piorar a situação dos antigovernistas, mesmo com essa batalha entre as redes, a oposição estava em inferioridade gritante. Os dois principais canais opositores, a Globovisión e a VTV, eram minoritários.

Além disso, o povo assistia mais a novela que programa político, e os comentários da oposição eram reproduzidos em horário que não causava muito impacto, ao contrário do governo, que tinha uma arma excepcional: a transmissão obrigatória de rádio e TV, que sempre era usada para ser colocada no mesmo momento em que qualquer opositor estivesse em canal midiático fazendo acusações, apresentando provas ou questionando o governo de maneira contundente.

Era o exercício contínuo do que Chávez fizera na campanha eleitoral de 2012, quando impediu Capriles de fazer discursos e emitir pronunciamentos. Como o dia a dia passou a ficar como se os venezuelanos estivessem constantemente em campanha eleitoral, o resultado foi que a tensão não diminuiu – pelo contrário, só podia aumentar.

Preocupe-se mais com a guerra política e deixe para solucionar a crise depois: e a batalha é na economia!

O mês de maio teve início com a questão das agressões físicas ocorridas na semana anterior, entre opositores e governistas, dentro do Parlamento. A troca de sopapos ocorreu devido a uma medida aprovada que impedia de discursar aqueles congressistas que não reconhecessem a vitória de Maduro nas eleições.

Tal medida, por si, já ilustra que a democracia não existia no país, tal qual hoje também não existe. Muitos observadores pelo mundo viram que aquilo era uma afronta ao direito de o representante manifestar suas posições e interpretações da realidade, sendo esse direito uma exigência para qualquer sistema político que queira ser democrático.

No entanto, parece que tal princípio foi ignorado pela esquerda latino-americana, para quem qualquer coisa vinda dos bolivarianos era aceitável, até mesmo tal medida, que foi decidida sabem por quem? Diosdado Cabello! O mesmo que foi para a Constituinte em 2017, articulou os movimentos para que ela fosse convocada e, hoje, está no imbróglio da reeleição e posse não reconhecida de Maduro.

Ele fez o anúncio da decisão e junto desta apresentou uma advertência muito curiosa. Declarou:

> "*Chávez era incapaz de machucar alguém. E digo que vocês, senhores da oposição, deveriam ter rezado muito para que Chávez continuasse vivo, porque ele era o muro de contenção de muitas ideias loucas que nos vêm à cabeça*".

Mesmo que fosse apenas fanfarronice, ameaça mais clara do que essa dificilmente se conseguiria ouvir, embora tenham sido feitas muitas outras do mesmo peso, mostrando que o debate político já tinha chegado ao nível de deterioração total, já naquele momento, embora, na realidade, a deterioração tenha começado e permanecido quase no limite por muito tempo. Pode-se dizer que apareceu logo no início, quando Chávez começou a implantar o bolivarianismo no país.

Ainda em maio surgiram gravações apontando que Cabello estava armando um golpe de Estado contra Maduro. A gravação tinha todos os elementos de um filme de espionagem. Conforme divulgado, ela tinha sido feita por um apresentador da TV estatal, Mario Silva, e chegou às mãos do deputado opositor Ismael Garcia, que, por sua vez, entregou a jornalistas de Caracas.

Segundo estava sendo divulgado, o jornalista, quando fez a gravação, desejava entregá-la a Raúl Castro, em Cuba, pois ela demonstrava as brigas dentro do governo e a existência de planos para tirar o presidente do cargo, com ações para tornar a sua gestão "*ingovernável*".

O apresentador, fantasticamente, foi a público acusando o Mossad (o serviço secreto de Israel) e a CIA (a agência de espionagem dos EUA) de terem feio a farsa com uma "*montagem bem feita*".

Na gravação se dizia também que o ministro da Defesa, Diego Molero, tinha problemas com Maduro, mas que ele foi colocado na pasta por Chávez para evitar que subissem outros generais não confiáveis, porque estavam alinhados com Cabello, e que este tinha consigo um grupo de militares dissidentes.

Além disso, que Diosdado Cabello comandava um esquema de corrupção de desvio de recursos para empresas privadas, empresas fantasmas de sua propriedade, por meio do órgão estatal Cadivi (Comissão de Administração de Divisas).

O caso foi chamado de "*Mario Silva Gate*" e foi mais um balde de gasolina sobre a situação tensa do país, que estava na crise de abastecimento e não via como sair dela, tanto que o governo chegou a pedir ajuda dos vizinhos.

O resultado do escândalo das gravações, contudo, foi que os bolivarianos chegaram a termo e se mantiveram unidos, independentemente de serem verdades ou não as informações divulgadas, apesar de a então promotora-geral, Luisa Ortega Dias, ter ordenado uma investigação. Isso mesmo, Luisa Ortega, a mesma que em tempos recentes fugiu de perseguição na Venezuela.

As ações de Maduro continuaram em um crescente para impedir as vozes dissidentes de se manifestarem. A Globovisión foi vendida e passou a se adaptar a outras diretrizes e a retirar programas do ar, além de demitir jornalistas opositores.

Também passou a divulgar menos as ações da oposição, adotando o que chamou de linha "*de centro*", indo seu novo dono se reunir com Maduro e depois declarando que a TV "*continuará sendo um canal de notícias (...) transmitindo os fatos, dizendo a verdade. (...) Vocês sabem as razões pelas quais a Globovisión não era bem-vinda neste palácio, isso não vai acontecer de novo. Assim tinha em mente dar voz às autoridades em seus noticiários*".

Foi uma vitória para o governo, pois reduziu uma frente de combate contra si. Porém, ainda assim, a oposição continuou crescendo e esperou o resultado da auditoria sobre a recontagem dos votos das eleições, que seria anunciado em junho.

O resultado foi o que se sabia, mesmo que houvesse esperanças contrárias: Maduro foi confirmado no cargo. Capriles argumentou que houve uma falha no processo, pois ele se limitou à recontagem dos votos, e não a ver se havia votos ilegítimos, ou seja, não verificou se houve fraude, com votos múltiplos e ilegais, e recebeu a acusação de que estaria desejando fomentar a violência, que já tinha ocorrido em manifestações cujo resultado foi de onze mortos.

O país caminhava entre dois universos que, por sua vez, marchavam paralelamente e se entrelaçavam continuamente: a guerra sem limites entre governo e oposição, ignorando o sofrimento do povo; e a crise se manifestando em todos os campos, setores e atividades.

Por exemplo, em 3 de setembro daquele ano (não podemos esquecer que ainda estamos em 2013), ocorreu um apagão elétrico no país deixando 70% da Venezuela às escuras. Maduro, como era de se esperar, culpou a oposição, chamando o acontecimento de "*Golpe Elétrico*". Ele declarou: "*Tudo parece indicar que a extrema direita retomou seu plano de realizar um golpe elétrico contra o país*"!

O que todos sabiam era que a falta de investimentos e de infraestrutura no setor tinha gerado o problema. Ou seja, o comportamento governamental se fixava em acusar o adversário para se justificar do que ocorria, em vez de haver debate sobre os problemas para buscar soluções.

O mais assustador: mesmo diante da situação em que o país estava, o presidente teve a ideia de criar mais um órgão estatal com o fim de realizar controle sobre o empresariado, independentemente de o Estado estar inchado, de já existirem bloqueios suficientes ao empreendedorismo e ao empresariado, e de que a sociedade estivesse mergulhada numa crise econômica, com desabastecimento e sofrendo diante de uma inflação gigantesca.

E criou o Órgão Superior da Economia, para combater a "*guerra econômica*" que ele atribuía aos opositores e empresários, igual ao que Chávez fazia, dizendo que era essa guerra a responsável pelos problemas do país.

O órgão tinha a função de acompanhar, fiscalizar e supervisionar todas as ações e atividades das empresas privadas da área de alimentos, monitorando inclusive sua cadeia de distribuição, e poderia ser acionado por algo similar a um simples disque-denúncia! Caso alguém desconfiasse de alguma coisa, fosse o que fosse, bastaria ligar e informar, que o processo se iniciaria. Como é possível ver, é mais uma forma de controle e repressão.

Diante do caos e do endurecimento do embate entre as partes, Maduro usou a situação econômica para exigir mais poderes para governar. A governabilidade estava comprometida, as manifestações tinham mostrado que o governo não tinha amplo apoio popular, e a oposição vinha avançando, além de não reconhecer a vitória nas eleições, exigindo a renúncia e trabalhando pelo referendo revogatório do mandato de Maduro, ou seja, buscando nas ruas o apoio para a sua retirada do poder.

A situação econômica era o ponto-chave que certamente levaria a que o povo apoiasse o seu afastamento, por isso buscou que a Assembleia Nacional lhe desse mais poder, por meio da aprovação da Lei Habilitante.

No entanto, não tinha todos os votos necessários, e quando faltava apenas um para lhe dar aprovação da lei, conseguiu que os governistas cassassem a imunidade parlamentar de uma deputada opositora, María Aranguren, que recebeu do Ministério Público acusações de peculato e conspiração. Assim, sem imunidade, seria alvo de investigações e perderia o cargo. Abria-se a vaga para o último voto que daria ao presidente o poder que desejava.

Genericamente, a Lei Habilitante é uma autorização pelo Legislativo ao Executivo para que este governe e aprove leis sem necessitar da consulta ao Parlamento. Na Venezuela, consta no artigo 203 da Constituição de 1999, que estabelece:

> **Artículo 203.**
> "*Son leyes orgánicas las que así denomina esta Constitución; las que se dicten para organizar los poderes públicos o para desarrollar los derechos constitucionales y las que sirvan de marco normativo a otras leyes.*
> *Todo proyecto de ley orgánica, salvo aquel que esta Constitución califique como tal, será previamente admitido por la Asamblea Nacional, por el voto de las dos terceras partes de los o las integrantes presentes antes de iniciarse la discusión del respectivo proyecto de ley. Esta votación calificada se aplicará también para la modificación de las leyes orgánicas.*
> *Las leyes que la Asamblea Nacional haya calificado de orgánicas serán remitidas, antes de su promulgación a la Sala Constitucional del Tribunal Supremo de Justicia, para que se pronuncie acerca de la constitucionalidad de su carácter orgánico. La Sala Constitucional decidirá en el término de diez días contados a partir de la fecha de recibo de la comunicación. Si la Sala Constitucional declara que no es orgánica la ley perderá este carácter.*
> ***Son leyes habilitantes las sancionadas por la Asamblea Nacional por las tres quintas partes de sus integrantes, a fin de establecer las directrices, propósitos y marco de las materias que se delegan al Presidente o Presidenta de la República, con rango***

y valor de ley. Las leyes habilitantes deben fijar el plazo de su ejercicio." (grifos meus)

Em português:
Artigo 203.
"*São leis orgânicas as que assim denomina esta Constituição; as que são promulgadas para organizar os poderes públicos ou para desenvolver os direitos constitucionais e as que servem como marco normativo para outras leis.*
Qualquer projeto de lei orgânica, exceto o que esta Constituição qualifica como tal, será previamente admitido pela Assembleia Nacional, pelo voto de dois terços dos membros presentes antes do início da discussão da respectiva lei. Essa votação qualificada também se aplicará à modificação das leis orgânicas.
As leis que a Assembleia Nacional qualificar como orgânicas serão remetidas, antes de sua promulgação, à Câmara Constitucional do Supremo Tribunal de Justiça, para que se pronuncie sobre a constitucionalidade de seu caráter orgânico. A Câmara Constitucional decidirá no prazo de dez dias contados da data de recebimento da comunicação. Se a Câmara Constitucional declara que a lei não é orgânica, perderá esse caráter.
São leis habilitantes as sancionadas pela Assembleia Nacional por três quintos dos seus membros, a fim de estabelecer as diretrizes, propósitos e estrutura das matérias que são delegados ao Presidente da República, com a classificação e o valor da lei. As leis habilitantes devem definir o prazo de seu exercício."
(grifos meus)

Ou seja, são leis habilitantes as sancionadas por 60% dos deputados. No caso da Assembleia, que tinha 165 cadeiras disponíveis naquela ocasião, a aprovação se daria pelo voto de 99 deputados. A lei dava ao presidente o poder de governar dentro das diretrizes, propósitos e marcos das matérias delegadas ao mandatário presidencial. Em síntese, ele poderá legislar em temas determinados pelos parlamentares e pelo prazo por eles estipulados. Mas era muito poder, pois, dentro desse marco dado pela Assembleia, ele poderia inserir o que quisesse – bastaria usar de mascaramentos e justificar como sendo necessário para realizar o fim definido pelo Legislativo.

Com a aprovação, ocorrida no dia 19 de novembro, Maduro se viu com amplo leque de possibilidades para atuar contra a oposição, pois os objetivos que lhe atribuíram foram combater a lavagem de dinheiro e a corrupção para conseguir vencer a crise financeira, fortalecendo o sistema, além de criar mecanismos de luta contra potências que pretendiam destruir a pátria.

Assim, teria capacidade de emitir decretos para assuntos que ele julgasse emergenciais para a Venezuela. Os pontos destacados por Maduro seriam "*controle de custos, apoio à produção, proteção salarial, controle de preços e regulação, além de definição de limites de lucros para a iniciativa privada*".

Ora, como poderia trabalhar para resolver esses problemas sem precisar de aprovação do Legislativo, bastaria considerar que o combate aos problemas econômicos se resolveria pelo combate à oposição e estaria tudo resolvido para ele, mesmo porque considerava que o crime de usura e a especulação financeira no comércio de bens de consumo eram os causadores do problema.

Além disso, exerceria maior controle sobre importações e exportações e passou a atuar rapidamente, pois queria algum resultado o mais breve possível, já que, em 8 de dezembro, quase um mês à frente, haveria as eleições municipais, que, de certa forma, avaliam o grau de apoio governamental existente na população.

O tempo que foi dado pelo Legislativo a Maduro para resolver o problema foi de doze meses, podendo governar sobre assuntos que lhe ofereciam condições de reprimir diretamente os opositores e o empresariado se assim julgasse adequado e conseguisse enquadrar a repressão dentro do grupo de autorizações recebidas.

As eleições municipais de dezembro mantiveram o país dividido, apesar do controle exercido pelo governo e pela vitória alcançada pelos governantes no pleito eleitoral com uma margem de apenas aproximadamente 8% de diferença.

Conforme dados que foram divulgados pelo Conselho Nacional Eleitoral (CNE), houve a participação de 58,92% dos eleitores do total de dezenove milhões registrados, e, nesse universo, o *Partido Socialista Unido de Venezuela* (PSUV) e seus aliados conseguiram quase 50% dos votos. A oposição, por sua vez, obteve, aproximadamente, 43% da preferência dos eleitores.

Pela avaliação do órgão, ocorreu a vitória do chavismo, mas também um avanço da oposição nos principais centros, como foram os casos de Valencia, Barinas e Barquisimeto. Além dessas vitórias, os opositores mantiveram suas posições na Prefeitura Metropolitana de Caracas e em Maracaibo, a capital do principal centro petroleiro do país, Zulia.

Maduro foi irônico com Henrique Capriles, comentando que o avanço da diferença de 230 mil para 700 mil eleitores favoráveis ao chavismo foi uma resposta ao caráter plebiscitário das eleições, tal qual Capriles afirmava. Este, por sua vez, declarou que Maduro não entendeu a resposta do povo de que a Venezuela estava dividida e não pertencia a ninguém, não tinha um dono.

Os analistas na época concordavam que a vitória nas regionais não tinha se dado por aprovação popular a Maduro, mas pelo que estavam chamando de "*Efeito TV de plasma*", devido ao fato de o presidente ter feito por decreto, no mês anterior, a redução dos preços dos eletrodomésticos, mesmo que a inflação anual estivesse em mais de 50%.

Além disso, na sexta-feira, dia 6, dois dias antes das eleições, Maduro também assinou um decreto impedindo que os empresários demitissem seus funcionários por um prazo de um ano, a começar a valer a partir de 1º de janeiro de 2014. Ele afirmou: "*Vou aprovar o decreto em que se estabelece a inamovibilidade laboral a favor dos trabalhadores do setor privado e público, regido pela Lei Orgânica do Trabalho, a partir de 01 de janeiro de 2014 até 31 de dezembro do mesmo ano. (...) Com esse decreto faço um apelo (...) a todos os que trabalham para que se organizem para trabalhar melhor e produzir mais. (...) [Cumpre, assim] a tradição justa e histórica do 'comandante' Hugo Chávez de proteger todos os anos os trabalhadores e trabalhadoras*".

Medidas como essas buscavam manter o controle sobre os empresários e jogar sobre eles o peso de arcar com os custos da crise, suportando as dificuldades geradas pelas ações populistas do governante, as quais atuavam contra a lógica econômica e esvaziariam mais os investimentos, bem como estagnariam ainda mais a economia. No entanto, tais medidas criavam nas camadas mais baixas e mal informadas da população a sensação de que havia equilíbrio, ou de que elas estavam sendo contempladas corretamente pelo governo.

Maduro estava preocupado com a real divisão do país, tal qual afirmou Capriles, por isso trabalhava para iniciar a implantação da estratégia chavista de controle paralelo da política venezuelana, denominada "*Plano da Pátria*", pela qual as instâncias administrativas municipais seriam desrespeitadas devido à criação de comunas a serem dirigidas por personalidades indicadas diretamente pelo presidente, algo que desobedecia à Constituição e permitia o controle presidencial direto sobre os municípios, independentemente das administrações das cidades que foram eleitas pelo voto popular.

Além disso, se o plano fosse aplicado amplamente, estariam sendo dados passos fortes em direção ao regime totalitário desejado por Chávez na sua proposta de aceleração da implantação do denominado socialismo do século XXI, razão pela qual se acreditava que estava mais perto a possibilidade de uma ruptura institucional no país. E, veja, estamos falando de 2013! Outras eleições viriam para colocar mais combustível no clima de guerra. Esta última, que gerou a crise de 2019, é uma dessa sequência.

Para ilustrar as várias eleições que ocorreram entre 2012 e 2017 na Venezuela, vamos observar esta lista (Fonte: *Consejo Nacional Electoral*):

1. Em 2012 foram feitas as primárias da MUD para eleições presidenciais, governamentais e municipais (em 12 de fevereiro); as eleições presidenciais (em 7 de outubro); e as dos governadores estaduais, conselhos regionais (em 16 de dezembro), uma vez que a região é uma organização geográfica, dividida seja por razões naturais, seja por critérios administrativos, dentro das quais existem os estados e municípios, que elegem seus governantes com determinada autonomia para administrá-los;

2. Em 2013 ocorreram novas eleições presidenciais (em 14 de abril) e as municipais (em 8 de dezembro);
3. Em 2014 ocorreram as eleições municipais em San Diego, Valencia e San Cristóbal (em 25 de maio);
4. Em 2015, em 17 de maio, ocorreram as primárias da MUD para as parlamentares; e as importantes e decisivas eleições para a Assembleia Nacional (em 6 de dezembro);
5. Em 2016 não houve eleições no país; e
6. Em 2017 ocorreu o "*Referendo sobre a aceitação da Assembleia Constituinte; sobre a intervenção do exército em defesa da Constituição; e sobre as eleições presidenciais antecipadas*", que foi organizado pela oposição, mas não foi reconhecido pelo governo (ocorrido em 16 de julho); e também a famigerada eleição para a Assembleia Nacional Constituinte, ocorrida em 30 de julho.

Declare guerra aos estudantes: que se calem as salas de aula!

Dessas eleições, as determinantes foram as parlamentares, pois representaram o corte histórico que levou Maduro ao desespero da ação política da Constituinte. Mas 2014 estava nascendo, e ele foi um campo de batalha com alto grau de violência. Os antigovernistas precisavam manter o apoio que tinham e avançar mais no espaço que estavam ganhando. Para isso, a batalha pelo afastamento de Maduro do governo era um instrumento precioso, pois sabiam que maior parcela do povo não suportava mais o modelo bolivariano, o qual sobrevivia graças à opressão sobre os opositores e às medidas populistas e irresponsáveis do presidente, tais como o "*Efeito TV de plasma*".

Por si mesmo, o mês de fevereiro de 2014 merecia um livro à parte, só para discorrer sobre os embates ocorridos, os quais resultaram na notoriedade internacional de Leopoldo López, que emergiu como grande liderança dos antibolivarianos e ainda pode virar um mártir.

No início desse mês, uma juíza, de nome Ralenys Tovar Guillén, ordenou a prisão de López para ser processado (uma curiosa inversão, pois num Estado Democrático de Direito o cidadão é antes processado para então ser preso), sob a acusação de vários delitos, destacando-se a "*associação para delinquir, instigação para delinquir, intimidação pública, incêndio de edifício público, danos à propriedade pública, lesões graves, homicídio e terrorismo*".

A situação dos confrontos estava cada vez mais dura, com embates físicos diretos entre opositores e governistas nas ruas, e López tinha um perfil diferente do de Capriles, pois não admitia processo transitório com composição entre certas medidas assistencialistas do bolivarianismo e o regime de estímulo aos empreendimentos privados típico do capitalismo. Por isso, ele era visto como mais radical dentro da oposição. Da mesma maneira, ele não acreditava que apenas pela via institucional a crise política seria resolvida e a ditadura encerrada. Sabia que era necessária a ação direta.

Dentre as ordens da juíza, havia uma que assombra qualquer observador internacional que tenha como princípio a defesa da democracia: ela solicitou que o Serviço Bolivariano de Inteligência (Sebin) inspecionasse a casa de Leopoldo López.

Isso mesmo, o serviço de espionagem, que, em qualquer país democrático do mundo, deve ser impedido de exercer atividades de polícia e de investigação contra seus cidadãos, estando estas últimas restritas ao exterior e, no caso interno, atuando em contrainteligência para identificar ações contrárias ao país, mas não como polícia. Independentemente disso, o Sebin recebeu a ordem explícita de fazer esse trabalho de polícia interna!

Ao longo desse curto período de fevereiro, 125 pessoas foram presas, dentre líderes políticos, estudantes, jornalistas e manifestantes em geral. O governo percebeu que mais líderes estavam se destacando, e, uma vez que López estava sob controle, já que a ordem de prisão estava posta na mesa, as atenções se voltaram para outra personagem que viria ganhar notoriedade internacional: Maria Corina Machado. O objetivo era retirá-la da Assembleia Nacional, na qual seu mandato lhe dava imunidade e lhe permitia falar sobre o que via – e sua voz era tão forte quanto a de López.

Maduro, como não poderia evitar, mais uma vez acusou de estarem tentando um golpe de Estado. No entanto, cometeu o erro de dar holofote à ala mais radical da oposição, sob a liderança de Leopoldo López, que, por sua vez, soube tirar proveito disso, pois se aliou a estudantes que passaram a se mobilizar de forma mais intensa e dura contra o governo.

O serviço de inteligência novamente foi chamado para reprimir os manifestantes, com poder de polícia! É assustador, sim! E as imagens de canais de TV mostraram agentes atirando contra os estudantes, apesar de somente a Polícia Nacional Bolivariana ter autorização para isso (não se assustem, mas a polícia tinha autorização para atirar! Mais curioso ainda é no Brasil a esquerda aceitar isso e se rebelar contra um policial brasileiro, em cumprimento à lei e para se defender, poder atirar contra narcotraficantes armados de fuzil!).

Maduro, percebendo a reação de assombro da população e da comunidade internacional com as imagens, adotou postura de acusar os agentes, declarando que "*Havia um grupo de funcionários que não cumpriu as ordens (...) eu mandei aquartelar o Sebin na madrugada*".

Essa postura foi vista como um comportamento covarde e de baixo nível, mas, ainda assim, ele não perdeu o suficiente da sua força, pois a base do regime, a parcela mais pobre do povo, não se identificava com aqueles manifestantes. Como disse um ex-líder estudantil dos anos 90, Sérgio Sánchez, "*Nenhum pobre se sentirá representado por um sifrino (Mauricinho), com óculos escuros caros, falando que estão passando fome. Isso não cola. (...) O povo venezuelano rejeita a violência, principalmente porque não considera que essas ações são legítimas, e isso tende a fortalecer o governo*".

E o governo estava recebendo munição para justificar a repressão. Como exemplo, um grupo tido como de ultradireita, chamado Javu, levou a um protesto em Altamira um cartaz em que dizia: "*Venezuela necessita de ti, mate um chavista*".

Nesse meio-tempo em que as manifestações se avolumavam, López, que estava clandestino, finalmente se entregou. Sua condenação poderia chegar a dez anos, e os confrontos estavam se espalhando pelo país.

Maduro agora passou a acusar os EUA de estarem envolvidos nas manifestações e mandou expulsar três diplomatas acusados de se infiltrar nas universidades. No estado de Táchira, fronteira com a Colômbia, ele afirmou que declararia "*Estado de exceção*". Disse: "*Enviarei tanques, estou pronto para fazer isso*".

O número de mortos ao longo das manifestações passou dos trinta, e a procuradora-geral, Luisa Ortega, novamente, essa mesma que saiu do país e se apresentou como perseguida, admitiu que houve excessos, mas negou que tivesse ocorrido violação dos direitos humanos! Ela declarou claramente: "*Houve abusos... (...) Mas é uma grande mentira que o Estado venezuelano seja violador dos direitos humanos*".

Os líderes estavam sendo perseguidos e alcançados. As atenções voltadas contra Corina Machado produziram o resultado desejado, e ela foi afastada da Assembleia, curiosamente, tendo ocorrido a cassação de seu mandato antes de receber o cancelamento da sua imunidade, ato inconstitucional, ignorado pelo governo, pela Assembleia (com maioria governista), pela Corte Suprema e por qualquer órgão que devesse estar atento ao fato.

No mesmo dia, 25 de fevereiro, três oficiais generais da aviação venezuelana foram presos sob acusação de tentar um golpe de Estado. Para impedir que ocorressem defecções nos quadros militares, as Forças Armadas apresentaram comunicado apoiando o governo:

> "*Frente a estes fatos a Força Armada Nacional Bolivariana se mantém monolítica e nada prejudica nossa convicção democrática nem a moral de quem, por meio de suas atuações, conseguiu consubstanciar-se com a realidade de nosso povo, pois, graças a nosso comandante supremo e eterno, Hugo Chávez, conseguimos compreender que a União Cívica e Militar nos faz mais fortes*".

Esse foi mais um período em que o risco de golpe de Estado, ou desenlace de uma guerra civil, esteve à flor da pele, pois Nicolás Maduro não demonstrava capacidade de gerenciar a crise, e suas atitudes se concentravam cada vez mais em usar a violência como forma de responder às manifestações.

Curiosamente, as que começaram em 2014 tiveram como estopim reivindicações por parte de estudantes que desejavam mais segurança nos *campi*, após uma jovem ter sido vítima de tentativa de estupro no *campus* de sua instituição.

Naquela manifestação, a resposta do governo foi dura para um ato visto como natural em uma democracia. O revide dos segmentos opositores, diante da forma como o governo atuou, foi agregar outros setores da sociedade, os quais estavam insatisfeitos com o desabastecimento no país, com a crise energética, a inflação, com a insegurança pública, a crise econômica, com a falta de investimentos e com a incapacidade de atrair capital. A Venezuela foi colocada na condição de ser um dos países com pior cenário do mundo para aplicação de recursos, vendo diariamente a queda constante da sua capacidade econômica, apesar da riqueza do petróleo.

Aumente a tensão e a violência em qualquer cenário: nem dentro do governo há equilíbrio!

Havia várias construções de cenários disponíveis, mas quase todos apontavam para o aumento da tensão, tendo, inclusive, a possibilidade concreta de um golpe vir também de dentro do governo para afastar Nicolás Maduro e tentar garantir a sobrevivência do chavismo. A declaração da ministra da Defesa da Venezuela, Carmen Meléndez, em 18 de fevereiro, de que as Forças Armadas combateriam qualquer golpe, foi entendida por alguns como um alerta dado a grupos internos do governo.

Ela afirmou: "*Jamais aceitaremos um governo que não surja pela via constitucional*". Interpretou-se que o recado estava sendo dado para membros do chavismo, talvez para Diosdado Cabello, presidente da Assembleia Nacional Bolivariana, que sempre se posicionou como o melhor herdeiro do presidente morto e até há pouco tempo um antagonista de Maduro, e por isso era capaz de aproveitar a situação para sugerir a sua saída.

Curiosamente, ele havia anunciado que a Assembleia criaria uma Comissão da Verdade para apurar os atos de violência ocorridos, que já tinham levado a mais de trinta mortes, respondendo às solicitações da população para que o governo impedisse as milícias de abrir fogo contra os manifestantes, e, além disso, para que controlasse os partidários do chavismo que usavam de violência, bem como que pusesse um freio na violência das forças policiais.

O presidente da Assembleia declarou que a pretensão era trazer toda a verdade à tona. Uma proposta dessa natureza, se aplicada, poderia ser usada contra Maduro, pois, se as imagens dos tiros dados pelos policiais contra o povo fossem realmente reveladas, elas poderiam colocar o presidente na condição de incompetente, fraco e responsável pela disseminação da violência, o que daria oportunidade à ascensão de outro chavista que se apresentasse como um "moderado" no processo.

Curiosamente, nesse momento, ele se diria um moderado! Seria visto como moderado, não porque acataria a oposição, mas porque poderia fazer uma reforma nos quadros, realizar o afastamento de lideranças bolivarianas problemáticas e principalmente tentar responder aos setores descontentes das Forças Armadas, que se voltavam contra a interferência cubana no seio da tropa, especialmente no alto comando. Ou seja, moderado seria apenas uma maneira de dizer que ouviria as exigências dentro do seu grupo, e não porque conversaria com os opositores.

Os EUA, como sempre, tinham sido acusados de estimular a crise, e, devido ao trabalho de cobertura realizado pela rede de notícias CNN sobre a Venezuela, esta foi acusada de infiltração para realizar operações psicológicas no país, disseminando informações sobre um processo de revolta que os governistas afirmavam não existir.

Independentemente do papel que os bolivarianos atribuíram e ainda atribuem aos EUA, o Exército estadunidense estava atento à situação, e o general John Kelly, chefe do Comando Sul dos Estados Unidos (que engloba América do Sul, América Central e Caribe), declarou, durante audiência no Comitê de Assuntos Armados do Senado norte- americano, que "*A Venezuela está se esfacelando diante de nós e, se não ocorrer um milagre, como a reconciliação da oposição com o governo de [Nicolás] Maduro, vai precipitar para a catástrofe econômica e democrática*". Isso naquele ano!

Ele levantou também a hipótese de que, dentro das Forças Armadas venezuelanas, já podiam estar se articulando os discordantes, bem como que Maduro não tinha confiança no Exército. Em seu raciocínio, a prova dessa situação estava em que Maduro se apoiava na Guarda Nacional, e não nos militares. Concluiu sobre essa situação que "*Isso diz bastante sobre a opinião que o governo tem sobre o que os militares podem fazer*". Trazendo mais elementos ao encontro dessa suposição, não se pode esquecer que Cabello é ex-militar do Exército, tinha bom trânsito nas Forças Armadas e esteve com Chávez desde o início.

Os norte-americanos estavam dispostos a começar a aplicar sanções contra o governo venezuelano, sendo essa uma etapa importante para que as ofensas abertas se tornassem um confronto que levaria os EUA a terem apoio internacional para garantir auxílio à oposição venezuelana no caso de uma insurgência.

Já estavam sendo anunciadas solicitações de recursos para ajudar quaisquer grupos que defendessem os direitos humanos, algo rechaçado na Venezuela, alegando que auxílio financeiro para grupos fazerem política no país era ilegal e que aqueles que recebessem sofreriam consequências.

Dois pontos foram indicativos de que os norte-americanos estavam dispostos a atuar de forma mais direta, se necessário fosse, mas que agiriam por etapas e com cautela. O primeiro indicativo disso veio da resposta dada pelo general Kelly quando senadores perguntaram sobre a presença e o grau de envolvimento de Cuba e da Rússia na Venezuela, pois havia preocupação em relação à Rússia, uma vez que os russos, no passado recente àquela época, manifestaram o desejo de estabelecer uma base em território venezuelano.

Ele respondeu que quem exerce influência é Cuba, pois "*Há assessores militares e de inteligência no terreno*" (e isso continuou ocorrendo), mostrando com sua resposta o cuidado que tinha em relação aos russos, tanto pelo poderio quanto pelos embates que os norte-americanos tinham realizado com a Federação Russa naquele período.

Seria um confronto desnecessário, que poderia pôr em risco a segurança internacional, uma vez que, se envolvessem o país em várias frentes de disputas, qualquer ação desembocaria numa situação difícil de calcular, limite que hoje pode estar sendo rompido. Acrescente-se a isso que a abertura de um mercado de armamentos para uma situação de conflito como a da Venezuela seria amplamente favorável aos russos, como na atualidade também é.

O outro indicativo dizia respeito à questão de surtirem efeito as sugestões do então secretário de Estado, John Kerry, de aplicar sanções e multas a cidadãos, líderes e quaisquer responsáveis pela violência no país.

O general foi cuidadoso, mas mostrou que tudo poderia ser feito e seria positivo. Declarou:

"*Eu diria que, quanto mais se limitam a sua liberdade de movimentos e suas contas bancárias neste país [por EUA] (sic), maior efeito terá em suas reflexões sobre o futuro. (...) Qualquer coisa que possa ser feita para que comecem a tratar melhor sua gente, para que deem um passo atrás e se afastem do caminho que tomaram, será muito benéfica para o maravilhoso povo da Venezuela*".

Diante do cenário criado e da forma como o presidente Maduro e seus ministros se esforçaram para dar à crise interna um contexto internacional, tendo como exemplo um diálogo ríspido com o Panamá, pensou-se que ele desejava expandir a situação para a região, como estratégia de sobrevivência. No entanto, a maior probabilidade parecia ser realmente a ocorrência de um golpe dc Estado_(independentemente de quem o aplicaria: a oposição, com apoio externo, ou setores bolivarianos descontentes com Maduro). Também não estava sendo descartado o imediato estabelecimento de uma guerra civil. Parece que 2017 é o desfecho de 2014, e 2019 o de 2017. Na realidade, o que ocorre hoje é apenas o desfecho do que começou com a implantação do bolivarianismo no país.

Segundo o governo, as sete semanas de violência anteriores tinham rendido US$ 10 bilhões de prejuízo ao país (na época, aproximadamente R$ 23 bilhões), 39 mortes e 608 feridos – dentre estes, 414 civis e 194 agentes de polícia militar.

Conforme apontado pela procuradora Luisa Ortega: "*Dos mortos, 31 são civis, oito são da polícia e do Exército e um funcionário do MP*". Isso é um saldo altíssimo, em quaisquer circunstâncias, mas... ainda estamos no primeiro semestre de 2014! As ONGs denunciavam os abusos contra os direitos humanos, informando inclusive casos de tortura, mas isso foi ignorado, a culpa foi jogada nos opositores, e foram mantidas as operações militares contra o povo.

No início de maio, a Guarda Nacional Bolivariana (GNB) fez operação contra acampamento de estudantes, considerado o último reduto dos opositores daquelas manifestações que começaram em fevereiro, prendendo 243 deles, sob todos os tipos de acusações, de incendiar carros de polícia a terrorismo.

Nesse momento as mortes já chegavam a 41. No final do mês, mais confrontos com os estudantes. O saldo desses três meses de manifestações quase diárias, embora tenha havido um arrefecimento delas e da repressão entre a primeira e a última semana de maio, foram 42 mortes, incluindo dez policiais e militares, 870 feridos e 3.210 detidos, dos quais 224 continuaram presos até aquele momento.

Observadores internacionais dedicados aos direitos humanos comentavam sobre a diminuição dos noticiários acerca do tema, havendo poucas notícias divulgadas sobre os desdobramentos da crise, trazendo a sensação de que ela estaria encerrada e se chegara a um acordo entre os dois lados da contenda venezuelana.

Corina Machado, a ex-deputada opositora, fez, no entanto, uma declaração afirmando que as manifestações não se encerraram, pelo contrário, que "*Una Venezuela que se sentía dominada, resignada, aterrorizada, despertó. (…) Es el principio del principio. Tendremos una transición a la democracia en un futuro cercano (…) no en el 2019. (…) En algunos países, en algunos regímenes, como no hay justicia interna piensan 'somos impunes, no me va a pasar nada'. Desde robarme toda la plata de un hospital hasta mandar a disparar contra unos estudiantes (…)*". ("*Uma Venezuela que se sentia dominada, resignada, aterrorizada, acordou. (...) É o começo do princípio. Teremos uma transição para a democracia no futuro próximo (...) não em 2019. (...) Em alguns países, em alguns regimes, uma vez que não há justiça interna, pensam que 'estamos impunes, não vai acontecer nada. Desde roubar todo o dinheiro de um hospital até mandar disparar contra estudantes (...)*" – tradução livre.)

Curiosamente, ela citava 2019, pois seria a posse do novo presidente, acreditando que aquelas manifestações poderiam mudar algo no país.

Nesse sentido, a questão que estava sendo posta à mesa dizia respeito a dois procedimentos táticos usados pelo governo Maduro:

1. O primeiro era a tentativa de igualar a ideia de modificação do regime bolivariano ao desejo de criação de uma guerra civil. Ou seja, os governantes tentavam passar a imagem de que o processo democrático não comportava uma mudança, tanto do regime político bolivariano construído por Hugo Chávez, e mantido pelo governo Maduro, como uma substituição do grupo que se tornou governante, já que, das suas perspectivas, a democracia exige a manutenção deles no poder para ela se concretizar num futuro.

2. O segundo procedimento foi a busca pela retomada de uma união dos latino-americanos, bem como do povo venezuelano, estimulada pelo forte apoio dos aliados regionais contra o inimigo comum sempre citado, no caso os EUA. Segundo apontavam os bolivarianos, os norte-americanos procuravam e ainda procuram realizar interferência em assuntos internos de outros países.

Para tanto, o governo Maduro conseguiu uma moção coletiva da União das Nações Sul-Americanas (Unasul) em reunião de chanceleres dos países membros da entidade, realizada nas Ilhas Galápagos, no Equador, no dia 23 de maio. Por ela, foi dado respaldo imediato à demanda da Venezuela contra os norte-americanos, principalmente devido ao fato de, no Congresso dos EUA, o Senado ter decidido pela aplicação de sanções contra o governo venezuelano.

Deve-se apontar que sanções unilaterais são direitos soberanos de países, tais quais as respostas de repúdio, incluindo as que vêm de blocos, de forma que a decisão do Senado estadunidense é legítima, o que não implica que ela deva ser aceita ou considerada como válida internacionalmente e/ou deva ser acompanhada por todos os países do mundo, bem como pelos demais atores das relações internacionais.

Independentemente do resultado e da postura coletiva perante os EUA, que sempre foi um procedimento tático adotado pelo regime bolivariano para se vitimizar e garantir sua permanência no poder, começou a ficar claro internacionalmente que a Venezuela estava decadente, ao ponto de estar se tornando uma presença incômoda, pois as ações do governo contra o povo não paravam de receber críticas pelo mundo, mesmo que seus aliados políticos e ideológicos estivessem neutros para não fragilizar ainda mais o regime bolivariano.

Além disso, vinha sendo mostrado na mídia que mesmo os governantes que não criticavam a repressão na Venezuela evitavam fazer aparições públicas ao lado de membros do governo Maduro.

Duas coisas pareciam às pessoas que olhavam o drama venezuelano:

1. Que o regime tendia a se enfraquecer mais, pois a economia estava em queda e a sociedade estava polarizada, mantendo rígidas as suas divergências, já que as possibilidades de mediação tinham sido diminuídas e a comunidade internacional estava vendo de forma negativa o regime bolivariano na Venezuela, mesmo com os apoios que ainda recebia de seus aliados;
2. Que a sobrevivência do regime, ao menos para o futuro breve, poderia estar vinculada diretamente a uma forma de garantir o diálogo entre governantes e opositores, respondendo ao menos em parte aos pedidos imediatos da oposição, que exigia a libertação dos presos políticos, que o governo evitasse qualquer forma de repressão contra as manifestações, que estas fossem consideradas

legítimas, e que aceitasse a substituição dos governantes, dentro dos processos constitucionais.

Esses pedidos dificilmente seriam aceitos, tanto que não foram, mas, friamente, da perspectiva da sobrevivência do bolivarianismo, ao menos uma parte do que vem sendo implorado até hoje pelos opositores precisa ser aceita, mesmo que o governo ache que a implantação da ditadura, tal qual está ocorrendo neste momento, lhe garantirá o poder.

Nunca conseguiu ver além do que está diante dos olhos, por isso, o que começou a despontar para Maduro é que a garantia no poder, em vez de ser obtida com o diálogo e o recuo na repressão, teria de estar associada ao controle cada vez maior da mídia local e regional, com apoio de seus aliados.

A mídia internacional também teria de ser de alguma forma controlada, e parte importante dela poderia deixar em segundo plano o problema venezuelano, graças aos demais graves problemas internacionais que estavam e ainda hoje estão ocorrendo ao mesmo tempo.

Uma forma de induzir a isso era pelo controle das notícias internas e pelo apoio dos aliados regionais, também refreando ou ao menos induzindo suas respectivas mídias a deixar a Venezuela de lado. Quanto menos notícia interna e menos repercussão regional, mais o mundo poderia deixar de lado o problema venezuelano. Parece que estamos falando de agora, mesmo com o fracasso nessa empreitada, devido às mudanças no cenário internacional, especialmente o regional, que ocorreram em 2018! Mas... ainda estamos em 2014!

Conseguiu-se levar o artifício mais adiante, adotando o mesmo caminho já antes usado por Chávez para fazer a sua autoblindagem. Simples, da mesma forma como Chávez fazia, usou-se da acusação de que havia uma articulação regional da direita contra o governo venezuelano e que o grande inimigo externo (o **Grande Satã americano**) apoiava os manifestantes opositores na Venezuela para executar mais um plano de magnicídio, agora contra Nicolás Maduro.

Em 31 de maio, uma declaração oficial foi feita internacionalmente, em Genebra, na Suíça, durante a 103ª Conferência da Organização Internacional do Trabalho (OIT), por delegados, dirigentes da Central Bolivariana Socialista dos Trabalhadores da Cidade, o Campo e a Pesca (CBST-CC), informando que as provas do projeto de atentado contra o presidente encontravam-se em posse da *Fiscalía General*.

Ou seja, durante uma conferência internacional sobre o trabalho, foi falado que havia provas de que tentavam matar Maduro! Ficou para alguns a indagação se, naquele momento em que a declaração estava sendo feita, Hugo Chávez, em forma de uma pomba do Espírito Santo, também estava no ombro do pronunciante, dizendo as palavras que deveriam ser ditas, pois era típico dele fazer tal coisa: aproveitar qualquer momento de grande repercussão midiática e se fazer de vítima, gritando que queriam matá-lo!

Wills Rangel, o chefe da delegação, declarou que o plano se desenvolvia desde janeiro, quando começaram as manifestações que geraram os combates nas ruas do país, e, naquele momento, a trama havia passado para a nova fase, a do assassinato do presidente, ou seja, o magnicídio. Além disso, mais uma vez... manifestou que os EUA estavam envolvidos, financiando grupos terroristas na Venezuela e paramilitares colombianos.

Maduro manteve esse discurso e afirmou à imprensa que enfrentaria os opositores, que, segundo ele, estavam implicados no magnicídio com o apoio da imprensa. Ou seja, já tinha a desculpa para controlar a mídia, pois ela, que tem a função de falar, segundo as afirmações estava envolvida em algo que exige silêncio para ser executado!! O que eles diziam é confuso, mesmo! A mídia, que existe porque fala, estava envolvida em algo que só pode vir a existir se houver silêncio! A conclusão lógica é de que ela deve ser controlada. Certamente, isso deve ser lógica dialética marxista.

E o mandatário declarou, durante uma aparição pública em Caracas: "*A estos homicidas, a estos magnicidas, que lo que les sale es cárcel, no tengo ninguna duda que la justicia tiene que funcionar hasta sus últimas consecuencias, no tengo ninguna duda*" ("*Para esses assassinos, para esses magnicidas, o que vem é a cadeia, não tenho dúvidas de que a Justiça tem que trabalhar até suas consequências finais, não tenho dúvidas*" – tradução livre), pedindo a prisão para aqueles opositores que ele acusava de estarem envolvidos.

À oposição restava negar que tal plano existisse e que o presidente, bem como os demais membros do governo, queriam criar uma manobra diversionista para desviar a atenção da crise política e econômica pela qual passava o país.

O deputado Richard Blanco fez voz sobre aquilo que considerava a quase totalidade dos opositores:

> "*Si él (Maduro) realmente considera que tiene todas las pruebas necesarias para incriminar a una persona por un supuesto atentado en su contra, que lo haga, que lo demuestre, pero que lo demuestre con experticias que convenzan a la gente. (...) lo conocemos desde los tiempos del difunto presidente (Hugo) Chávez. (...) con ese tipo de acusaciones quieren desviar la atención de los ciudadanos por las cosas irregulares que ocurren en Venezuela*" ("*Se ele (Maduro) realmente considera que ele tem todas as provas necessárias para incriminar uma pessoa por um suposto ataque contra ele, que o faça, que o demonstre,*

mas que o demonstre com perícia que convença as pessoas. (...) nós sabemos disso desde a época do falecido presidente (Hugo) Chávez. (...) com esses tipos de acusação eles querem desviar a atenção dos cidadãos pelas coisas irregulares que acontecem na Venezuela" – tradução livre).

A situação tendia a piorar, pois a crise se manteve e foi até publicamente reconhecida pelo presidente. Além disso, vários segmentos da sociedade se mostravam dispostos a manter as manifestações, prometendo retornar às ruas, dentre eles os estudantes.

O líder estudantil Roderick Navarro, membro da *Junta Patriótica Estudiantil y Popular de Venezuela*, declarou que "*los que protestan en las calles han 'quemado las naves' y van a seguir hasta que el Gobierno renuncie y se abra 'un proceso de transición de unidad nacional para re-institucionalizar el país'*" ("*aqueles que protestam nas ruas 'queimaram os navios' e continuarão até que o governo renuncie e seja aberto 'um processo de transição da unidade nacional para reinstitucionalizar o país'*" – tradução livre).

Chamava atenção a declaração de reinstitucionalização. Ou seja, corria na oposição a percepção de que as instituições do país estavam fragilizadas, ou serviam apenas aos interesses do governo, daí estarem perdendo sua validade, a força e o sentido, necessitando ser reorganizadas e refundadas.

Os estudantes exigiam várias modificações, além de pedir que os "*presos de opinião*" fossem soltos. Para alcançarem seus intentos, afirmaram que manteriam suas posições de combate político, tendo sido ressaltado que preservariam o princípio de que não desejavam um golpe de Estado, mas, sim, a renúncia de Maduro. No entanto, estavam dispostos a enfrentar a violência do governo, resistindo até o extremo, se necessário.

Navarro declarou também: "*No estamos en el palacio (de Miraflores) a caerle a los tiros (a Maduro), estamos en las calles cansados de la política de empobrecimiento a propósito… (…) Decidimos quemar nuestras naves: o ganamos o morimos en el intento*" ("*Não estamos no palácio (de Miraflores) para cair aos tiros (a Maduro), estamos nas ruas cansados da política de empobrecimento de propósito... (...) Decidimos queimar nossos navios: ou ganhamos ou morremos na tentativa*" – tradução livre).

Além disso, ele também entendia que estava sendo criado o mito de que a oposição era de classe média, mas, na realidade, quem mais estava sofrendo era a classe mais baixa. Afirmou: "*mito más grande… (…) una lucha de clase media. (…) Es el más falso de todos los mitos, la gente que más sufre los problemas de Venezuela es la gente pobre y es la que más nos defiende*" ("*grande mito... (...) uma luta de classe média. (...) É o mais falso de todos os mitos, as pessoas que mais sofrem com os problemas da Venezuela são os pobres, e eles são os que mais nos defendem*" – tradução livre).

A mesma consideração apresentou a estudante Ana Karina García, que esteve no Brasil para denunciar o regime venezuelano perante a Organização dos Estados Americanos (OEA), mas se mostrou decepcionada com o silêncio do governo e da mídia brasileiros sobre o que estava acontecendo em seu país.

Maduro chegou até a declarar ter participado de reunião com os opositores da Mesa de Unidade Democrática (MUD), mas apontou que não se chegou a acordo, acusando-os de terem exigido ocupação de cargos públicos para darem continuidade às negociações políticas. Acusou: "*Yo los llamo al diálogo y ellos dicen: 'Diálogo con resultados'. A pedir cargos… (…). …el tiempo de pactos con la burguesía ya pasó*" ("*Eu os chamo ao diálogo, e eles dizem: 'Diálogo com resultados'. Para pedir taxas... (...) o tempo dos pactos com a burguesia já passou"* – tradução livre).

Ou seja, não daria continuidade às negociações, uma vez que, segundo entendeu, ela se dava no molde tradicional de fazer política, que se preocupava apenas com os interesses materiais. Além disso, para ele, tal prática tinha sido rompida por Hugo Chávez!

A conclusão a que se chegou é de que os bolivarianos do governo, tanto quanto Maduro, precisavam de qualquer declaração que tivesse exigências por parte dos opositores como justificativa para manter os procedimentos adotados, caracterizando-se por evitar o diálogo e manter o confronto.

Eles acreditavam que o caminho a ser seguido era apenas um: aceleração da implantação do socialismo, impedindo a construção de espaço para os opositores reconstruírem instituições, uma vez que, com a conclusão dos processos de estatização da economia, com o controle da mídia, com a complementação do aparelhamento do Estado pelo partido, bem como com a tutela da sociedade, dificilmente se poderia realizar quaisquer mudanças estruturais no país sem que isso afetasse a totalidade da sociedade, gerando um confronto civil.

Curiosamente, era uma maneira de forçar a prova da grande tese chavista de que será inevitável a ocorrência de uma guerra civil caso haja mudança de regime político. Da mesma forma, indiretamente também forçam a comprovação de que a oposição deseja esse tipo de confronto na Venezuela.

É um argumento de um simplismo estranho, que beira o pérfido. Não é nem apenas o falacioso: se ocorrer mudança de regime, haverá guerra civil, porque a sociedade está organizada dentro da lógica da doutrina que construiu as instituições e com milhões de pessoas atreladas ao Estado gerado por esse regime; como a oposição quer a mudança de regime, então ela quer a guerra civil!!!

Declare: Se é opositor, então é de direita! O regime só se mantém se todos forem destruídos, afinal, são da direita!

Com aquele argumento explicativo nas mãos, a posição governamental foi mantida, e acelerou-se o investimento em duas frentes: mais uma vez, aumentando as políticas assistencialistas, só que agora com discursos de que pretendia extinguir a pobreza na Venezuela até 2018, que, apenas por coincidência, foi o ano passado, o de encerramento de seu mandato; e buscando a unidade das Forças Armadas em torno da preservação da revolução bolivariana, esse sim um ponto essencial.

Da perspectiva da união dos militares, em 6 de junho, Maduro fez apelo direto a eles em evento das Forças Armadas, solicitando: "*Nem uma fissura nas FANB, devemos consagrar-nos à união interna de cada componente, à união cívico-militar, ao amor junto do povo, pela pátria, para converter o orgulho de ser venezuelano em ações permanentes*", pois as Forças Armadas Nacionais Bolivarianas (FANB) da Venezuela "*São uma coluna vertebral e têm todas as condições para continuar jogando um papel de vanguarda ética, institucional, na consciência, na luta contra os problemas, as dificuldades, as ameaças, preparando-se para cumprir de maneira impecável o papel de garante da soberania, integridade, estabilidade e paz da República. (...) vitais e determinantes para a estabilidade da República*".

O que veio à mente foi a hipótese de ele poder estar pensando numa forma de enrijecer mais ainda contra os opositores, aplicando todos os recursos militares disponíveis, algo que sugeria a possibilidade de um levante preventivo por parte do próprio Maduro, caso entendesse ser necessário.

O opositor já estava identificado como algo maligno, seja porque ele dizia que este queria a guerra civil, seja também por ter, na concepção dos bolivarianos, o defeito moral que essa ideologia colocava nele: a oposição é identificada como sendo apenas de direita e, por isso, maligna. Nas suas palavras, "*a direita (...) não tem limites éticos, vai em busca dos seus objetivos por qualquer via... (...) guerra psicológica para envenenar de ódio a pátria, para dividir, destruir e poder voltar a conquistar*".

Ele só estava se esquecendo de uma coisa: os opositores constituíam-se de uma frente ampla, que abarcava da direita à esquerda. No entanto, fazer essa separação primária de que o mal está lá e o bem no seu lado, bem como dizer que o mal é a direita e o bem a esquerda, não é exclusividade de Maduro.

Estrategicamente, Chávez também fez tal polarização ao longo de toda a carreira, e, doutrinariamente, essa é uma concepção filosófica da esquerda, bem como é o ponto central que norteia o comportamento da esquerda latino-americana que ascendeu ao poder no início do século XXI, algo que será explicado mais adiante.

Por justiça, não se pode dizer que toda a esquerda é assim, pois surgiu e se desenvolveu uma fração de esquerdistas democráticos, buscando as convergências dos pontos de contato entre os dois lados. No entanto, originariamente, a matriz teórica exige a antagonização entre esquerda e direita, e o grupo que ascendeu e assumiu o poder tem em seu cenário que a direita tem de ser destruída, a ponto de excluir e colocar nesse lado até mesmo os do seu grupo que discordam dessa posição.

Nesse sentido, Maduro apenas reproduz o mesmo discurso, vive no mesmo universo e bebe da mesma fonte. A conclusão é quase óbvia: de acordo com sua interpretação, seria justificada uma ação militar para frear esse mal que não permitia que o país caminhasse. Para tanto, as Forças Armadas deveriam estar coesas e vinculadas ao seu nome.

A oposição buscou mostrar que suas atitudes e declarações eram inadequadas e antidemocráticas, tal qual tentou apresentar Henrique Capriles quando declarou que não se pode considerar como criminoso alguém que solicita a renúncia de um presidente, já que isso está de acordo com as regras da democracia.

Além disso, também afirmou que Maduro perdeu uma oportunidade de unir o país no momento em que recusou a possibilidade de diálogo com os opositores para tratar dos casos dos estudantes perseguidos, tratar da prisão de Leopoldo López, da repressão contra as manifestações e dos incidentes de abusos das milícias.

Declarou:

> "*Esta situación de injusticia nos tiene que unir a todos los venezolanos porque el país que queremos la mayoría no es donde se utilice la justicia para perseguir a nadie. (...) Estos son escándalos para seguir tapando los graves problemas de nuestro país. Esperamos que se haga justicia y que en el camino, como me tocó vivirlo hace diez años, exista alguien que tenga el valor, el compromiso y su formación para quienes hoy están siendo perseguidos, puedan tener un juicio en libertad y demostrar su plena inocencia porque no han debido pasar un día privado de libertad. (...) Nicolás perdió una gran oportunidad de unir al país, que permitiera que el diálogo funcionara y que fuera un mecanismo para resolver esta situación de crisis. (...) Aquí no hubo diálogo sino un debate en cadena de radio y televisión. (...) El diálogo es para*

que haya resultados. Se hicieron planteamientos concretos: que nadie esté preso por razones políticas, hablamos del desarme de los grupos paramilitares armados por el Gobierno. Nada de eso ha pasado" ("*Essa situação de injustiça tem que unir todos os venezuelanos, porque o país que a maioria quer não é onde a Justiça é usada para perseguir alguém. (...) Esses são escândalos para continuar escondendo os graves problemas do nosso país. Esperamos que a justiça seja feita e que, ao longo do caminho, como tive de viver há dez anos, haja alguém que tenha coragem, compromisso e formação para que aqueles que estão sendo perseguidos possam ter um julgamento em liberdade e demonstrar sua plena inocência, porque eles não tiveram que passar um dia sem liberdade. (...) Nicolás perdeu uma grande oportunidade de unir o país, que permitisse o diálogo funcionar e ser um mecanismo para resolver esta situação de crise. (...) Aqui não houve diálogo, mas um debate sobre rádio e televisão. (...) O diálogo é para resultados. Propostas concretas foram feitas: que ninguém está preso por razões políticas, estamos falando do desarmamento de grupos paramilitares armados pelo governo. Nada disso aconteceu*" – tradução livre).

Diante do quadro, já se sabia naquele momento que não havia saída para a crise, prevendo-se que as manifestações iriam retornar e ser maior ainda a probabilidade de Maduro aumentar a violência, bem como quebrar a ordem institucional. Os passos para conseguir sucesso já estavam sendo dados com a tentativa de preservar as Forças Armadas ao seu lado e garantir o apoio das classes baixas, dependentes do governo.

Os opositores na Venezuela voltaram a se manifestar intensamente e a reforçar o pedido de saída do presidente Nicolás Maduro. A ex-deputada Corina Machado fez declaração forte, clamando pelo adiantamento das eleições, juntamente com a renúncia de Maduro.

O discurso de Corina se deu durante as manifestações que ocorreram em Caracas no dia 8 de junho, reunindo dezenas de milhares de pessoas e mostrando que no país não havia se encerrado o processo de mobilização contra o governo, já que a população continuava dividida, e parte expressiva dela estava disposta a continuar seu trabalho pela modificação do regime político que vinha afrontando os direitos civis e atentando contra os direitos humanos na Venezuela.

Para os opositores, somente a saída do presidente poderia criar uma alternativa à crise no país, e a proposta de sua renúncia era uma demonstração de que não desejavam a adoção de medidas violentas, pelo contrário, optavam por um percurso legal e institucional, que poderia ser conseguido com uma emenda constitucional ou com a convocação de uma Assembleia Nacional Constituinte.

Naquele momento, isso é importante frisar, a Constituinte era uma proposta da oposição, pois a Constituição de 1999 era voltada para implantar o socialismo. Nas palavras de Corina, "*ni en la sumisión, ni la guerra civil, (...) democracia de forma constitucional. (...) Todos tenemos que unirnos para definir cómo vamos a exigirle la renuncia a Maduro. (...) ¡Ni magnicidio, ni golpe!*" ("*nem em submissão, nem guerra civil, (...) democracia constitucional. (...) Todos nós temos que nos unir para definir como vamos exigir a renúncia de Maduro. (...) Nem assassinato, nem golpe!*" – tradução livre).

Lester Toledo, deputado do Conselho Legislativo do Estado de Zulia (CLEZ) e também dirigente do Vontade Popular, partido opositor do qual Leopoldo López era líder, confirmou a perspectiva adotada por Corina Machado de que todos desejavam a saída legal de Maduro, acompanhada de uma mudança do regime.

Declarou:

"Lo que comenzó en 1998 como una constituyente debe terminar con una constituyente. Nicolás Maduro no puede durar seis años en el poder, tenemos la Constitución y no podemos dejar que doblegen nuestra voluntad de cambio. Maduro renuncia y le da paso a La Mejor Venezuela o nos veremos obligados a convocar el Poder Constituyente. Desde hoy iniciamos una gran cruzada nacional con nuestro pueblo para evaluar si la Asamblea Nacional Constituyente es el instrumento propicio para lograr la salida de este régimen. (...). En la primera fase de esta nueva ruta todos los venezolanos podemos pedir la renuncia del Presidente de la República, porque es un empleado del pueblo. También existe la posibilidad de solicitar el referéndum revocatorio con el apoyo de 15% de los electores inscritos en el Consejo Nacional Electoral (CNE). (...). En el artículo 347 de la Constitución se consagra como un derecho de los venezolanos la posibilidad de solicitar una Asamblea Nacional Constituyente que haga una reforma integral del Estado venezolano y se le restituya a todos los venezolanos los derechos que hoy en día le han sido quebrantados, debido a que las personas que dirijan esta asamblea están capacitados para formar nuevas reglas por las que se rijan los gobernantes y ciudadanos, los poderes públicos actúen como entes autónomos y no estén sometidos a las decisiones del Poder Ejecutivo" ("O que começou em 1998 como uma Constituinte deve terminar com uma Constituinte. Nicolás Maduro não pode durar seis anos no poder, temos a Constituição e não podemos deixá-los dobrar a nossa vontade de mudança. Maduro renuncia e dá lugar à Melhor Venezuela, ou seremos obrigados a convocar o Poder Constituinte. A partir de hoje iniciamos uma grande cruzada nacional com o nosso povo para avaliar se a Assembleia Nacional Constituinte é o instrumento propício para conseguir a saída deste regime. (...) Na

primeira fase desta nova rota, todos os venezuelanos podem solicitar a renúncia do presidente da República, porque ele é um empregado do povo. Há também a possibilidade de solicitar um referendo revogatório com o apoio de 15% dos eleitores cadastrados no Conselho Nacional Eleitoral (CNE). (...) O artigo 347 da Constituição estabelece como direito dos venezuelanos a possibilidade de solicitar uma Assembleia Nacional Constituinte que faça uma reforma abrangente do Estado venezuelano e restitua a todos os venezuelanos os direitos que foram quebrados hoje, porque as pessoas que lideram esta Assembleia são treinadas para formar novas regras pelas quais os governantes e cidadãos são governados, os poderes públicos atuam como entidades autônomas e não estão sujeitos às decisões do Poder Executivo" – tradução livre).

Seja a liderança do partido pela sobrevivência do poder bolivariano: opta-se pela preservação da mediocridade!

Maduro, por sua vez, concentrou suas forças políticas no PSUV para que este continuasse sendo, ou realmente se tornasse, o centro articulador e unificador de todas as esquerdas do país, já que somente assim ele poderia ter condições concretas de confrontar a oposição usando da ideia de pátria para unir o povo. Em realidade, usando do sentimento patriótico para tentar criar a imagem de que o regime bolivariano representa a consolidação da pátria venezuelana e o *Partido Socialista Unido de Venezuela* (PSUV) é o único canal de expressão popular desse patriotismo.

Apesar desse seu trabalho para unificar realmente a esquerda venezuelana em torno do partido, a situação estava complicada para o presidente, pois entre os bolivarianos mais destacados não se queria que ele fosse o líder, não significando isso que também não desejavam que o

PSUV fosse o partido unificador da esquerda venezuelana. Ressalte-se que esse foi o desejo de Chávez desde que ele foi concebido, em 2007, e fundado, em 14 de março de 2008 – e não é à toa que seja o partido do governo e o maior partido da esquerda no país.

Diosdado Cabello, primeiro vice-presidente do PSUV, para complicar mais ainda fez uma declaração imprudente de que os mesmos partidários que criticavam Hugo Chávez eram os que criticam Maduro, e nesse caso "*si no les gusta como funciona el partido socialistas unidos de Venezuela vaya y haga otro partido*" ("*Se não gosta de como funciona o Partido Socialista Unido de Venezuela, vá e faça outro partido*" – tradução livre).

Ou seja, ele admitiu publicamente a existência de divergências dentro do PSUV e, por isso, mostrou que as manifestações de Maduro estavam voltadas mais para barrar as divergências internas do que para trazer mais gente para a agremiação partidária governamental.

Pior, admitiu que havia a possibilidade de ocorrerem expressivos abandonos, o que enfraqueceria Maduro e, por isso, auxiliaria a oposição nos embates públicos que retomaram com intensidade no mês de junho, mesmo que, na América Latina, a mídia, por alguma razão, e já vimos o que pode ter sido, não estivesse noticiando adequadamente o que ocorria dentro do país.

A eleição para presidente do PSUV era essencial para que Maduro não fosse expulso do governo, seja pelos opositores do regime, seja pelos seus opositores dentro do regime. Analistas, lideranças políticas e governamentais membros da agremiação partidária garantiam que Nicolás Maduro seria eleito por unanimidade no Terceiro Congresso do PSUV, a ser realizado entre 26 e 29 de julho de 2014.

Isso se confirmou, mas porque todos no partido temiam que a demonstração da fratura interna, com a eleição de outro presidente partidário, seria uma confissão de que o governante não tinha mais capacidade de continuar como tal. Em termos da guerra eleitoral no país, isso daria mais espaço à oposição.

Outra vez a necessidade de preservação do regime salvou Nicolás de ser afastado pelos seus próprios aliados. O PSUV não poderia deixar espaços para críticas ao governo dentro da esquerda naquele momento de crise.

A força partidária teria de lhe ser dada diante da crise econômica e, mais ainda, diante da alta inflação que estava ocorrendo, algo que permitiu aos opositores apresentarem para as classes mais baixas as perdas que elas estavam sofrendo, conseguindo culpar o governo por isso, especialmente a Maduro.

Henrique Capriles batia constantemente nessa questão em várias postagens sequenciadas no seu Twitter: "*Inflación Abril 5,7%, Mayo 5,7% ¡La más alta del mundo!* ¡Eres un fenómeno Nicolás!"; "*Inflación Abril y Mayo 11,4% La más alta del mundo ¿Y los resultados de la ofensiva económica Nicolás? ¿A quién le echaras la culpa?*"; "*el indicador de precios al consumidor acumuló un incremento porcentual del 23% durante los cinco primeros meses*"; "*Inflación Abril 5,7%, Mayo 5,7% ¡La más alta del mundo! ¡Eres un fenómeno Nicolás! ¡Más Ineficiencia en la ofensiva económica!*" ("*Inflação abril 5,7%, maio 5,7%, a mais alta do mundo! Você é um fenômeno Nicolás!*"; "*Inflação abril e maio 11,4%, a mais alta do mundo e os resultados da ofensiva econômica, Nicolás? Quem você culpará?*"; "*O indicador de preços ao consumidor acumulou um aumento percentual de 23% nos primeiros cinco meses*"; "*Inflação abril 5,7%, maio 5,7%, a mais alta do mundo! Você é um fenômeno, Nicolás! Mais ineficiência na ofensiva econômica!"* – tradução livre).

O mesmo fazia o presidente do Partido Aliança Bravo Povo (ABP – Alianza Bravo Pueblo), Antonio Ledezma, que acusou o governante de ter aproveitado a desatenção gerada no país pela Copa do Mundo no Brasil para disfarçar o índice inflacionário, que já tinha chegado a mais de 60% nos últimos doze meses, sendo a maior inflação do mundo.

Ele afirmou:

> *"A pesar de todo el maquillaje que le colocaron por más de 40 días al Índice Nacional de Precios al Consumidor (INPC), el BCV no pudo ocultar ni manipular las estadísticas que todo el país sabía, un aumento de 5,7% para el mes de abril y mayo, lo que representa un récord en la variación de precios durante el régimen de Nicolás Maduro" ("Apesar de toda a maquiagem que foi colocada no Índice Nacional de Preços ao Consumidor (INPC) por mais de 40 dias, o BCV não conseguiu esconder ou manipular as estatísticas que todo o país conhecia, um aumento de 5,7% para o mês de abril e maio, o que representa um recorde na variação de preços durante o regime de Nicolás Maduro"* – tradução livre).

Para o governante, contudo, isso eram dados técnicos desprezíveis. A decisão era apenas uma, ignorando quaisquer sinais, todos os conselhos técnicos, ou mesmo toda lógica econômica: acelerar o processo de construção do socialismo na Venezuela, estimulando a criação de empresas estatais e aplicando recursos na criação de mais missões de amparo às classes baixas, missões que, todos já tinham consciência, eram improdutivas e limitadas em médio e longo prazos.

Naquele momento, dentre as ações, determinou a criação da Empresa Socialista para a Produção de Medicamentos Biológicos

(Espromed Bio), com o objetivo de produzir, distribuir e comercializar vacinas e produtos biológicos em escala nacional e internacional.

No entanto, tais medidas, ao invés de produzir efeitos, apenas mostraram que não desistiria de aumentar os gastos públicos, apostando ainda na manutenção da crise política, pois se caminharia não para o diálogo, e sim para a preservação das posições adotadas, com mais impasses políticos.

Ninguém no país discordava de que eram necessárias vacinas, muito menos de que um empreendimento desse porte fosse excelente ou que traria benefícios para o povo. O que se questionava era a ausência de diálogo para buscar meios diversos de produzir tal iniciativa em substituição à ideia de que somente o Estado deveria fazê-lo, pois não havia mais recursos para tantos gastos públicos.

Ora, a oposição batia no problema econômico, na inflação e no esgotamento do Estado como empreendedor, e Maduro, para mostrar ao partido que queria acelerar a implantação do socialismo e assim manter-se como seu líder, fazia exatamente aquilo que só tinha como resultar no aumento das crises econômica e política: mais gastos públicos e menos diálogo com os opositores. Era uma forma de sobreviver dentro do partido e se preservar no cargo, independentemente da realidade do país.

No entanto, a crise dentro do governo já estava instalada e se elevou mais ainda quando ocorreu a reforma ministerial em que foram afastadas personalidades históricas dentro do regime e para o *Partido Socialista Unido de Venezuela* (PSUV), em especial o ex-ministro do planejamento Jorge Giordiani, que respondeu com uma carta aberta, no dia 18.

Nesta ele contestou a liderança do presidente e o acusou de não ser capaz de conduzir a revolução bolivariana, além de estar se desviando da linha administrativa adequada e usando apenas da repetição, sem ter coerência no seu planejamento.

Maduro respondeu de forma a acusar os atos de traição que podiam estar ocorrendo no país e, sem citar nomes, afirmou que críticas do gênero eram uma traição ao projeto revolucionário iniciado por Hugo Chávez. Declarou que "*No hay excusa para la traición de nadie al proyecto revolucionario*" ("*Não há desculpa para a traição de ninguém ao projeto revolucionário*" – tradução livre), apontando que trataria as vozes discordantes como opositores, independentemente de saírem de dentro dos quadros bolivarianos.

Membros do PSUV tentaram amenizar o problema, afirmando a unidade partidária, além das qualidades positivas de Giordiani, como foi o caso de Darío Vivas, vice-presidente da Assembleia Nacional, que declarou: "*Aquí cada quien expresa la opinión que así considere, aquí se acabaron los grupos, aquí hay un partido unificado, un partido unido, un partido que hoy por hoy debate su línea a seguir en estos años de revolución*" ("*Aqui todos expressam a opinião que consideram, aqui os grupos acabaram, aqui há um partido unificado, um partido unido, um partido que hoje debate sua linha a seguir nestes anos de revolução*" – tradução livre).

A questão se colocava certamente diante da efetivação de Maduro na liderança do PSUV no III Congresso do partido, que seria realizado proximamente, mas, também, e em especial, diante do fato de que o presidente estava sendo questionado por vários setores operários e dentro da esquerda, além de pelos grupos opositores que se organizavam em torno da Mesa de Unidade Democrática (MUD).

Como exemplo, foi lançada outra carta aberta, assinada por vários sindicatos do setor automotivo (*Sindicato de Trabajadores de Chrysler; Sindicato de Trabajadores de Toyota; Sindicato de Trabajadores de Encava; Sindicato de Trabajadores de Iveco; Sindicato de Trabajadores de Gabriel Vzla; Sindicato de Trabajadores de Clover; Sindicato de Trabajadores de Sposito; Sindicato de Trabajadores Emveta; Sindicato de Trabajadores de Aerocav; Sindicato de Trabajadores de Veyancetech*), questionando a política adotada pelo presidente para o segmento, bem como os seus gastos com publicidade, além daqueles gastos que eram direcionados para questões incorretas, quase respaldando a carta escrita por Jorge Giordiani.

Mais uma vez, os membros do partido se mobilizaram para evitar que as divergências internas se ampliassem e fragilizassem ainda mais a Nicolás, já que este estava sendo questionado por amplos setores políticos e ideológicos.

O planejamento era manter a unidade até a confirmação de Maduro como o líder máximo no PSUV e usar dos variados meios possíveis contra a oposição ao governo, dentre eles acelerar ainda mais as políticas de inclusão social (especialmente as missões) e aumentar mais ainda a repressão contra os opositores, agora ampliada com os dissidentes, mesmo que estes não perfilassem ao lado da oposição tradicional.

O mais significativo era que as diferenças internas entre os bolivarianos estavam emergindo em críticas às políticas adotadas por Maduro, fragilizando o governo e dando mais espaço ao outro lado.

Nicolás continuou investindo no que denominava "*ofensiva econômica*". Não podemos esquecer que ele recebeu autorização do Legislativo para governar sobre questões econômicas sem precisar consultar a Assembleia, e a Lei Habilitante que lhe outorgou tal poder autorizava que fizesse o que desejasse, podendo, em nome da solução da crise econômica, aumentar a repressão, tal qual já vinha fazendo.

O ministro do Comércio, Dante Rivas, informou que, nos dois meses anteriores, de 22 de abril a 19 de junho, 4.400 empresas tinham sido "*inspecionadas*", sendo as "inspeções" uma das ações táticas para enfrentar a escassez de produtos no país.

A razão para isso era que o governo tinha transferido para o empresariado a culpa pela falta de produtos, acusando-o de usura e punindo as empresas nas quais havia desabastecimento para fazer com que elas, primeiramente, aplicassem o que chamava de "*preço justo*", mas, principalmente, para que revertessem a escassez, já que acreditava que o fariam apenas pelo temor da punição que seria imposta.

Ou seja, o governo acreditava, ou fazia de conta que acreditava, que a falta de produtos decorria de uma decisão dos empresários, e não da lógica da economia, das necessidades existentes para realizar qualquer produção e do próprio mercado. Segundo o ministro, 924 empresas foram sancionadas, declarando ele que "*Estén donde estén, los usureros se encontrarán con la mano del Estado*" ("*Onde quer que estejam, os usurários se encontrarão com a mão do Estado*" – tradução livre).

A Lei do Preço Justo foi a medida adotada para enfrentar o que todos os membros do governo denominavam guerra econômica, que diziam ser realizada pelos empreendedores venezuelanos e resultava nessa dificuldade para o povo adquirir toda categoria de bens, incluindo os gêneros de primeira necessidade. Sendo assim, o tabelamento de preços, a estatização, a fiscalização contínua dos empreendimentos ainda privados e o controle dos planejamentos empresariais para que ficassem de acordo com o projeto governamental se justificavam como medidas de combate escolhidas pelo regime.

Além disso, dentro da "*ofensiva econômica*", o governo realizou um reajuste de 30% do salário mínimo, algo que foi sentido de forma pesada pelo setor empresarial, que argumentava estar à beira do colapso, já que não podia repassar os custos para o consumidor (especialmente devido à fiscalização dos preços) e não tinha margem de lucro para pagar os custos, garantir a aquisição de insumos, nem gerar capital suficiente para fazer investimentos! O cálculo do governo era político, ideológico e demagógico, ignorando as questões econômicas básicas, em especial da microeconomia.

Economistas venezuelanos, pelo contrário, respondiam que a crise tinha como responsável o regime bolivariano, por não conseguir entender a lógica de uma economia empreendedora e ter centralizado no Estado a perspectiva dos empreendimentos, algo que reduziu a diversificação e impediu o desenvolvimento do país.

Dentre esses economistas, Luis Vicente León foi mais adiante e concluiu que, já naquele momento, a crise venezuelana tinha o próprio presidente Nicolás Maduro como causador da força que ela adquirira, responsabilizando-o diretamente pela condição em que estava a Venezuela, já que, segundo apontou, havia duas razões para que num país se desenvolvesse uma crise econômica: (1) ser produzida por choques externos, ou (2) ser gerada porque um modelo econômico não está mais funcionando.

No caso venezuelano, a crise se deu graças ao modelo que fracassou, e, para chegar a esse ponto, viu-se ocorrer a implementação de medidas incorretas, que iam desde a forma de tratar a taxa de câmbio do dólar até a recusa em admitir o problema de segurança no país, passando pela política errada de investimentos realizada em todos os setores.

Dentre as falhas principais, foram enumeradas por ele:

"1. El problema cambiario 'es una política incorrecta', aseguró; 2. Controles de precios; 3. Las expropiaciones que si bien el analista reconoció que durante el Gobierno de Nicolás Maduro esta política ha disminuido, señaló que la implementación de esta durante 16 años causó un 'gran impacto a la crisis'; 4. El tema laboral y la aplicación de instrumento legal que si bien beneficia a los trabajadores, ha generado estímulos negativo" (*"1. O problema do câmbio 'é uma política incorreta', assegurou. 2. Controle de preços; 3. As expropriações, cuja implantação, embora o analista reconhecesse que, durante o governo de Nicolás Maduro, tinha diminuído, durante 16 anos causou 'grande impacto para a crise'; 4. A questão trabalhista e a aplicação de um instrumento legal que, embora beneficiasse os trabalhadores, gerou estímulos negativos"* – tradução livre).

Indiferente às críticas, o presidente manteve sua postura e, além da "*ofensiva econômica*", vieram mais missões e programas sociais governamentais para atuar diretamente nas comunidades carentes, acreditando que tal comportamento poderia reverter o problema.

Ele não conseguia entender que isso não era solução, mas a preservação do processo, tanto que as críticas internas se mantiveram, como a realizada por Hector Navarro, um dos ideólogos do regime bolivariano e também ex-ministro da Educação, que apoiou o ex-ministro do planejamento Jorge Giordani.

Em mais uma carta aberta, ele pediu que se investigassem as denúncias de que o governo não havia administrado corretamente bilhões de dólares por meio do controle do câmbio, e retrucou de forma ríspida acusando o presidente e perguntando ainda se "*O traidor é Giordani, porque, por exemplo, denunciou a alocação de dólares para empresas fantasmas e propôs ações para evitar que isso acontecesse?*", destacando-se que as próprias autoridades reconheceram que ao menos

US$ 20 bilhões haviam sido desviados para comprar matérias-primas e produtos acabados por meio de empresas de fachada e do controle cambial exercido no país desde 2003.

Esse clima tenso era constante, tanto que, para se preservar, além do assistencialismo e da repressão, agora ampliada em várias direções, necessitava expandir também as alianças internacionais, seja para buscar investimentos, seja para garantir apoio político. Além disso, claro, precisava reforçar o apoio das Força Armadas.

Para manter a base militar, tenta se aproximar dos seus rituais carregados de símbolos, nos quais ocorre um envolvimento emocional do combatente com o seu dever sagrado perante a pátria e seu dever de honra dentro da corporação.

No dia 7 de julho, participou da entrega de espadas na formatura de 618 oficiais da Força Armada Nacional Bolivariana, na Universidad Militar Bolivariana, em Fuerte Tiuna. Na solenidade, declarou a necessidade de contar com os militares para concretização da Revolução Socialista.

Durante o juramento dos novos oficiais, discursou realizando perguntas a eles reforçando seus vínculos com a revolução, e estes respondiam sim, dentro do padrão das formaturas de turmas das academias militares:

Perguntava Maduro: "*Tenientes del Ejército Bolivariano, de la Aviación Militar Bolivariana, de la Guardia Nacional Bolivariana y Alféreces de Navío de la Armada Bolivariana, ¿juran ustedes ante Dios, ante la Patria, ante el pueblo todo, delante de esta heroica bandera tricolor surgida de las manos gloriosas de los libertadores; juran no dar descanso a sus brazos ni reposo a sus almas en la batalla que hoy comienza como oficiales de la Fuerza Armada Nacional*

Bolivariana, por construir en este largo camino que les toca, una patria libre y soberana?

¿Juran *ustedes recorrer este largo camino siempre junto a pueblo y para siempre, haciendo realidad la Revolución Socialista, Pacífica y Democrática de Venezuela, a la defensa de la Patria y su soberanía, a toda costa aún a riesgo mismo de la vida, para darle vigor y vida a la patria de nuestros libertadores?*

¿Juran Ustedes?"

Respondiam os formandos: "*Sí, lo juro...*".

Em português (tradução livre):

"*Tenentes do Exército Bolivariano, da Aviação Militar Bolivariana, da Guarda Nacional Bolivariana e Tenentes de Navio da Marinha Bolivariana, vocês juram diante de Deus, diante da Pátria, diante de toda a cidade, em frente a essa heroica bandeira tricolor que surgiu das mãos gloriosas dos libertadores; juram não descansar seus braços ou repousar suas almas na batalha que hoje começa como oficiais das Forças Armadas Nacionais Bolivarianas, para construir nesta longa estrada que os toca, uma pátria livre e soberana?*

Vocês juram percorrer este longo caminho sempre junto com as pessoas e para sempre, tornando realidade a Revolução Socialista, pacífica e democrática da Venezuela, defender a Pátria e sua soberania, a todo custo, mesmo correndo o risco de vida, para dar-lhe vigor e vida para o país de nossos libertadores?

Vocês juram?"

Respondiam os formandos: "*Sim, eu juro...*".

O juramento daqueles militares venezuelanos, por ter um conteúdo que vai além da pátria, ou seja, por vincular o dever cívico do soldado à ideologia, tanto quanto ao país, é semelhante ao dos militares dos antigos regimes comunistas do período da Guerra Fria. Mas, também, o modelo apresentado pelo Estado bolivariano da Venezuela mostra-se próximo de uma reedição dos padrões do caudilhismo latino-americano.

Nesse sentido, a figura de Nicolás Maduro aparecia como um problema, já que ele não tem origem nas Forças Armadas, ao contrário de Hugo Chávez, fundador do regime, que foi tenente-coronel.

Ele viu sua autoridade ser questionada internamente no partido, especialmente por bolivarianos que tinham origem dentro da corporação, os quais se viam como mais adequados para conduzir o processo civil-militar de implantação do socialismo.

Com esse cenário, Maduro e seus assessores entenderam a necessidade de renovar os quadros de oficiais, mas, principalmente, de alterarem o alto comando, algo que foi feito rapidamente na mesma semana do juramento dos formandos das academias, para ter diante de si comandantes que lhes deviam o cargo que ocupavam e poderiam garantir a hierarquia e a disciplina na tropa diante das necessidades que Maduro poderia sentir, bem como das dificuldades pelas quais passaria no futuro que estava surgindo.

Além disso, precisava dar orgulho aos quadros, tornando-os mais fortes e aparelhados. Com um país em crise, sem comida, esgotado e decaindo na pobreza, ainda assim ele opta pelo reaparelhamento das Forças.

Em 24 de julho, anunciou que a Venezuela reforçaria a compra de armamentos da Rússia e da China, adquirindo novos lotes, com o intuito de desenvolver a capacidade bélica do país. De acordo com o diretor do Centro de Análise do Comércio Mundial de Armamentos, Igor Korotchenko, a Venezuela ia se tornar o segundo maior comprador de armas da Rússia, depois da Índia, nesse período que se estenderia de 2012 até 2015.

O valor estimado nas negociações era de US$ 3,2 bilhões e, por isso, mais críticas estavam sendo feitas em relação à compra anunciada, principalmente devido ao fato de o país estar passando por problemas sociais e políticos, estar à beira da fome.

Nesse sentido, as possíveis negociações significavam recursos, comércio e parceria para evitar o isolamento em que estavam sendo colocados. Para a Venezuela, no entanto, o aparelhamento de forças militares poderia até significar mais força ao país para impor sua posição perante seus inimigos internacionais. No entanto, o que ficava óbvio, e hoje está comprovado, é que o mais importante é que serviria para o governo impor-se diante da oposição venezuelana, que continuou recebendo o mesmo tratamento violento e teve pioras: **o governo passou a tratar como crime qualquer ato de se manifestar solicitando a renúncia do presidente**! Isso mesmo! A manifestação pela renúncia dele já era vista como crime! Ou seja, estava instituído, sim, sem desculpas, sem mascaramentos ou enrolações, o "*crime de opinião*"!

Os advogados encarregados de avaliar se a solicitação de renúncia do presidente Nicolás Maduro constituía crime discordaram da tese e divulgaram que pedir a demissão do presidente não constitui o delito configurado no artigo 143 do Código Penal venezuelano, no qual se estabelece que "*Serán castigados los que se alcen públicamente, en actitud hostil, contra el gobierno legítimamente constituido*" ("*Serão punidos aqueles que se levantam publicamente, em uma atitude hostil, contra o governo legitimamente constituído*" – tradução livre).

No entanto, para a procuradora-geral, Luisa Ortega Díaz (sim, ela mesma, a que esteve no Brasil e pediu ajuda por ter alegado perseguição),

"*Pedir la renuncia del presidente con gente en la calle, con bombas incendiarias, con armas, con barricadas, con guayas para que se decapiten los motorizados que pasen por allí, indudablemente eso es una actitud hostil*" ("*Pedir a renúncia do presidente com pessoas na rua, com bombas incendiárias, com armas, com barricadas, com armadilhas para que os motoqueiros que passam sejam decapitados, sem dúvida que é uma atitude hostil*" – tradução livre). Mas o advogado Alberto Arteaga continuou se contrapondo à afirmação da autoridade governamental, pois, para ele, "*Los actos hostiles requeridos por la ley equivalen a acciones de guerra. (...) Quienes incurren en esos actos deben responder por sus acciones*" ("*Os atos hostis exigidos pela lei equivalem a ações de guerra. (...) Aqueles que cometem esses atos devem responder por suas ações*" – tradução livre).

Apesar dessas declarações, a mídia espalhou informações de que o governo mantinha o controle sobre os opositores e daria continuidade à repressão sobre eles, tanto que Maduro afirmou que aqueles que estavam presos seriam julgados com todo o peso da lei, sem quaisquer benefícios, apesar de possíveis manifestações que pudessem ocorrer nas ruas por parte de seus apoiadores. Acreditava-se que essa segurança do governante se devia ao fato de a oposição também estar dividida entre os moderados e grupos radicais que desejavam acelerar a mudança do regime com a renúncia do presidente e, por tal razão, não conseguiam avançar numa proposta unificada.

Isso garantia ao governo capacidade de responder às contraposições que recebia, apesar de também estarem ocorrendo perdas internas, já que continuava recebendo críticas interiores, e se voltava rudemente para os próprios partidários com declarações nas quais afirmava que cortaria cabeças dentro do governo. Retiraria aqueles que chamou de "*funcionários indolentes*" (sem explicar o que quisera dizer com isso, ou quem seriam eles) para manter o processo revolucionário.

A estratégia de jogar a culpa para a dissidência ou oposição foi uma das heranças de Chávez que Maduro mais usou. Apesar de tudo, em 26 de julho, ele foi aclamado presidente do *Partido Socialista Unido de Venezuela* (PSUV), substituindo o ex-presidente Hugo Chávez, que, por sua vez, foi declarado líder eterno e presidente fundador da agremiação partidária.

A mídia televisiva venezuelana mostrava indiretamente que a decisão do partido governista apresentava haver apenas uma liderança nacional no país, não porque Maduro fora escolhido, mas pelo fato de que a oposição estava desarticulada.

O analista Oscar Schemel, diretor da empresa de pesquisas Hinterlaces, declarou durante o programa de entrevistas José Vicente Hoy, transmitido pela Televen: "*Evaluamos los liderazgos nacionales y el único liderazgo visible es el del presidente Nicolás Maduro. (...) Hay una revolución y la nueva etapa tiene que ver con la revolución económica, la elevación de la capacidad productiva, el trabajo. (...) Uno de los rasgos de la situación actual, es que no hay liderazgos. Las estrategias guabinosas, desdibujadas, imprecisas, sin discurso, sin mensaje, sin propuestas de la oposición, lo que hicieron fue contribuir al debilitamiento de sus liderazgos; fundamentalmente de Leopoldo López, Henrique Capriles y María Corina Machado, que se vieron desdibujados y debilitaron sus imágenes. Hoy el único líder visible y reconocido es el presidente Maduro, todo lo malo o todo lo bueno que ocurra en el territorio nacional es responsabilidad del presidente Nicolás Maduro, no hay otro referente en el país*" ("*Avaliamos a liderança nacional, e a única liderança visível é a do presidente Nicolás Maduro. (...) Há uma revolução, e o novo estágio tem a ver com a revolução econômica, o aumento da capacidade produtiva, o trabalho. (...) Uma das características da situação atual é que não há líderes. Estratégias que são frias, borradas, imprecisas, sem discurso, sem mensagens, sem propostas da oposição, o que elas fizeram foi contribuir para o enfraquecimento de sua liderança; fundamentalmente de Leopoldo López, Henrique Capriles e María Corina Machado, que ficaram turvados e enfraqueceram suas imagens. Hoje o único líder visível e reconhecido é o presidente Maduro, tudo de ruim ou tudo de bom que acontece no território nacional é de responsabilidade do presidente Nicolás Maduro, não há outra referência no país*" – tradução livre).

No entanto, tal conclusão divergia da pesquisa realizada pela empresa Consultores 21, realizada no mês de junho (2014) com 2.000 entrevistados e margem de erro de 2,4%, na qual foi identificada uma queda expressiva e continuada de Nicolás.

Segundo foi apontado, pouco mais da metade dos entrevistados não acreditava no presidente nem em sua capacidade de liderança. Além disso, que o percentual dos que avaliavam a gestão dele como muito má era quatro vezes superior ao daqueles que avaliavam como muito boa (36,1% contra 8,8%, respectivamente).

Da mesma forma, apontou que Leopoldo López tinha quase dez pontos a mais que Maduro, e o próprio chanceler Elias Juá tinha um pouco mais de popularidade que o mandatário (40,8% contra 40%, respectivamente).

Ainda acrescentou que a oposição e o governo se encontravam empatados em aproximadamente 40% cada, no que tangia à confiança que detinham dos entrevistados. Também que ele tinha a pior avaliação, pois 56,5% dos consultados mostravam dúvidas de que o governo pudesse adotar medidas saneadoras da crise, bem como que

75% acreditavam que quaisquer medidas tomadas debilitariam ainda mais a moeda nacional. Ou seja, a avaliação era péssima, ao contrário do que saía na mídia televisiva.

Maduro tentava responder a essa situação adotando três procedimentos: 1) acumulando poder em vários campos políticos, na Presidência da República, nas Forças Armadas, no PSUV e nas demais esferas do Estado; 2) buscando que os partidários agissem unidos nas transformações econômicas, por meio do que chamava de estratégicas econômicas socialistas para alavancar o setor produtivo do país, estando no cenário, inclusive, uma nova Constituinte para aprofundar o socialismo na Venezuela; e 3) usando de recursos místicos para seduzir as camadas mais humildes da população, as quais dão base ao regime bolivariano.

Neste último caso, a última ação dele foi sobre o retorno dos encontros espirituais com o líder morto, por meio de mensageiros, afirmando que Hugo Chávez estava bem. Um caso curioso, que espantou a todos, foi a declaração de que um passarinho lhe comunicou este fato: "*Les voy a confesar que por ahí se me acercó un pajarito, otra vez se me acercó y me dijo (...) que el comandante (Chávez) estaba feliz y lleno de amor de la lealtad de su pueblo (...) debe de estar orgulloso*"!!! ("*Vou confessar que um pássaro se aproximou de mim, novamente se aproximou de mim e me disse (...) que o comandante (Chávez) estava feliz e cheio de amor à lealdade do seu povo (...) deve estar orgulhoso*"!!! – tradução livre). Numa outra vez disse que sentia a presença do ex-presidente Chávez ao seu lado inspirando suas decisões.

Além desses procedimentos, não podemos esquecer, claro, a constante repressão, tanto que 2014 transcorreu como uma espécie de preparação para enfrentar os opositores violentamente, com táticas de antecipação, usando das forças militares e de segurança, as quais eram elogiadas por agirem violentamente.

Essa é uma situação curiosa, pois os seus apoiadores regionais de esquerda acusam policiais quando tentam manter a ordem nos seus países, mas nada falaram quando Maduro elogiou e premiou o comportamento de forças de segurança que atiraram contra o povo, fazendo de conta que isso não havia ocorrido.

Como um exemplo desses elogios, durante ato comemorativo do aniversário de 77 anos da Guarda Nacional da Venezuela (nos dias de hoje, denominada Guarda Nacional Bolivariana), ele parabenizou a instituição militar e teceu-lhe consagrações sobre sua atuação durante as manifestações ocorridas no início do ano, afirmando que fora adequada às necessidades daquele momento e que foram respeitados os princípios, bem como a legislação do país.

Em suas próprias palavras: "*La GNB actuó apegada absolutamente a su nueva doctrina, a la Constitución, y se movió para resguardar la paz de la República haciendo oídos sordos a insultos, provocaciones, vejámenes, ataques preparados desde los laboratorios de guerra psicológica de esta derecha apátrida, de esta oligarquía proimperialista*" ("*A GNB agiu absolutamente ligada à sua nova doutrina, à Constituição, e moveu-se para proteger a paz da República fazendo ouvidos moucos a insultos, provocações, humilhações, ataques preparados dos laboratórios de guerra psicológica deste direito sem Estado, desta oligarquia pró-imperialista*" – tradução livre).

Manteve, assim, a postura de tomar os manifestantes como terroristas que dizia terem se organizado a partir de um plano para destruir a revolução bolivariana, articulada internacionalmente pelo que chama "*oligarquia pró-imperialista*".

Pelo seu discurso, ficou claro que ele estava se preparando para enfrentar uma nova onda de manifestações. Isso ia acontecer especialmente pelo fato de que a crise econômica o obrigava a cancelar os subsídios que o governo dava à gasolina na Venezuela, algo que gerava, aproximadamente, US$ 15 bilhões anuais de custos ao Estado. Apenas como exemplo, devido a esse subsídio, com menos de um dólar era possível encher o tanque de um automóvel.

Maduro solicitou um debate nacional acerca do preço dos combustíveis, mas tal solicitação foi rechaçada pelos partidos de oposição, que argumentaram que a medida não podia ser pensada naquele momento, após quinze anos de subsídios, sem que antes fossem observados e resolvidos os gastos públicos, bem como que também fossem revistos os subsídios aos países caribenhos, dentre eles Cuba, já que não era viável acabar com o apoio que era dado aos venezuelanos enquanto estava sendo mantido para outros países.

Combata o empresariado: trabalhadores, ocupem as empresas!

Para se aproximar da classe operária, declarou, durante o evento de instauração do *I Congreso de Trabajadores Socialistas*, que os trabalhadores deviam tomar com "a lei nas mãos" as empresas cujos proprietários fizessem aquilo que ele considerava "abandono". Isso não foi uma aproximação apenas, mas uma convocação à guerra!

O argumento era de que se devia tomar as empresas que o regime considerava como responsáveis pela situação de desabastecimento no país, as quais culpava como responsáveis pela crise econômica e pela inflação.

Da perspectiva governamental, os empresários realizam uma "*guerra econômica*" contra o Executivo, retirando produtos das prateleiras, não realizando investimentos adequados e cobrando preços abusivos, que o governo assim considera por sua conta própria, tanto que os chama de "*usura*", e diz que a inflação resulta disso.

Afirmava que tal ação dos empresariados era feita voluntariamente para desestabilizar o governo, razão pela qual se justificava a tomada das companhias pelos seus funcionários (trabalhadores), indo ao encontro do desejo de acelerar a implantação do socialismo, com a estatização das empresas privadas pelos métodos que fossem possíveis. Um deles seria encampando-as e desapropriando-as, de acordo com a intenção conjuntural e interpretação pessoal do governo.

É importante ressaltar que a expressão "*con la ley en la mano*" ("*com a lei na mão*") deixou claro que tudo estava articulado previamente e seriam usados três procedimentos para essa atuação: 1) o primeiro dizia respeito à identificação das empresas a serem enquadradas como realizadoras da "*guerra econômica*", sobre as quais se aplicariam as legislações disponíveis, além de serem criadas outras para desapropriá-las; 2) o segundo passo era que essas empresas seriam ocupadas pelos trabalhadores, impedindo que fosse encerrada a produção nelas, e eles deveriam se reunir e definir o processo de administração, começando a organizar o procedimento a partir daquele momento em que fizessem a ocupação; 3) terceiro, que o governo faria os investimentos necessários nessas empresas para dar suporte aos trabalhadores que as tomassem.

Ao que tudo indica, essa estratégia já vinha sendo trabalhada. Ela não surgiu inesperadamente, tanto que o presidente afirmou claramente que o governo faria os investimentos necessários quando elas fossem encampadas, insuflando os trabalhadores das empresas para que se apropriassem violentamente delas.

Enquanto ele fazia tais declarações, uma investigação realizada pelo deputado opositor Carlos Berrisbeitía denunciou, perante a opinião pública venezuelana, os gastos realizados pelo governo de Nicolás Maduro, com benefícios próprios e para as filhas do ex-presidente Hugo Chávez.

De acordo com os dados disponibilizados, o presidente tinha aumentado em 40% o orçamento para seu despacho pessoal, e chegou-se a acusar que as despesas de Maduro e das duas filhas de Chávez, Rosa Virginia y María Gabriela, chegaram a US$ 3,8 milhões – por dia!

Além disso, segundo disse, ambas usavam da infraestrutura disponível, incluindo a casa e o avião presidencial. As provas desses usos foram obtidas, dentre outros meios, por fotos disponibilizadas por elas próprias no Instagram.

Conforme destacou, o valor apresentado pelo Ministério do Poder Popular sobre o despacho da presidência foi de US$ 934 milhões, sendo o total do gasto da residência presidencial, onde também estavam as filhas de Chávez, o montante de US$ 356 milhões com dispêndios de telefonia, segurança, passagens aéreas, além do comprovado uso do avião presidencial. A esses gastos se somava a quantia de US$ 1,88 milhão para despesas de relações sociais, ou seja, aqueles extras com convidados esporádicos.

A conta apresentada pelo deputado foi rapidamente disseminada nas redes sociais e saiu em jornais, somando-se a ela outra conta disponibilizada por entidade social venezuelana que acompanha os gastos do governo.

A ONG "*Monitoreo Ciudadano*", usando a ferramenta denominada Cadenómetro_(que em português seria algo próximo a Cadeiômetro, referindo-se ao uso das cadeias de rádio e TV), informou que o governo gastou algo em torno de US$ 240 milhões com uso do rádio e da TV para entrar em cadeia nacional, interrompendo as transmissões da programação geral e fazendo propagandas, ou apresentando discursos do presidente.

A entidade questionava a necessidade desse uso midiático e fez a comparação do que poderia ser realizado com tais recursos. Afirmou que, por exemplo, seria possível pagar salário mínimo de 4.251 bolívares (aproximadamente US$ 675, na cotação da época) a 422.111 pessoas, ou distribuir 453.912 cestas de alimentos, ao custo básico de 4.000 bolívares, de acordo com os dados sobre a cesta básica no país apresentados por Elías Eljuri, presidente do *Instituto Nacional de Estadística* (INE).

Diante das informações disponibilizadas, claro que as críticas se intensificaram. Da parte do presidente, este ignorou, e manteve suas atenções no combate às empresas privadas acusadas de forjarem a "*guerra econômica*", pois, assim, tinha a quem responsabilizar pelo desabastecimento no país, bem como pela inflação (que já havia chegado a 61%) e pela crise econômica. E não podemos esquecer que as missões perante as camadas pobres da população tiveram de ser mantidas, pois eram, tais quais se mantiveram, uma das poucas formas de preservar o apoio de algum segmento da população para si.

Para se esquivar dessas denúncias dos gastos governamentais, ele anunciou que adotaria medida de combate à corrupção no país, enfrentando principalmente a burocracia da máquina administrativa. Disse que faria uma revisão dos mecanismos de gestão de todos os ministérios e órgãos do Estado com medidas para identificar desvios de verbas públicas que estivessem ocorrendo dentro do governo. Além disso, adotaria outras medidas de consultas públicas sobre as decisões governamentais.

Tais anúncios também vieram a reboque das declarações de que, diante da necessidade de reajustar os preços dos combustíveis, isso seria feito por meio de consulta à sociedade, a qual deveria definir o que precisava ser reajustado e como seria processado o reajuste. Declarou:

"*Aquí quien va a establecer el nuevo sistema de precios, de ahora y hacia el futuro, de todos el sistema de comercialización de los combustibles internos es el pueblo de Venezuela, sus organizaciones, la clase obrera, las comunas, la juventud, las mujeres, los intelectuales, los universitarios*" ("*Aqui quem vai estabelecer o novo sistema de preços, a partir de agora e no futuro, de todo o sistema de comercialização de combustíveis internos é o povo da Venezuela, suas organizações, a classe trabalhadora, as comunas, os jovens, as mulheres, os intelectuais, os universitários*" – tradução livre).

Apesar das ações políticas para responder às denúncias e tentar colocar a imagem de que governava democraticamente com a participação popular, as críticas continuaram constantes por parte de especialista e opositores.

Estes apresentavam argumentos comprobatórios de que o único responsável pela crise econômica era o governo, especialmente graças à preservação do modelo econômico adotado, em que as empresas estatais se sobrepunham ao empreendedorismo privado, bem como a quaisquer ações da sociedade em geral, e adotavam modelo administrativo que não permite gerenciamento adequado.

Justamente esse padrão administrativo é que impedia e impede as estatais de conseguir garantir a produtividade, fazer investimentos corretos e atrair recursos. Além do mais, elas eram e são usadas para fins políticos e ideológicos, em especial a PDVSA, que é a empresa líder na Venezuela e a responsável pela organização econômica do país. Deve-se acrescentar também o inchaço da máquina pública, com excessos de ministérios e burocracia gigantesca.

Complementarmente a essas informações, também foi divulgado que as reservas de ouro do país tiveram perda de 25% de valor, devido à flutuação do preço no mercado internacional. A situação se mostrava problemática pelo fato de as reservas internacionais do país terem 71% do seu total em ouro! Ou seja, graças a tal proporção, a Venezuela apresentava-se extremamente vulnerável às flutuações do valor do metal.

Para efeitos de comparação, naquele momento, no Brasil, o ouro correspondia a 0,8% de suas reservas; na Colômbia, a 1%; no Peru, a 2,3%; e no México, a 2,7%. Nos países da região citados no jornal que deu a informação, os quais são os mais próximos, ou os mais ligados ao modelo venezuelano, os valores dão um salto em relação a esses quatro citados, mas, mesmo assim, nem eles chegavam a proporção tão perigosa como a da Venezuela: o Equador apresentava 8,8%, e a Argentina, 8,9%.

Tal situação, conforme foi divulgado, decorreu de uma decisão pessoal do ex-presidente Hugo Chávez, que optou por estatizar o setor num momento favorável a ele. Como apontam, o presidente declarou na época: "*Pronto voy a proponer una ley habilitante para comenzar a tomar la zona del oro y ahí cuento con ustedes, porque esa zona está anarquizada, hay mafias, contrabandos. (...) Eso es una gran riqueza, una de las más grandes del mundo, oro, piedras preciosas, diamantes, bauxita, hierro en el arco minero de Guayana... (...) Aquí tengo ya las leyes que le reservan al Estado las actividades de exploración, explotación del oro y todas las actividades conexas, es decir, vamos a nacionalizar el oro y vamos a convertirlo en reserva internacional, porque sigue incrementándose su valor*" ("*Em breve vou propor uma lei habilitante para começar a tomar a zona do ouro e lá eu conto com vocês, porque essa área é anarquizada, há máfias, contrabando. (...) Isso é uma grande riqueza, uma das maiores do mundo, ouro, pedras preciosas, diamantes, bauxita, ferro no arco de mineração de Guayana ... (...). Aqui eu já tenho as leis que reservam ao Estado as atividades de exploração, exploração de ouro e todas as atividades relacionadas, ou seja, vamos nacionalizar o ouro e vamos convertê-lo em reserva internacional, pois seu valor continua a aumentar*" – tradução livre). Por opção pessoal, Chávez implantou uma política por meio de Lei Habilitante, que colocou todo o país à mercê da flutuação do ouro! Isso mesmo, usou daquela lei que lhe dá poder em período específico para fazer o que achava necessário, sem precisar consultar o Legislativo!

Eis uma demonstração clara do risco desse tipo de instituição. Não se pode conferir a alguém a capacidade de decidir unilateralmente por toda a sociedade sem que tenha algum contrapeso para as suas decisões, pois elas podem ser uma grande bobagem.

Cada um avalie por si só se é sensata a decisão de deixar 71% das reservas do país vinculadas a um produto cuja flutuação depende de decisões no cenário internacional! Mas... ele era o salvador...! Porém, isso era apenas uma das consequências da forma como se tomavam e ainda se tomam as decisões na Venezuela, bem como uma das consequências do modelo econômico adotado, o estatal.

Diante da situação e das denúncias que lhe foram feitas, Maduro recebeu mais críticas dentro do seu próprio partido. Em outra pesquisa realizada pela empresa Delphos, com 1.300 entrevistados das classes C, D e E, no período que se estende dos dias 20 de junho a 17 de julho, a conclusão foi de que tais segmentos da sociedade também culpavam o governo pela crise venezuelana, ressaltando-se que foi nesses setores que o bolivarianismo chavista construiu sua base.

De acordo com os resultados apresentados, 85% responsabilizavam o presidente da República pela situação; 69,9% atribuíam a culpa ao governador; 62%, ao alcaide (correspondente aos prefeitos no Brasil); e 63% responsabilizavam os deputados da Assembleia Nacional.

Foi essa perda da credibilidade diante da parte da sociedade que mais apoia o regime que levou Maduro a concentrar discursos no combate à corrupção, a qual, por sua vez, na sua interpretação, vinha sendo facilitada pela burocracia reinante na máquina administrativa.

Ou seja, os culpados agora não eram mais apenas os membros da elite burguesa; depois dessa elite somada aos imperialistas; depois desses dois com os opositores; depois, todos os anteriores com os dissidentes internos. Agora, a todo esse universo de culpados deveria ser acrescentada a burocracia reinante na máquina administrativa, que levava à corrupção!

Afinal, a culpa é sempre do outro, nunca do modelo econômico, do regime político e do governo. Daí a necessidade de reforma administrativa, pois uma iluminação o fez perceber que problemas de corrupção se deviam principalmente à hipertrofia da máquina pública, que passou a gerar desperdícios, graças à complexidade das tomadas de decisão!!!

Em função dessa demanda, os membros do governo, em apoio a tal estratégia, anunciaram que entregariam seus cargos conjuntamente para que o presidente tivesse liberdade de reorganizar o aparelho administrativo sem ter amarras políticas, podendo, dessa forma, extinguir ministérios e cargos e reorganizar o gabinete.

Acreditavam que isso representaria um salto do regime bolivariano diante da sociedade, especialmente diante desses segmentos populares mais desfavorecidos que recebiam ações de assistência por parte do governo e constituem o seu apoio popular.

A medida, no entanto, não tinha como gerar resultados, uma vez que o governante não podia se desfazer apenas dos cargos e de alguns ministérios para realizar uma reforma estrutural que pudesse trazer consequências efetivas. Era necessário alterar amplos setores do Estado para torná-lo eficiente e poder produzir um modelo adequado às necessidades dos variados segmentos sociais.

Mas, como tinha o poder que lhe fora dado pela Lei Habilitante, ele veio com mais uma novidade cuja avaliação foi do espanto à revolta: determinou o controle biométrico em supermercados e lojas venezuelanas como uma das formas de combater o desabastecimento no país!! Não podemos esquecer que o poder lhe foi dado para a resolução da crise econômica, mas ele não queria mudar o modelo estatizante da economia, menos ainda a forma de se comportar para enfrentar o problema.

Isso mesmo, não bastava mais obrigar o empresário a colocar nas prateleiras o que tinha e o que não tinha disponível, e por um preço que o governo achasse justo; também seria necessário, naquele momento, que o Estado dissesse o que cada um poderia comprar para evitar o desabastecimento, que, agora, também achava que existia pelo fato de uns comprarem mais que os outros!!!

O anúncio do procedimento assustou a população venezuelana. Para o povo ficou a ideia de racionamento e controle das compras, já que a sociedade tinha diante de si falta de produtos nas prateleiras das lojas e, principalmente, dos supermercados.

Maduro, numa dança para se justificar, continuava acusando o empresariado pela ausência desses produtos, notadamente os da cesta básica, mas também acrescentou os grupos criminosos que ele dizia estarem associados ao empresariado, devido à grande quantidade de contrabando que vinha ocorrendo, em especial para a Colômbia.

Assim, entendia que o controle biométrico seria uma forma de acompanhar a demanda real, as aquisições que eram efetuadas pelo povo, e impedir que os produtos fossem comprados além das necessidades reais da população com fins específicos de ser deslocados para venda no exterior. Em complemento a isso, também baixou determinação proibindo a exportação de produtos da cesta básica, os quais só poderiam ser comercializados no mercado interno.

As medidas não causaram surpresa aos observadores internos e internacionais, pois estava sendo intensificado o combate ao contrabando, ao ponto de um planejamento específico para tanto ter sido entregue ao mandatário no dia 23 de agosto, um sábado (!), visando equacionar as atividades de confronto aos contrabandistas. Para tal planejamento, foram dados os recursos militares necessários.

O que trazia estranhamento eram as razões de proibir exportação de produtos que não eram produzidos na Venezuela, já que o país importa a maioria de seus bens de consumo! Além disso, causava estranheza haver contrabando para a Colômbia, de onde provinha parte significativa desses produtos importados!

A explicação se dá pelo fato de que os produtos importados recebiam subsídios do governo para que chegassem às prateleiras a preços acessíveis, uma vez que não existia estímulo a sua produção em território venezuelano. Dessa forma, os preços acabavam ficando mais baratos do que na própria Colômbia, de onde parte deles vinha, razão pela qual grupos se dedicavam a contrabandeá-los para lá.

O problema foi gerado pela política de controle de preços, pelas pressões e impactos que o empresariado tinha recebido do regime, pelo desestímulo aos investimentos, pelas estatizações, bem como pelas falhas administrativas das empresas estatais, que seguiam a lógica política, e não a econômica, tanto na sua produção como na alocação de recursos humanos e na utilização dos recursos financeiros.

Por isso, além de essa condição ter gerado escassez, a tendência seria aumentá-la, provavelmente trazendo mais contrabando e confrontos entre o governo e a população. O controle biométrico, consequentemente, somente aumentou a tensão e a certeza de que viriam mais confrontações, pois permitiu mais um tipo de monitoramento das ações da sociedade, sem dar respostas às suas necessidades.

Era um círculo vicioso do fracasso, pois a sociedade estava carente de tudo; o governo, para controlá-la, deslocava mais recursos para os órgãos e entidades responsáveis pelo controle, e todos sabiam que eles deveriam ser aplicados na produção.

É claro que o anúncio governamental da adoção de controle biométrico para a compra de produtos de primeira necessidade e de alimentos em lojas e supermercados resultou em manifestações já na segunda-feira, dia 25 de agosto. Em San Cristóbal ocorreram embates entre populares e policiais.

Pelo que foi relatado, um veículo da Guarda Nacional derrubou os portões de um conjunto residencial, lançou gás lacrimogêneo, e os manifestantes sequestraram um veículo de transporte público, que foi devolvido mais tarde.

Aproveitando o momento, também houve manifestação popular contrária ao valor das passagens de ônibus, à insegurança pública, à escassez de alimentos, ao desabastecimento, à crise econômica, além do fechamento das fronteiras, sob o discurso de combate ao contrabando.

O argumento governamental era de que esses manifestantes e vários segmentos da população estavam sendo enganados pela oposição de direita, já que o controle biométrico tinha como função monitorar o contrabando, e não controlar o consumo.

Jorge Arreaza, vice-presidente do governo, escreveu em seu Twitter: "*No se dejen manipular por la manipulación de la derecha. El captahuella no es para restringir compras, es para capturar contrabandistas. (...) se aplicará para identificar a quienes juegan, roban y se lucran con los alimentos del pueblo. ¡Vamos tras las mafias!*" ("*Não se deixe manipular pela manipulação do direito. O controle biométrico não é para restringir as compras, é para capturar traficantes. (...) será aplicado para identificar aqueles que jogam, roubam e lucram com a comida das pessoas. Vamos atrás das máfias!*" – tradução livre).

Curiosamente, as manifestações contra a medida ocorreram num momento em que também foi noticiada no país uma pesquisa realizada pela Hinterlaces que havia apontado que a avaliação do desempenho político do presidente Nicolás Maduro tinha atingido 60% de aprovação.

Conforme afirmou o jornalista José Vicente Rangel, que analisou o resultado em programa de TV, "*la base social de apoyo del chavismo que históricamente se ha mantenido alrededor del 40% es una base social que apoya las decisiones del presidente Maduro en materia económica. Respaldan el modelo social y político de la Revolución, no quieren que el modelo cambie, quieren que el modelo funcione*" ("*A base social de apoio ao chavismo, que historicamente se manteve em torno de 40%, é uma base social que sustenta as decisões do presidente Maduro em matéria econômica. Eles apoiam o modelo social e político da Revolução, não querem que o modelo mude, querem que o modelo funcione*" – tradução livre).

No entanto, na continuação da argumentação do jornalista, o fator que parecia mais relevante para entender o resultado decorria de que os setores dos que não são associados a nenhum dos lados (governo ou oposição, os denominados "*nini*"), que correspondem a quase 40% da população, não identificavam soluções vindas de quaisquer dos lados e eram pragmáticos, avaliavam suas decisões eleitorais de acordo com o desempenho governamental. Esses setores esperavam em quem confiar!

Nesse sentido, a maioria do povo desejava um sistema misto em que houvesse a participação do Estado, mas também o estímulo à iniciativa privada, para gerar fontes alternativas e diversificação da economia, mas não queriam o abandono daquilo que Chávez tinha conseguido, significando, provavelmente, o abandono da inclusão social alcançada. Talvez, até mesmo por sempre perceber isso, é que Capriles tenha adotado o discurso intermediário: **Estado + Empresariado.**

No entanto, como a avaliação da performance se dava em função do desempenho econômico e tudo mostrava que o modelo econômico venezuelano estava no fim, a razão desses índices estaria ligada principalmente às falhas da oposição em não conseguir uma ação unificada, bem como ao fracasso na apresentação de uma proposta que pudesse ser entendida e assimilada pela sociedade.

Negue a hiperinflação: nem os comunistas aguentam mais Maduro!

Naquele momento, os analistas começaram a apontar que a Venezuela caminhava para um quadro de hiperinflação, isso porque nem imaginavam o que viria a ocorrer. De acordo com dados do Banco Central Venezuelano (BCV), a inflação teve aumento e chegou à casa dos 63,4%, mantendo contínuo crescimento, apesar de estar se dando uma desaceleração nos três meses anteriores, conforme divulgou o governo:

> "*La variación intermensual del INPC (índice nacional de precios al consumidor) desaceleró en agosto por tercer mes consecutivo, obteniéndose el registro más bajo entre los observados desde el mes de marzo, cuando los resultados del indicador comenzaron a verse afectados por la conflictividad política*" ("*A variação intermediária do INPC (Índice Nacional de Preços ao Consumidor) desacelerou em agosto pelo terceiro mês consecutivo, obtendo o menor recorde entre os observados desde março, quando os resultados do indicador começaram a ser afetados pela agitação política*" – tradução livre).

Dados extraoficiais, no entanto, apontavam que a inflação poderia chegar à casa dos 90% ainda em 2014. De acordo com especialistas, o fenômeno hiperinflacionário ocorre quando se tem uma taxa de inflação anual superior a 100% por um período sequencial de três anos. Nesse sentido, como havia o risco de a taxa chegar a mais de 90% ainda naquele ano, o perigo da hiperinflação estava surgindo no horizonte.

A ideia de Nicolás continuava sendo acelerar o processo de estatização da economia, algo que reduzia a capacidade produtiva do país, além de efetuar a centralização da política e o controle da sociedade.

Mas tudo o que fazia para alcançar esse intento não gerava resultados, e mesmo o Partido Comunista da Venezuela (PCV) declarou afastar-se de Maduro, criticando-o pelo acúmulo de poder nas mãos de um único líder, de forma a apontar que o denominado "*sacudón*" (sacudida) de Maduro "*no incorpora a las fuerzas políticas y sociales del país. (...) Las medidas tomadas no implican al poder popular ni contemplan los cambios económicos esperados*" ("*não incorpora as forças políticas e sociais do país. (...) As medidas tomadas não implicam poder popular ou contemplam as mudanças econômicas esperadas*" – tradução livre).

Nesse caso, por serem comunistas, queriam primeiro que as medidas trouxessem algum resultado no combate à guerra econômica da burguesia, mas, principalmente que se acelerasse a implantação do socialismo, ou seja, a extinção da iniciativa privada.

Em síntese, novamente, o presidente recebeu críticas dos dois lados ideológicos, além de receber acusações de que o modelo econômico já estava esgotado e não se podia mais esperar que a Venezuela saísse da crise econômica e crescesse sem o estímulo ao empreendedorismo privado e à recepção de investimentos externos, os quais, por sua vez, é óbvio, não queriam se dirigir ao seu território.

Se antes, em agosto, no momento das manifestações contra o controle biométrico, surgiu aquela pesquisa indicando 60% de aprovação de Maduro, novas consultas foram feitas pelas empresas Datanalisis e Hinterlaces e apontaram uma percepção negativa que a sociedade venezuelana tinha do governo.

Segundo a Datanalisis, 83,1% dos entrevistados viam negativamente o panorama geral da Venezuela, e o que mais chamou atenção nos resultados foi o fato de ter sido nomeado aquele que consideram como responsável pela situação: 40,6% acusaram o presidente, Nicolás Maduro, enquanto 12% acusavam seus ministros e 0,8% apontavam o *Partido Socialista Unido de Venezuela* (PSUV) como sendo o responsável.

Maduro percebeu que tinha de mudar as suas estratégias, principalmente de comunicação, pois o principal para ele não era resolver o problema do país, mas, sim, evitar um avanço da oposição nas eleições legislativas que se aproximavam no ano de 2015.

A estratégia daquele momento era direcionada agora para três pontos: 1) as reformas necessárias no gabinete; 2) não realizar as reformas econômicas que pudessem evitar a manutenção das políticas assistencialistas nos mesmos níveis; e 3) maior aproximação com as bases aliadas, em especial com os partidos de esquerda que acusavam o governo e se colocavam como críticos rígidos do presidente.

Acreditava que, nessa última parte, estava o principal ponto para evitar que os opositores ganhassem mais espaço nas eleições legislativas, agregando-se a isso a certeza de desarticulação que existe dentro da oposição. No entanto, os analistas da pesquisa mostraram que o fato de os entrevistados não terem acusado o PSUV e terem apresentado pouca avaliação negativa sobre os ministros poderia representar que ainda existia esperança para a doutrina bolivariana, pois as críticas eram direcionadas ao líder, e não aos fundamentos do regime e à ideologia, o que poderia dar mais margem de esperança ao bolivarianismo chavista para manter-se no poder dentro de seus princípios, de sua metodologia e de seu modelo.

No mesmo mês de setembro, o Banco Central da Venezuela (BCV) apresentou um informe no qual admitiu a inflação de 63,4% ao longo dos doze meses anteriores. Os informes não vinham sendo divulgados desde maio, levando observadores a concluir que o governo evitava fazê-lo com receios da reação popular, bem como das consequências políticas de assumir o real patamar inflacionário.

Os índices divulgados oficialmente buscavam criar na sociedade a sensação de que a inflação estava sob controle. Com relação às notícias que vazavam ou eram apresentadas em algumas mídias sobre os altos níveis inflacionários no país, o governante apenas dizia que, na realidade, tais informações eram apenas mais um dos componentes da alegada guerra política e econômica travada pelo empresariado e opositores contra o bolivarianismo.

Analistas independentes afirmavam, no entanto, que, ainda que o BCV tivesse admitido o patamar divulgado, os dados apresentados continuavam sendo mascarados, e o valor real já tinha ultrapassado os 100%, o que caracterizaria o primeiro momento de uma situação hiperinflacionária.

Steven Hanke, da Universidade Johns Hopkins, afirmou: "*Por lo tanto, han roto sus propias reglas, es decir, que los informes de inflación deben ser publicados dentro de los primeros 10 días de cada mes. (...) los nuevos datos de inflación del banco están equivocados. Mi estimación para la tasa de inflación anual de Venezuela es de 138%* (...) *Más del doble de la tasa oficial reportada, informó*" ("*Portanto, eles quebraram suas próprias regras, isto é, que os relatórios de inflação devem ser publicados nos primeiros 10 dias de cada mês. (...) os novos dados de inflação do banco estão errados. Minha estimativa para a taxa de inflação anual da Venezuela é de 138%. (...) Mais do que o dobro da taxa oficial relatada, informou*" – tradução livre).

Essa posição era compartilhada por Francisco Ibarra Bravo, diretor da consultoria Econometrica, para quem o BCV literalmente mascarava os índices reais, pois, para o seu cálculo, ele tinha usado índices de preços adequados a obter o resultado que lhe fosse mais benéfico e ainda sem a transparência necessária para confirmar que o índice escolhido era o melhor.

Declarou: "*El índice de Fisher se calcula tomando la media geométrica de los índices de Laspeyres y de Paasche. El primero sobreestima la inflación y el otro subestima. Así, el índice de Fischer es como un promedio. Por sí mismo, el uso de la metodología para el cálculo de Fischer la inflación en los últimos meses no representa un cambio muy drástico en los datos, pero no es recomendable si el banco central no ha publicado estos datos desde mayo*" ("*O índice de Fisher é calculado tomando a média geométrica dos índices de Laspeyres e Paasche. O primeiro superestima a inflação, e o outro subestima. Assim, o índice de Fischer é como uma média. Por si só, o uso da metodologia para calcular a inflação de Fischer nos últimos meses não representa uma mudança muito drástica nos dados, mas não* é *aconselhável se o Banco Central não tiver publicado esses dados desde maio*" – tradução livre).

Como era de se esperar, o governo culpou exclusivamente os empresários pelo resultado inflacionário. Em um evento do *Partido Socialista Unido de Venezuela* (PSUV), o presidente Nicolás Mauro declarou: "*La burguesía dominante y el imperio han tomado la guerra económica como forma principal de lucha para caotizar la vida social de Venezuela (...) todavía hay venezolanos confundidos que creen que este es un problema de Maduro que ha cometido errores en las líneas económicas. Esta batalla la vamos a ganar pero entre todos, es una batalla nacional, del pueblo contra la guerra económica*" ("*A burguesia dominante e o império tomaram a guerra econômica como a principal forma de luta para criar o caos na vida social da Venezuela. (...) Ainda há venezuelanos confusos que acreditam que esse* é *um problema de Maduro, que cometeu erros nas linhas econômicas. Essa batalha nós vamos vencer, mas entre todos, é uma batalha nacional, o povo contra a guerra econômica*" – tradução livre).

Diante da justificativa governamental, novas medidas repressivas foram pensadas, com base na chamada "*Ley Orgánica de Precios Justos*". Assim, ele pretendia realizar modificações para, por meio dessa lei, combater "*todo aquello que atente contra la economía venezolana*" ("*todo aquele que atente contra a economia venezuelana*" – tradução livre), ou seja, realizar mais repressão e controle.

Juristas consideraram a medida inconstitucional, já que, segundo afirmavam, havia leis para controlar atos ilícitos, e essa lei poderia criar novas categorias de crime exatamente para realizar perseguições.

Acuse a oposição do que for necessário: realmente, não há limites!

A capacidade de Nicolás Maduro de atuar por meio das Leis Habilitantes (novamente, aquelas que autorizam o presidente a governar sem autorização do Legislativo e legislar sem sua consulta ou aprovação) permitia que ele agisse contra o empresariado de forma plena, de maneira que ocorreram constantes desapropriações, estatizações, confiscos, além, claro, da sua grande amiga: **a repressão violenta.**

E não houve limite imaginativo ou moral para atuar contra os opositores. Em nova campanha contra a oposição, chegou a acusá-la de estar realizando uma guerra psicológica contra o povo, e também foi ao ponto de declarar que ela estava preparando uma ação de terrorismo biológico contra a população venezuelana!

A ação começou quando foi anunciada publicamente, pelo presidente do Colégio de Médicos do Estado de Aragua, Ángel Sarmiento, a presença de um misterioso vírus dentro de um centro hospitalar (Hospital Central de Maracay). O governo organizou-se para tratar do assunto como uma campanha de desinformação vinda dos opositores para trazer tensão psicológica e terror à população. Utilizou o argumento de que a ação vinha sendo respaldada pela mídia com apoio internacional, tanto da imprensa quanto de atores interessados imediatamente na queda do regime, especialmente os EUA.

A estratégia do governo trouxe questionamento, pois, ao mesmo tempo em que negou o ocorrido, ou seja, a existência de um agente infeccioso misterioso não identificado no hospital (que, supostamente, podia ser o Ebola), que tinha matado oito pessoas (quatro menores de idade e quatro adultos), também afirmava que havia comprovação de que a oposição, deliberadamente, tinha investido em realizar terrorismo bacteriológico!

Foi um discurso cheio de contradições: "*Hay una línea de investigación porque tenemos serias sospechas que esta derecha que está allí pretendía meter algún tipo de virus, guerra bacteriológica que se ha hecho en el mundo contra otros países, meterlo allí en el hospital de Maracay (centro), quien sabe dónde, y tenían ya la campaña preparada*" ("*Há uma linha de pesquisa, porque temos sérias suspeitas de que esta direita que está ali pretendia colocar algum tipo de vírus, guerra bacteriológica que tem sido feita no mundo contra outros países, colocá-lo lá no hospital de Maracay (centro), quem sabe onde, e eles já tiveram a campanha preparada*" – tradução livre).

No entanto, após o governador do estado de Aragua ter corrido para desmentir o fato e ter, por sua vez, considerado o anúncio um ato de terrorismo midiático, o presidente retomou a carga, declarando que "*Hay que castigarlos, solo la justicia va permitir que estos hechos no se repitan (...) voy a denunciar estos delitos de guerra psicológica, de terrorismo contra nuestro país, para que se castiguen severamente hasta el* último *de los implicados, aquí a nivel nacional*" ("*Temos que puni-los, só a justiça permitirá que esses fatos não se repitam (...) denunciarei esses crimes de guerra psicológica, de terrorismo contra nosso país, para punir severamente até o último dos envolvidos, aqui no nível nacional*" – tradução livre).

Acusou ainda o canal da Colômbia NTN24, a CNN em Espanhol e o Miami Herald de iniciar uma campanha para "*imponer sobre Venezuela, una matriz de alarmismo, de guerra psicológica. (...) Estoy pensando en acciones internacionales de carácter judicial contra CNN, acciones de carácter judicial, porque no puede ser impune que una empresa que actúe en los EEUU, en Atlanta, desde allí digan contra nuestro país cualquier cosa. (...) perseguir al terrorismo esté donde esté, se llame CNN, Miami Herald, o como se llame. (...) Tengan la seguridad señores terroristas mediáticos que aplican guerra (sic) psicológicas contra nuestra amada Venezuela, que vamos a ir por las vías judiciales, políticas, internacionales para que haya justicia y ustedes se detengan en su ataque a Venezuela*" ("*impor à Venezuela uma matriz de alarmismo, de guerra psicológica. (...) Estou pensando em ações internacionais de natureza judicial contra a CNN, ações judiciais, porque não pode ser impune que uma empresa que atue nos EUA, em Atlanta, de lá diga algo contra o nosso país. (...) perseguir o terrorismo esteja onde estiver, se chame CNN, Miami Herald ou como se chamar. (...) Estejam seguros, senhores terroristas da mídia que aplicam guerra psicológica contra a nossa amada Venezuela, que vamos percorrer os caminhos judiciais, políticos e internacionais para que haja justiça e vocês se detenham em seu ataque à Venezuela*" – tradução livre).

O presidente da *Sociedad Venezolana de Infectología* (SVI), Napoleón Guevara, solicitou esclarecimentos ao governo sobre as mortes, levando a crer na fidelidade das informações divulgadas sobre o acontecimento, bem como que deveria estar ocorrendo algum problema de saúde pública envolvendo uma infecção que poderia se espalhar pelo país.

Diante da situação e da forma como Maduro vinha tratando o tema, politizando-o e reduzindo-o a uma ação terrorista da oposição, a situação começou a ficar mais preocupante ainda, pois o quadro divulgado pelo médico que fez a denúncia das mortes poderia levar à possibilidade de que realmente havia indicativos de que o Ebola tinha chegado ao país, e, na situação em que a Venezuela se encontrava, bem como com a fragilidade das fronteiras na região, temia-se que houvesse alastramento, caso o governo não adotasse uma postura transparente para tratar do assunto, envolvendo países vizinhos que poderiam sofrer os efeitos do comportamento venezuelano.

Acreditava-se ainda que a resposta dada acerca de terrorismo bacteriológico poderia estar sendo usada preventivamente para jogar a culpa na oposição caso houvesse perda de controle do processo e fosse real que o país estivesse presenciando um surto de uma doença ainda por ser anunciada. Era a irresponsabilidade, gerada pela ideologia, colocando a região sob risco.

As ações assistencialistas para efeito de propaganda não paravam. Ainda em setembro, ele anunciou que buscaria o apoio do Irã para o desenvolvimento da indústria venezuelana de material de construção civil, visando cumprir a meta de construção de três milhões de moradias até o ano de 2019 e, além disso, para também tornar-se exportador de moradias, embora não tenha explicado adequadamente o que isso significava.

A Venezuela já tinha acordos bilaterais com o governo iraniano realizados ao longo dos mandatos de Hugo Chávez, tendo, durante muito tempo, se posicionado como aliada política e ideológica do Irã, especialmente quando Mahmoud Ahmadinejad ocupava a presidência daquele país, num momento em que o discurso antiamericano tornava ambos os países aliados estratégicos automáticos.

Nesse momento, Maduro seguia a linha chavista, mas não tinha consigo o apoio que Chávez obteve, e a situação internacional havia mudado, embora tenha sido mantida a perspectiva da aliança imediata da Venezuela com países que estivessem em confronto direto com os EUA, que ainda hoje continua recebendo, por parte do governo venezuelano, acusações de interferência em seus assuntos internos.

Na ONU, assuma o discurso de vítima do imperialismo. Como todos já esperavam por isso, o efeito foi quase zero!

Na mesma semana, em 29 de setembro de 2014, Maduro estaria na Organização das Nações Unidas (ONU) para participar da Assembleia Geral da ONU com a pretensão de ser a voz da Venezuela, da *Alianza Bolivariana para los Pueblos de Nuestra América* (ALBA) e dos latino-americanos.

Acreditava que seu discurso produziria os mesmos reflexos que os de Hugo Chávez quando acusava os EUA e se apresentava como o principal combatente mundial contra os norte-americanos.

No entanto, era certo que, além de a conjuntura interna venezuelana e internacional serem diferentes, a situação do país e a condução de seu governo iriam fazê-lo ser entendido apenas como o representante de um regime autoritário. Da mesma forma, as posições que vinha mantendo em política internacional de aproximar-se ou defender grupos que fossem antiamericanos perdiam sentido quando, por exemplo, ele se apresentava como crítico das ações ocidentais e estadunidenses contra o Estado Islâmico na Síria e no Iraque.

Seu argumento estava comprometido. Em um discurso proferido no dia 23 de setembro, durante a Reunião de Cúpula sobre o Clima da ONU, em vez de trazer elementos concretos para entender o problema, limitou-se a acusar genericamente o capitalismo como responsável pela situação em que o meio ambiente se encontrava.

Não falou de industrialização, tecnologia, compromissos coletivos, nada, como se a exclusão do capitalismo fosse o suficiente para gerar industrialização antipoluidora! Era quase uma reedição da antiga, anticientífica e inadequada separação entre ciência socialista (no argumento dos soviéticos, voltada para a sociedade e com perspectiva de equilíbrio social, por isso capaz de equacionar problemas mais amplos) e ciência burguesa (também segundo aqueles, individualista e decorrente do desejo de lucro)! Dessa forma, especificamente apontou as nações desenvolvidas como culpadas pela questão climática, cobrando que estas deveriam atuar para reverter a situação, mas não os países em desenvolvimento.

Afirmou ainda que elas estão aplicando fórmulas capitalistas para reverter o problema, algo que, da sua perspectiva, é contraditório e, na realidade, se apresenta apenas como uma medida estratégica desses países para transferir a responsabilidade da solução aos países pobres e em desenvolvimento, mantendo a posição e o *status* dessas potências sem alterar seu comportamento e modelo econômico.

O teor do seu discurso já era esperado, pois aquele fórum era um ambiente adequado para manter o argumento contra o capitalismo, e, além disso, a perspectiva política do regime bolivariano precisa ter um inimigo comum para propiciar a mobilização de massas contrárias às políticas das potências desenvolvidas, identificadas pelos bolivarianos como imperialistas e exploradoras.

Nesse sentido, acusar o capitalismo naquele tema é essencial para manter a ideia de que o socialismo é a ideologia salvadora da humanidade, já que, para ele, os países desenvolvidos continuam "*propondo soluções capitalistas, com o velho modelo de destruição, para responder aos gravíssimos problemas que criaram nos últimos cem anos*", e tudo o que está ocorrendo é na realidade apenas consequência da "*crise de um modelo civilizatório capitalista*".

Por isso, os bolivarianos são os agentes contra os inimigos coletivos dos povos, precisando manter sua postura e comportamento contra esses inimigos que atuam internacionalmente pelas políticas externas das nações capitalistas e, internamente, pelo modelo econômico da iniciativa privada. É um quadro completo montado pelos ideólogos que foram construindo o regime desde 1999, usando do marxismo ao misticismo.

Na 69ª Assembleia Geral das Nações Unidas, ele confirmou o que se esperava. Em sua manifestação, que durou por volta de trinta minutos, defendeu a revolução bolivariana apresentando dados sobre as conquistas que considera terem sido realizadas pelo regime, a ponto de, conforme afirmou, terem sido alcançadas as Metas do Milênio e estarem dando prosseguimento ao trabalho de inclusão social e continuidade na revolução, a qual, segundo também declarou, tornou clara qual é sua essência para todos das Nações Unidas.

Ainda no dia anterior, na Reunião de Cúpula sobre Mudança Climática da ONU, ele reivindicou o multilateralismo (tomadas de decisões coletivas nas relações internacionais), no entanto, a lógica dessa abordagem estava dentro da ideia de que o multilateralismo deve ser um instrumento de combate às grandes potências e contra a política externa dos EUA, que classifica como imperialista, embora tenha adotado sutileza ao acusar o Ocidente por esses atos.

Todos os seus posicionamentos foram em defesa das ações de toda a esquerda regional: condenou o bloqueio a Cuba, as consideradas ingerências estadunidenses no mundo e na América Latina, condenou os bombardeios no Oriente Médio, bem como a condição em que estava a Argentina, a qual, da perspectiva bolivariana, estava sendo agredida em sua soberania graças às ações dos denominados Fundos Abutres, assim chamados pelos argentinos e seus aliados, embora tais fundos sejam chamados de Fundos Resistência (*holdouts*) nos EUA e nos demais países.

Com relação ao terrorismo, declarou que a Venezuela apoiava o combate a essa prática, mas condenou a maneira como ele vinha sendo conduzido, sempre pregando o multilateralismo e aquilo que considerava ser realmente necessário: o respeito à soberania dos países onde o terrorismo está atuando!!

A política externa venezuelana preservou o que o bolivarianismo dizia desde a chegada de Chávez: **usar da lógica de um inimigo comum para justificar a conduta mobilizadora da sociedade e a postura militarizada do governo, bem como para enfraquecer os opositores internacionais da projeção de poder do regime bolivariano na região.**

A defesa do multilateralismo se inseria também nessa lógica, pois, à medida que defende a pluralidade na política internacional, também tenta impedir as tomadas de decisões unilaterais por parte das grandes potências, que identifica como inimigas dos povos venezuelano e latino-americanos.

Ou seja, o multilateralismo funciona como um canal de ação e de confronto aos ocidentais e/ou grandes potências. A lógica defendida é de que as decisões das grandes potências devem ser submetidas às observações dos demais Estados, pois isso freará suas políticas externas, e, nesse sentido, é importante que seja realizada a reforma da ONU, mais precisamente do Conselho de Segurança das Nações Unidas. É o argumento que tomou conta da América Latina no início do século XX!

O discurso de Maduro foi recebido de forma fria. Havia poucos representantes ouvindo sua manifestação na Assembleia Geral, mostrando que não existia concordância por parte da maioria dos representantes dos países, seja com relação àquilo que se esperava que ele iria falar (acusar o capitalismo, acusar o Ocidente, combater os EUA e fazer propaganda do seu regime), seja com relação ao governo venezuelano, ali representado por ele.

A sua chegada a Nova York também foi acompanhada de manifestações populares de venezuelanos que no local se encontravam, gritando contra o regime, contra a perseguição dos opositores e contra a condição em que se encontrava o país.

Internamente, na Venezuela, as críticas feitas por opositores ao discurso e ao comportamento de Maduro foram intensas. Henrique Capriles, principal voz da oposição, chamou o mandatário de cínico e comparou os dados apresentados pelo presidente com os índices que ele alega estarem disponíveis. Vale a pena colocar a íntegra de sua crítica:

"*Cinismo puro, decir, en la 69° Asamblea General de la Organización de Naciones Unidas (ONU), que el gobierno ha cumplido con las metas del milenio, cuando los indicadores económicos y sociales muestran, una nación arruinada por la destrucción del aparato productivo nacional. (...) Cuántas verdades intentan ocultar con sus mentiras. La mentira número uno, es decir que en nuestra Venezuela fue erradicada la pobreza extrema y el hambre, cuando las propias cifras del gobierno, nos referimos a las del Instituto Nacional de Estadísticas (INE), dan cuenta que el porcentaje de hogares venezolanos que viven en situación de pobreza pasó de 21,2% a 27,3%. Si hablamos de pobreza extrema también se incrementó, al pasar de 7,1% a 9,8% en 2013, lo que equivale a unos 2 millones más de venezolanos que viven en la pobreza. (...) La mentira número dos es aseverar que en nuestro país se logró la enseñanza primaria universal, cuando la verdad es que más de 2 millones de niños no acuden a la escuela y otros 800 mil jóvenes, entre 15 y 17 años, están fuera del sistema educativo formal. Este no es el país de las mil maravillas que ellos se esfuerzan en mostrar. Tampoco es verdad que ellos cumplieron la meta número tres, que es promover la autonomía de la mujer. Si la promovieran y sobre todo la defendieran, hoy nuestras mujeres no vivieran el calvario de tener que ir de mercado en mercado y de farmacia en farmacia, buscando alimentos y medicinas. Ni tuvieran que vivir con el alma en vilo, pensando que sus hijos pueden ser los siguientes en formar parte de las estadísticas de la violencia en nuestro país. (...) También es un caradurismo decir que alcanzamos el séptimo objetivo, que es garantizar la sostenibilidad del medio ambiente, cuando acaban de fusionar el Ministerio del* área *con uno de sus mayores depredadores, que es la cartera de Vivienda y Hábitat. La octava mentira fue hacer creer, que este gobierno fomenta una asociación mundial para el desarrollo. Nada más lejos de esa pretensión y eso debe saberlo nuestro pueblo. Debe saber que este gobierno miente a costa del sufrimiento ajeno. (...) Por eso insistimos en decirle a quienes no han abierto los ojos, que es momento de abrirlos. Este es un gobierno continuamente distraído y pendiente de todo menos de lo que le urge atender y ocuparse. Ahora dijeron que enviarían 5 millones de dólares para combatir el ébola en África. Como siempre, extremadamente generosos con los ciudadanos de otros países, pero cruelmente insensibles con nuestro pueblo de Venezuela. Qué no se pudiera hacer con una ínfima parte de esos recursos, en un país donde no hay ni siquiera acetaminofén para los pacientes con dengue o chikungunya. (…) No se trata de ser indiferentes a las desventuras de otros países, pero las cosas son como son. Mientras haya problemas que resolver en nuestra Venezuela, los recursos deben ir a solventarlos. No puede ser que este gobierno, con tal de comprar lealtades en el exterior, sea luz para la calle y oscuridad para la casa*".

Em português:

"*Cinismo puro, dizer, na 69ª Assembleia Geral das Nações Unidas (ONU), que o governo cumpriu as metas do milênio, quando os indicadores econômicos e sociais mostram uma nação arruinada pela destruição do aparato produtivo nacional (...) Quantas verdades tentam esconder com suas mentiras? A mentira número um é dizer que em nossa Venezuela foi erradicada a pobreza extrema e a fome, quando os próprios números do governo, nos referimos aos do Instituto Nacional de Estatística (INE), dão conta de que a percentagem de lares venezuelanos que vivem em situação de pobreza passou de 21,2% para 27,3%. Se falamos de pobreza extrema, ela também aumentou, passando de 7,1% para 9,8% em 2013, o que equivale a cerca de 2 milhões de venezuelanos vivendo na pobreza. (...) A mentira número dois é afirmar que em nosso país a educação primária universal foi alcançada, quando a verdade é que mais de 2 milhões de crianças não frequentam a escola e outros 800 mil jovens, entre 15 e 17 anos, estão fora do sistema educacional formal. Este não é o país de mil maravilhas que eles se esforçam para mostrar. Também não é verdade que eles cumpriram a meta número três, que é promover a autonomia das mulheres. Se eles a tivessem promovido e acima de tudo defendido,* *hoje nossas mulheres não viveriam o calvário de ter que ir de mercado em mercado e de farmácia em farmácia procurando por comida e remédios. Nem teriam que viver com a alma em suspense, pensando que seus filhos podem ser os próximos a fazer parte das estatísticas de violência em nosso país. (...) É também uma cara de pau dizer que alcançamos o sétimo objetivo, que é garantir a sustentabilidade do meio ambiente, quando o ministério da área acaba de se fundir com um de seus maiores predadores, que é o de Habitação. A oitava mentira foi fazer crer que este governo promove uma parceria global para o desenvolvimento. Nada está mais longe dessa pretensão, e isso deve saber o nosso povo. Deve saber que este governo mente à custa do sofrimento dos outros. (...) É por isso, insistimos em dizer àqueles que não abriram os olhos, que é o momento de abri-los. Este é um governo que está continuamente distraído e pendente de tudo, ao menos do que é urgente atender e cuidar. Agora eles disseram que enviariam US$ 5 milhões para combater o Ebola na África. Como sempre, extremamente generoso com os cidadãos de outros países, mas cruelmente insensível com o nosso povo da Venezuela. O que não poderia ser feito com uma ínfima parte desses recursos, em um país onde não há paracetamol para pacientes com dengue ou chikungunya. (...) Não se trata de ser indiferente às desventuras de outros países, mas as coisas são como são. Enquanto houver problemas para resolver em nossa Venezuela, os recursos devem ir para resolvê-los. Não pode ser que este governo, para comprar lealdades no exterior, seja luz para a rua e escuridão para a casa"* (tradução livre).

Deputados da oposição também denunciaram os gastos realizados pela comitiva do presidente enquanto esteve na ONU, os quais, segundo afirmaram, chegaram a US$ 2 milhões. Conforme foi dito, a comitiva contou com 175 pessoas, que receberam, cada uma, US$ 500 para despesas diárias e se hospedaram em hotéis com quartos que custaram US$ 1.000 a diária.

O jornal ABC Internacional afirmou que, em um almoço, chegou-se ao gasto de US$ 79.880, tendo sido consumidas quatro garrafas de champanhe Crystal Rosé, três garrafas de vinho Chateaux Petrus e três garrafas de vinho Latacha, avaliadas cada uma em aproximadamente US$ 5 mil, e, além de terem pedido pratos com caviar e trufas que desgostaram os comensais, levando-os a pedir outros, deixaram uma gorjeta de US$ 13 mil. Isso iria ser usado em campanhas contra o governo.

Faça o mesmo com o Conselho de Segurança: a Venezuela passa a ser membro!

Era importante, diante desse discurso de multilateralismo, que Maduro desse ao país maior atuação internacional, e a presença da Venezuela no Conselho de Segurança das Nações Unidas era um ponto essencial para tanto.

Sabendo-se disso, começou a ocorrer nos EUA uma mobilização contra a entrada do país no Conselho. O órgão conta com cinco assentos permanentes (que são ocupados por EUA, Rússia, China, França e Reino Unido) e dez assentos não permanentes (rotativos), que são ocupados por países de determinadas regiões, indicados pelos Estados das áreas a que pertencem e aprovados na Assembleia da ONU por maioria qualificada de dois terços. Em uma reunião privada do grupo dos países latino-americanos ante a ONU (o GRULAC), a Venezuela foi nomeada para ocupar uma das cadeiras não permanentes.

Nos EUA, deputados e senadores de ambos os partidos escreveram uma carta ao então secretário de Estado, John Kerry, para que adotasse uma postura rígida contra a entrada dos venezuelanos no Conselho. As justificativas eram explícitas. Além do fato de se saber que o governo bolivariano era inimigo declarado dos norte-americanos, apontavam que não poderiam aceitar a sua presença, pois ele fora a favor de Assad na Síria, favorável ao programa nuclear iraniano e a favor da Rússia no caso da Crimeia.

Além disso, acreditavam que a entrada venezuelana daria força a países considerados ditaduras, ou a regimes autoritários, para atuar no Conselho por meio dela. Nesse sentido, os estadunidenses exigiam que o presidente Barack Obama usasse de seu capital político para frear a entrada venezuelana, sendo necessário para tanto que houvesse 65 votos contrários. Levando-se em consideração que a votação das delegações ocorria por voto secreto, as ações podiam ser feitas por acordos dentro da região da qual faz parte um indicado, permitindo o voto em bloco.

Tinha-se como certo que a maioria dos latinos votaria a favor dos venezuelanos, bem como os países que estão sendo enfrentados pelos EUA. Sendo assim, o número de 65 votos contrários para impedir a nomeação parecia ser muito grande, graças à quantidade de problemas em que os norte-americanos estavam envolvidos, gerando muitos adversários, bem como graças às oposições que os estadunidenses vinham recebendo por sua política externa.

Acrescente-se também que certas ações dos Estados Unidos foram precipitadas ou inadequadas, citando o caso da Rússia, que vinha sendo empurrada para a periferia do sistema internacional e tratada como um Estado comum, algo que ela nunca foi e não é. Isso certamente levaria a que a Federação Russa se posicionasse automaticamente em apoio a atores que normalmente não apoiaria, trazendo consigo alguns Estados. Só por essa razão, o alcance do número necessário para barrar a indicação dos venezuelanos no Conselho de Segurança da ONU já era difícil.

Pois é! Os EUA perderam, e a Venezuela concorreu sozinha pela América Latina, recebendo 181 votos favoráveis na primeira votação, quando necessitava de apenas 129. Foi algo que deu força ao governo Maduro, pois foi uma vitória política, simbólica, e garantiu a recepção de apoio na região, ressaltando-se que ter articulação regional é essencial para o bolivarianismo.

Mas se obter apoio internacional, especialmente articulação regional, era e ainda é essencial para a preservação do regime no país, o problema gerador da crise política foi a economia, ainda mais com o fato de que o modelo estava no limite, não apenas por ser contrário ao empreendedorismo e à inciativa privada, algo por si já fadado ao desastre, mas também porque era dependente do petróleo, tal qual ainda é hoje. Chega a ser assustador que não percebam isso!

Se os erros em relação ao ouro geraram aquela fraqueza na obtenção de recursos e na preservação das reservas, isso não é nada quando se pensa que o meio de obter recursos é quase exclusivamente petróleo. Por isso, a queda no preço internacional do barril se tornou um problema que não havia como resolver, mesmo com as Leis Habilitantes para governar o povo, com a perseguição aos empresários e com a articulação regional.

A equação é simples: em sua maioria, o dinheiro que entra no país decorre do petróleo; caindo o seu preço, diminui a entrada de recursos, e, se não houver reservas, bem como planejamento equilibrado dos gastos, o dinheiro acaba, e não tem de onde tirar mais dinheiro. Ponto final!

Como se sabe, a economia lá não é diversificada! Por isso, a queda continuada do preço do barril de petróleo no mercado internacional (a cesta do cru estava sendo negociada a US$ 85,89 o barril) tendia a ser o problema seguinte de Nicolás Maduro, pois a situação afetaria diretamente as finanças do governo, que já estavam comprometidas e no limite da capacidade do país.

O analista para América Latina do IHS Global Insight/IHS Jane's, Diego Moya Ocampos, declarou que "*El punto de quiebra, es un barril de petróleo de ochenta. A ese precio, si se mantiene por tres o cuatro meses, allí ya el gobierno simplemente no va a poder sostener el gasto social que necesita para mantener la lealtad de sus bases. (...). Estamos a cinco o seis dólares de ese punto de quiebre*" ("*O ponto de quebra é um barril de petróleo a oitenta. A esse preço, se for mantido por três ou quatro meses, o governo simplesmente não será capaz de sustentar os gastos sociais necessários para manter a lealdade de suas bases. (...) Estamos a cinco ou seis dólares desse ponto de quebra*" – tradução livre).

E havia também um cenário de mais queda nos preços graças ao aumento da produção nos EUA, no Iraque e na Líbia, associado ao fato de haver crescimento econômico insuficiente na Europa e na China, algo que restringia mais a demanda pela *commodity*, reduzindo mais ainda a captação de divisas pela Venezuela.

Em síntese, com a diminuição de recursos, o governo ia diminuir também a sua capacidade de manter a base de apoio popular, além de reduzir a capacidade de responder aos avanços da oposição, uma vez que a diminuição das manifestações vinha sendo interpretada não como resultado da solução dos problemas, mas como uma inércia produzida pela violência da repressão – e se esperava para qualquer momento nova onda, diante da manutenção da crise econômica.

Um exemplo dos problemas que a crise econômica e o desabastecimento na Venezuela vinham causando foi identificado diretamente no Brasil. Com a restrição de exportação de produtos básicos da Venezuela, seu comércio com o estado brasileiro de Roraima (RR), que faz fronteira com o país, passou a ser prejudicado diretamente.

Com a redução das atividades entre os dois países, os comerciantes roraimenses estavam sendo obrigados a fechar as portas, ou a mudar de ramo no comércio. Conforme informações da Alfândega brasileira, naquele ano houve redução de 75% do trânsito de carros entre os dois países.

Porém, o pior cenário foi para os venezuelanos, já que os brasileiros tinham capacidade de substituir os produtos, mesmo que causasse o encarecimento deles, ou possibilidade de mudar de ramo comercial; no entanto, os venezuelanos envolvidos nessa relação, não.

Nesse sentido, os exportadores venezuelanos estavam perdendo mercado, algo que tendia a piorar a situação caso o governo bolivariano não revertesse o problema do abastecimento, encerrasse as leis contra a exportação, solucionasse o problema da perda acelerada de recursos, bem como o problema da baixa na captação de divisas, algo que certamente aconteceria no caso da contínua queda do preço do petróleo no mercado internacional.

Por essa razão, um líder da oposição que foi militante do PSUV, Henri Falcón, solicitou que fosse feita uma reabertura do diálogo político na Venezuela, usando como meio uma reunião do Conselho Federal do governo, uma "*instância constitucional de diálogo, concertação, de trabalho, na qual os governadores e prefeitos podem explorar, juntamente com o Executivo nacional, soluções concretas*".

Segundo ele, seria a forma de estabelecer compromissos, com a criação de um caminho para retirar o país da crise, pois poderia "*estabelecer uma agenda de trabalho que aborde a crise, os problemas prioritários*". Além disso, poderia tratar das consequências da queda do preço do barril de petróleo. Tentativas como essa haviam sido propostas em abril, mas a oposição se afastara, pois Maduro não tinha demonstrado estar interessado em aplacar os ânimos, já que mantinha a repressão enquanto dialogava.

Controle o consumo: agora até a compra das roupas é controlada!

Para confirmar que não desejava buscar a convergência, mas usar do que fosse necessário no projeto socialista, avançou na sua política de controlar as compras dos consumidores no país e instituiu cota para compra de roupas na Venezuela, pela qual a população chegou a esperar até um mês e a ser submetida a respeitar as cotas individuais estabelecidas.

Senhas eram distribuídas para que os consumidores tivessem acesso à compra limitada das vestimentas, e as lojas passaram a aceitar a imposição desses limites também devido à escassez dos produtos, além dos problemas cambiais que encareciam as importações, uma vez que o governo tentava evitar a saída de dólares do país.

Ressalte-se que o cartão de crédito estava sendo controlado por meio da obrigatoriedade de apenas uma operação comercial a cada 30 dias. Foi instituída a Lei Orgânica de Preços Justos, emitida em 25 de outubro, que atuou também sobre ambulantes (camelôs) e definiu que as autoridades deviam fazer inspeções, verificação e o que fosse necessário nos estabelecimentos comerciais, industriais e de serviços em todo o território para evitar o que considerassem vendas ilegais.

Foram impedidas as vendas de alimentos e insumos básicos, como azeites vegetais, arroz, fubá, farinha de trigo, maionese, ketchup, enlatados, mortadela, queijo, batata, leite, café, açúcar, manteiga, massas, ovos, sal, frangos, ervilhas, feijão, produtos de higiene pessoal e doméstica, sabonetes, creme dental, papel higiênico, fraldas descartáveis, shampoo, detergentes, desinfetantes, navalhas (aparelhos de barba) e pinturas para cabelos.

As pessoas reclamaram, pois esses produtos eram escassos nos supermercados, logo, os ambulantes se tornaram um caminho para vencer o desabastecimento dos artigos mais básicos. Os vendedores ambulantes se mobilizaram, apresentando-se revoltados, pois consideraram a atitude um atentado ao direito de trabalho, já que o desemprego era grande no país e, além de vencerem esse problema, suas vendas se mostravam como uma alternativa viável para o consumo da população. Ademais, calculava-se que aproximadamente duzentas mil pessoas viviam da venda de alimentos nas ruas.

A Hinterlaces fez pesquisa sobre o assunto e apontou, contudo, que a maioria de 78% dos entrevistados (de uma amostra de 1.200) apoiou a medida governamental de proibir as vendas. No entanto, tais resultados foram tomados com reservas, uma vez que havia controle de vários setores e atividades por parte do governo, de forma que os resultados poderiam estar sendo distorcidos devido a problemas metodológicos na aplicação da pesquisa.

Mesmo porque, pela forma como os ambulantes estavam se manifestando, a tendência era de que uma nova frente de manifestações surgiria, em face do que fora feito contra esse grupo, impulsionando outras ações da sociedade nas ruas.

Isso apontava para uma disputa dura em 2015, quando ocorreriam as eleições legislativas. Os discursos não eram de busca pelo diálogo, pelo contrário, queriam a exclusão do adversário, já que os pedidos de diálogo foram recusados por ambas as partes.

Maduro manteve a posição e a retórica agressiva: "*No SOLO el pueblo va a votar a favor del camino revolucionario, del legado del comandante Chávez, de la paz y la estabilidad del país. El pueblo le va a dar un voto castigo a las maldades de la derecha, contra la guarimba, contra la guerra económica, el intento de golpe de Estado, va a ser un voto castigo por toda la línea. (...) el futuro es victoria en 2015, gran victoria en la Asamblea Nacional*" ("*Não SÓ o povo votará a favor do caminho revolucionário, do legado do Comandante Chávez, da paz e da estabilidade do país. O povo vai dar um voto de punição às maldades da direita, contra o protesto, contra a guerra econômica, a tentativa de golpe de Estado, será um voto de punição para toda a linha. (...) o futuro é vitória em 2015, grande vitória na Assembleia Nacional*" – tradução livre).

Os opositores também, como o presidente do Partido Verde, Roberto Enríquez, que conclamou o povo a punir Maduro e os demais líderes bolivarianos nas eleições, apesar de mostrar crer que seria difícil fazê-lo apenas pelo voto, já que percebia que o governo iria trabalhar para impedir que o povo se manifestasse, numa quase alusão ao uso certo de métodos ilícitos por parte dos governantes.

Ele afirmou: "*El pueblo venezolano debe castigar a Nicolás Maduro a punta de votos y a todos los representantes del Gobierno nacional por el fracaso contundente del modelo socialista. No creo en la jerarquía de hombre de Estado de Maduro, no dejemos que nos quiebren el espíritu de lucha, porque el Gobierno va a hacer lo imposible por provocar abstención en las parlamentarias. Tratarán de desmoralizar al pueblo*" ("*O povo venezuelano deve punir Nicolás Maduro com os votos e a todos os representantes do governo nacional pelo fracasso contundente do modelo socialista. Não creio na hierarquia do estadista Maduro, não deixemos que nos quebrem o espírito de luta, porque o governo fará o impossível para provocar a abstenção nas eleições parlamentares. Tratarão de desmoralizar o povo*" – tradução livre).

A situação tornou-se cada vez mais tensa, e a sustentação política de Maduro e do governo do PSUV se manteve, mas certamente pela grande participação das Forças Armadas, tal qual ocorre na situação atual. Porém, naquele momento, havia dúvidas sobre o limite de ação delas, já que não se sabia até que ponto se voltariam contra o povo na defesa do regime político. Hoje parece que a resposta está mais clara: apesar das defecções que estão ocorrendo, ainda há volume suficiente de membros que atirarão contra o povo!

Tenha a postura de um verdadeiro ditador. Agora vamos dedurar dentro do partido e da administração: tem até o "SMS delação"!

Outra certeza estava posta na mesa: o PSUV, apesar de agir unificado, tinha fraturas internas. Por essa razão, Maduro e demais membros do governo passaram a estimular a delação entre os membros do *Partido Socialista Unido de Venezuela* (PSUV) para, conforme afirmavam, impedir a infiltração de opositores que tivessem como missão destruir a continuidade na implantação do socialismo no país.

E isso foi tão estimulado que ele criou um canal telefônico para a delação desses supostos infiltrados, também por meio de *SMS* e de um *e-mail*, por onde poderiam ser feitas as denúncias daqueles que os delatores considerassem infiltrados, os quais também eram denominados

indivíduos que vinham se afastando dos princípios da revolução bolivariana.

Francisco Ameliach, vice-presidente de Organização e Assuntos Eleitorais do PSUV e governador de Carabobo, usou sua conta no Twitter para informar os canais. Postou: "*El militante que esté fomentando la desunión debe ser denunciado a través de: denunciainfiltradospsuv@gmail.com, y vía sms (mensajes) al 0416-9425792*" ("*O militante que promove a desunião deve ser denunciado por: denunciainfiltradospsuv@gmail.com e via SMS (mensagens) para o 0416-9425792*"), declarando ainda, em seu programa na rádio pública RNV, que "*el enemigo que más nos hace daño es el enemigo interno, el infiltrado, el quinta columna, el que se disfraza de chavista y no es chavista*" ("*o inimigo que mais nos prejudica é o inimigo interno, o infiltrado, a quinta coluna, que se disfarça de chavista e não é chavista*"). Com isso, mostrou que pretendiam realizar uma "*limpeza*" na base governamental, a começar pelo partido.

A forma como as autoridades se manifestaram confirmou que a preocupação era intensa, e não se excluiu a possibilidade de expurgos em outros ambientes. Como apresentado antes, Francisco Ameliach referiu-se a uma "*quinta coluna*", e Diosdado Cabello, primeiro vice-presidente do PSUV e presidente da Assembleia Nacional Bolivariana, declarou: "*Los saboteadores de la revolución. (...) No podemos permitir (...) escuálidos, infiltrados en los organismos del Estado como jefes, y otros que tenemos chavistas de la boca para afuera, que son peores a veces que los propios escuálidos*" ("*Os sabotadores da revolução. (...) Não podemos permitir (...) esquálidos, infiltrados nas agências estaduais como chefes, e outros que temos chavistas da boca para fora, que são piores, às vezes, que os próprios esquálidos*" – tradução livre), reforçando as declarações de várias lideranças governamentais no país de que são traidores, dissidentes, rebeldes.

Apesar de a maioria dos governantes declarar que tal medida surgia da necessidade de garantir unidade em relação ao partido e se aplicava apenas aos seus membros, tal qual Nicolás Maduro afirmou ser necessário que os membros do PSUV dissessem "*de qué lado están*" ("*de que lado estão*"), a estrutura montada certamente seria utilizada para criar o clima de delação em esferas públicas, instituições e órgãos governamentais para a denúncia de cidadãos que pudessem ser críticos ao governo.

Delação contra aqueles que seriam considerados traidores da revolução, podendo ser aplicadas medidas específicas a partir das leis criadas com esse fim e justificadas pela necessidade de haver continuidade no processo de implantação do socialismo chavista. Tais medidas eram validadas para que fossem garantidas a eficácia administrativa e a defesa das alegadas conquistas do regime. Ou seja, a estrutura montada certamente seria usada para perseguição de opositores do regime que precisavam estar sob a mira do governo.

O contínuo crescimento da contraposição dentro do chavismo era uma realidade. O partido percebia que isso começava a se alastrar, contando com a adesão de grandes lideranças bolivarianas, como Jorge Giordani (ex-ministro da Planificação), Héctor Navarro (ex-ministro da Educação) e Ana Elisa Osorio (vice-presidente do Parlamento Latino-Americano na Venezuela), que vinham criticando o presidente abertamente, gerando reações intensas por parte do mandatário, e estiveram presentes em um seminário organizado pelo grupo denominado Maré Socialista, montado com o objetivo de observar "*os problemas e desvios do Partido Socialista Unido de Venezuela (PSUV)*" e apresentar "*propostas de governo para superar a crise*".

Os militantes chavistas que desgostavam do governo Maduro começavam a ter número expressivo, a ponto de analistas e observadores internacionais considerarem que já chegavam a ser maioria entre os esquerdistas, tanto que o grupo do Maré Socialista, que se espalhava por todo o país, estava pensando em disputar as eleições legislativas do ano seguinte (2015) de forma independente do *Partido Socialista Unido de Venezuela* (PSUV).

Naquele momento, esses militantes de esquerda viam as ações de Nicolás como desvios da herança revolucionária bolivariana e como incapazes de resolver a crise econômica pela qual o país passava. Ademais, criticavam-no por sua recusa ao diálogo e, por isso, manifestavam o desejo de retorno do que consideravam ter sido uma democracia participativa na época de Hugo Chávez.

Segundo foi divulgado na imprensa, durante o seminário ocorreu um apagão, o que foi visto pelos presentes e pelos críticos como uma sabotagem, algo que vinha unindo ainda mais esse grupo de descontentes.

As reações do governante foram rígidas e de enquadramento do que considerava dissidentes, e o mecanismo criado, o "disque-denúncia", assustou a todos, pois sua estrutura poderia ser usada tanto para delação de militantes (algo por si já reprovável) como para a perseguição política geral, de qualquer pessoa.

Gestos como esse desgostavam personalidades, militantes e cidadãos em todos os segmentos, também dentro das Forças Armadas, que desejavam a volta de uma liderança militar à presidência da república venezuelana.

Diosdado Cabello, por exemplo, se apresentava como um dos principais concorrentes de Maduro desde que este se tornara o herdeiro de Chávez. Ele acreditava que seria o escolhido do ex-presidente, que **o preteriu porque, supostamente, seguiu a orientação cubana**.

Chegou-se mesmo a cogitar que, diante do quadro, as eleições legislativas de 2015 poderiam ser antecipadas para o primeiro semestre, em vez de ocorrer no final do ano, com o objetivo de permitir que o PSUV, cuja liderança, de Maduro, foi preservada nas eleições internas ocorridas em 2014, preservasse a maioria na casa legislativa e garantisse, assim, uma relativa força ao mandatário, algo que poderia lhe trazer esperanças de não perder o cargo presidencial do país, possibilidade que vinha crescendo cada vez mais.

Uma nova pesquisa de opinião realizada pela empresa Datanalisis (entre 4 e 20 de novembro, com 1.293 pessoas) foi divulgada para a mídia falando da aprovação que detinha o presidente Nicolás Maduro diante do povo venezuelano.

O resultado apontava uma queda de 5,7 pontos percentuais, colocando o índice de aprovação presidencial numa taxa de apenas 24,5%. O resultado deixou o mandatário em estado de alerta, uma vez que havia pesquisas realizadas pelos próprios governantes que acusavam aprovação alta, acima de 60% em alguns segmentos, mas que foram divulgadas como representativas da sociedade como um todo, o que não era verdade.

Os dados mostravam que o país estava descontente com a condução governamental, e não se descartava a possibilidade de afastamento de Nicolás Maduro. Pelos índices, 85,7% dos entrevistados consideravam que a situação da Venezuela era negativa, com acréscimo de 4,1% em relação a essa percepção.

Nos extremos da avaliação, a discrepância era muito grande, pois 37,9% qualificavam a gestão do presidente como muito ruim, e apenas 1,9% como muito boa. Ou seja, a distância entre um e outro era de quase vinte vezes, de forma que a situação era mais do que preocupante, pois a pesquisa, que tinha 95% de confiança e 2,66% de margem de erro, apresentou ainda que 71,1% dos entrevistados acreditavam na possibilidade de afastamento do presidente de seu cargo no referendo revogatório que poderia ser realizado em 2016. Destacava-se ainda o crescimento contínuo dessa tendência, com três pontos acima em relação à consulta anterior, realizada em setembro.

Embora houvesse uma chance para a oposição, esta, por sua vez, ainda se encontrava desarticulada, desunida e sem capacidade de apresentar um programa comum, sem saber tirar proveito do momento, mesmo que Henrique Capriles, o principal e mais bem avaliado líder opositor, tivesse alcançado na pesquisa aprovação de 45,8%, com crescimento de 3,7%.

Para o governo, o cenário apresentava alta probabilidade de que Maduro caísse, já que estava ocorrendo a convergência de vários fatores, tais como a rejeição popular à figura do mandatário; a baixa avaliação de sua liderança e gestão; a reprovação de sua administração; a fragmentação dentro da esquerda; divergências internas no *Partido Socialista Unido de Venezuela* (PSUV); defecções dentro do governo; contraposição de lideranças que antes eram aliadas; crise internacional, que tinha isolado o país, graças a sua política externa; baixa no preço do petróleo, que trouxe à tona a queda nas divisas, logo, menos capacidade de investimentos.

Em síntese, havia uma confluência de fatores que certamente colocavam os bolivarianos na condição de ter de escolher entre a queda de Maduro, preservando o grupo, ou a clara possibilidade de ascensão da oposição, mesmo que esta também estivesse desarticulada.

A possibilidade de ascensão dos opositores se apresentava ainda pelo fato de Henrique Capriles continuar bem avaliado pelo povo e poder se manter como a figura capaz de trazer os antagonistas do governo para uma mesma bandeira, mesmo que essa aliança pudesse ter vida curta, algo que, no entanto, levaria a Venezuela a outra configuração da crise política, com cenário imprevisível. Não podemos esquecer que Capriles defendia um modelo misto, e isso assustava menos.

Maduro apontou para mudanças na economia, não significando que elas seriam realmente efetivadas, ou se configuravam apenas uma jogada para garantir a alavancagem imediata, de forma a frear o ímpeto opositor ao seu nome, que se apresentava vindo de todas as partes.

Ele indicou que seguiria duas direções: cortes nos gastos governamentais, sem afetar os investimentos sociais; e o estabelecimento de diálogo com o empresariado para buscar a diversificação da economia, como forma de conseguir menor dependência em relação ao petróleo.

Com relação aos gastos governamentais, declarou que seria efetivado um corte de 20%, retirando da folha aquilo que avaliava como improdutivo. Afirmou que considerava tal medida uma "*dieta*" (no sentido de regime alimentar visando a perda de peso) para recuperar o fôlego. Nessa direção, segundo afirmou, também seriam cortados salários dos funcionários públicos e do governo, com o objetivo de dar exemplo.

Para um projeto geral da economia, anunciou nove ações durante uma Conferência Econômica de Paz, realizada no Palácio de Miraflores, quando também conversou com os empresários acerca da necessidade de que a economia ficasse livre da dependência em relação ao petróleo, cuja importância para o governo representava aproximadamente 96% do que arrecadava. As ações seriam:

"1. Creación de la Jefatura Nacional para la Economía Productiva, rumbo a la exportación. Al frente de la institución estará la ministra Isabel Delgado. Regirá de manera específica el proceso de producción para la exportación, que contempla la resolución de trámites, acceso a mercados y financiamientos;

2. Venezuela propondrá a la Alianza Bolivariana para los pueblos de nuestra América (ALBA) la articulación de la Zona Económica ALBA-PetroCaribe- Mercosur;

3. El Gobierno de Venezuela planteará también la creación de las tiendas del ALBA, con el fin de ofertar productos venezolanos;

4. Ordenó a los ministros, vicepresidentes y encargados de empresas públicas a colocar en la primera línea de su agenda de trabajo 2015, la tarea productiva exportadora, para la conquista de mercado;

5. Recorte del 20% en gastos suntuarios de la nación;

6. Se creó, mediante decreto, la Zona Económica Especial San Antonio del Táchira-Ureña y la Zona Económica Especial de Paraguaná, con el fin de favorecer la exportación y el comercio en la frontera, en condiciones justas para ambos países;

7. Activación de tecnología 4G en Venezuela, en el campo de las telecomunicaciones;

8. Ampliación del capital del Banco de Comercio Exterior (Bancoex) a 300 millones de dólares para que tenga una base efectiva. Actualmente, la institución tiene un capital de 150 millones de dólares;

9. El Sistema Cambiario Alternativo de Divisas (Sicad I y II) sufrirá próximamente una modificación, para perfeccionar la atención de los mercados".

Em português:

"1. Criação da Sede Nacional da Economia Produtiva, para exportação. À frente da instituição estará a ministra Isabel. Regulamentará especificamente o processo de produção para exportação, que inclui a resolução de procedimentos, acesso a mercados e financiamento;

2. A Venezuela proporá à Aliança Bolivariana para os povos da nossa América (ALBA) a articulação da Zona Econômica ALBA-PetroCaribe-Mercosul;

3. O governo da Venezuela também proporá a criação de lojas da ALBA, a fim de oferecer produtos venezuelanos;

4. Ordenou aos ministros, vice-presidentes e gerentes de empresas públicas a colocar na primeira linha de sua agenda de 2015 a tarefa produtiva de exportação, para conquistar mercado;

5. Cortar 20% nas despesas de luxo do país;

6. Criou-se, mediante decreto, a Zona Econômica Especial de San António de Tachira-Ureña e a Zona Econômica Especial de Paranaguá, com o fim de favorecer a exportação e o comércio na fronteira, em condições justas para ambos os países;

7. Ativação da tecnologia 4G na Venezuela, no campo das telecomunicações;

8. Ampliação do capital do Banco de Comércio Exterior (Bancoex) em US$ 300 milhões para que tenha uma base efetiva. Atualmente, a instituição tem um capital de US$ 150 milhões;

9. O Sistema Alternativo de Câmbio (SICAD I e II) em breve sofrerá uma modificação, para aperfeiçoar a atenção dos mercados" (tradução livre).

O repentino surto de consciência decorreu, na realidade, da queda do preço internacional do barril do petróleo, que mostrou a fraqueza do modelo econômico venezuelano e colocou o país mais uma vez em situação crítica, pois reduziu o orçamento drasticamente, a ponto de não permitir mais a manutenção das políticas sociais e do assistencialismo que garantiam os bolivarianos no poder.

No entanto, ele apontou que não mudaria a política de controle do dólar, apresentando como justificativa a necessidade de controlá-lo para garantir a manutenção dos preços dos produtos no mercado venezuelano, que deviam continuar sob controle do Estado.

Para ele, isso era essencial porque não se tratava de regular a economia com medidas liberalizantes e capitalistas, mas de buscar uma saída para a crise por meio da diversificação dos setores econômicos, tal qual afirmou, sem, contudo, abandonar o projeto socialista. Como se pode ver, é um malabarismo, diante de ações incoerentes.

A adoção dessas medidas foi a forma de sobreviver às críticas que vinha recebendo para tentar evitar o seu afastamento, cada vez mais presente no horizonte. De acordo com aquela última pesquisa realizada, aproximadamente 70% da população afirmaram que votariam pela sua saída em um referendo revogatório de mandato.

Além disso, um ajuste fiscal era necessário imediatamente, mas não era suficiente para debelar a crise, pois seria preciso que a economia se abrisse para o exterior, bem como que fossem criadas condições para o empresariado atuar no país, situação contrária aos pressupostos políticos e ideológicos do bolivarianismo defendido por Nicolás Maduro. Por isso, não tinha como ser verdade o que ele propunha.

Tal situação era tão clara que as medidas não deram resultados. Um desejável pacto social entre os setores não ocorreu, o empresariado não se deixou envolver e a repressão à oposição não reduziu. Leopoldo López já estava havia onze meses encarcerado, e, no início de dezembro, a ex-deputada Maria Corina Machado fora indiciada sob a acusação de estar ligada a um plano para matar Maduro, sem nenhum indicativo sobre se seria processada e julgada em liberdade, ou seja, sem haver qualquer indicação sobre se ela já seria presa, com o risco de pegar dezesseis anos de prisão caso fosse considerada culpada. Nada havia mudado, e a perseguição aos opositores ia continuar.

Siga sendo violento ano após ano: não tem como mudar!

O ano de 2015 começou com a crise avançando e com o mesmo discurso de que um golpe estava sendo articulado. Em fevereiro, novamente oficiais da Força Aérea foram presos sob acusação de estarem envolvidos em plano para depor o governo, com bombardeio do Palácio, envolvimento de general e apoio norte-americano.

Para trazer mais drama, Maduro conclamou seus partidários a resistir ao golpe e, caso lhe acontecesse algo, que radicalizassem a revolução "*até o nível máximo que jamais conhecemos*".

Não é necessária muita reflexão para entender que falava de violência ao maior grau e implantação de ditadura. No mesmo mês também foi detido Antonio Ledezma, com a invasão do serviço de inteligência a seu gabinete. Maduro declarou que usaria de punho de ferro contra os conspiradores que eram financiados pelos norte-americanos.

Os EUA, por sua vez, colocaram a Venezuela na lista dos países considerados "*Ameaça extraordinária à segurança americana*", pois olhavam as ações do mandatário, que, além dos discursos, tinha assinado acordos com a China, em julho, e feito reuniões com Vladimir Putin no Brasil.

Com a China ressaltou-se a questão da tecnologia aeroespacial. No caso, o lançamento do terceiro satélite venezuelano para se somar aos outros dois (Simón Bolívar e Francisco de Miranda), que, de acordo com o venezuelano, visava obter transferência de tecnologia.

Apesar de não se acreditar na concretização dessa hipótese, já que dificilmente os chineses permitiriam a criação de um concorrente no mercado de lançamento de satélites, a assinatura do acordo estava dentro de uma política externa de confronto aos Estados Unidos por meio da aproximação com os seus rivais.

Com os russos, em reunião paralela à VI Cúpula do BRICS, realizada em 16 de julho, ficou acertada a abertura de uma linha de crédito pela Rússia para a Venezuela, sem divulgar valores, mas que se especulava ser em torno de US$ 2 bilhões para a extensão das relações comerciais entre os dois países.

Maduro tinha se deslocado ao Brasil para participar também de reunião com vários grupos: o BRICS; os grupos regionais latino-americanos; a União das Nações Sul-Americanas (Unasul); e a Comunidade dos Estados Latino-Americanos e do Caribe (Celac). E também para realizar encontros bilaterais com as autoridades da China, África do Sul e da Colômbia.

O objetivo era tentar uma ação conjunta entre esses grupos em busca de uma saída para a situação em que se encontrava seu governo, e cavar uma saída também para todos os bolivarianos na região que tinham seus modelos políticos e econômicos sob questionamento nas suas respectivas sociedades, apesar de Nicolás apontar que as vantagens seriam conseguidas para os sul-americanos como um todo.

Ou seja, procurava uma ação comum no sistema internacional, que, no seu entendimento, era benéfica para todo o continente. Essa ação seria contra as grandes potências internacionais e contra os organismos financeiros. Ele apostava na possibilidade de que tanto o Novo Banco de Desenvolvimento (NBD), que se tornou o Banco do BRICS, quanto o fundo de reservas do BRICS seriam usados para financiar os demais países em desenvolvimento, complementando ou substituindo o Fundo Monetário Internacional (FMI) e o Banco Mundial (BM).

Para tanto, propôs uma "Aliança de Trabalho", acreditando que realmente são complementares as economias dos países envolvidos, bem como que haveria apoio automático entre eles, ou que não ocorreria concorrência, mas apenas auxílio mútuo, a partir da perspectiva compartilhada de que deveria ocorrer um reordenamento das relações internacionais.

Mais ainda, ele chegou a acreditar que o modelo econômico que Rússia, Índia e China queriam construir definitivamente nos seus respectivos territórios eram semelhantes ao dos bolivarianos, algo com o qual ninguém concorda. Provavelmente, somente ele achava isso, ou precisava achar!

O questionamento da condução da política internacional contemporânea era compartilhado pelos países que estiveram reunidos naquela reunião de 2014, mas por motivos diversos, e não por simpatia em relação a Maduro. Especialmente no caso da Rússia, pois este Estado estava sendo empurrado a procurar apoio internacional nos mais variados pontos do mundo, razão pela qual, naquela época, como ainda hoje, teve e tem de buscar alguns apoios na região latino-americana, onde EUA e aliados automáticos ainda encontram alguns grandes inimigos, apesar de agora, na maioria dos Estados nessa área, o poder ter mudado de mãos e ter ocorrido uma migração das simpatias para os norte-americanos e seus partidários.

Na questão dos créditos concedidos pelos russos aos venezuelanos, eles estavam dentro da lógica de um conjunto de acordos comerciais que já havia entre os dois países e apenas foram reforçados em face do cenário em que a Europa e os EUA pressionavam a Rússia devido à crise da Ucrânia.

Sendo assim, uma possível evolução intensa dos contatos e parcerias entre bolivarianos e latinos com os membros do BRICS, com destaque para a China, mas especialmente com a Rússia, poderia ser vista como um efeito colateral das políticas externas dos norte-americanos e dos europeus, que estavam tentando conter a China, mas, sobretudo, isolar a Rússia.

Esses dois encontros não eram as únicas questões que incomodavam os EUA, mesmo que soubessem da necessidade constante do regime bolivariano de tê-los como inimigos, para poder preservar a mobilização em torno de uma liderança política, e que soubessem da existência de uma explicação teórica para os estadunidenses serem vistos eternamente como inimigos (a Teoria da Dependência, algo que será visto mais adiante). Fazia parte já da estratégia de Chávez articular toda a América Latina para que a Venezuela pudesse se inserir na cadeia produtiva global sob as luzes de uma ideologia, o bolivarianismo, e sob um comando único, claro que o seu. Os passos foram dados nessa direção e sentido, tanto que se dedicou arduamente ao trabalho pela integração regional, à articulação das políticas externas dos países da região, à articulação das mídias e à criação de uma rede de inteligência. Exatamente isso: **criou-se uma rede de inteligência**!

Em novembro de 2014, o jornal *El Nuevo Herald*, sediado na Flórida (EUA), denunciou que o governo venezuelano estava estabelecendo fazia anos essa rede pela América Latina com o fim de disseminar a ideologia bolivariana, a revolução, bem como exercer atividades de contrainteligência, treinando agentes para executar a tarefa de proselitismo e coleta de informações, as quais eram passadas a Caracas, que as retransmitia de forma ordenada aos seus parceiros e aliados na região, conforme foi divulgado pelo articulista do jornal Antonio María Delgado.

Segundo apontou, havia categorias de agentes que são treinados e financiados para diferentes tarefas e com graus variados de funções e hierarquia interna, com uma configuração que apresenta mais ou menos a seguinte estrutura:

1. Há os **patriotas cooperantes**, com a função de disseminar a ideologia revolucionária pela região, recrutados nos países especialmente onde houver um regime simpático ao de Caracas. Eles realizam tarefas dentro de missões sociais que os governos desses países possam estar realizando para os seus povos.
2. Há os **agentes que trabalham realizando tarefas próprias de contrainteligência aplicadas à oposição** existente nesses países. Eles também têm a função de buscar informações sobre inimigos existentes e potenciais do processo revolucionário nesses lugares, bem como informações sobre os inimigos da revolução bolivariana pela região.
3. **A rede foi criada** no vários países latino-americanos, segundo apontou o jornal, **para fortalecer a posição política interna dos governos que são favoráveis ao bolivarianismo**, ao chavismo, ou

são aliados da Venezuela. Para tanto, **Caracas destinava recursos visando fortalecer, organizar e aumentar a teia.**

4. Na Venezuela, **o núcleo mínimo é o Patriota Cooperante, chamado de Patriota Cooperante Bolivariano (PCB)**, que trata do proselitismo e da coleta de informações, havendo acima dele o chamado **Patriota Cooperante Médio (PCM)**, que é adestrado pelo Serviço Bolivariano de Inteligência Nacional (Sebin) na atividade de informações e tem a função de recrutar e comandar os PCBs.

Tais informações sobre a estrutura interna da rede foram obtidas em documentos supostamente adquiridos pelo *El Nuevo Herald*. A denúncia era de que o mesmo sistema estava espalhado por vários países da América Latina onde havia interesse governamental venezuelano.

Ou seja, **haveria PCMs que recrutariam PCBs para fazer proselitismo, PCBs para fazer serviços de coleta, PCBs para trabalhos de apoio aos governos locais e PCBs para realizar serviços de contrainteligência aplicados aos opositores dos governos amigos, ou aos antagonistas da ideologia bolivariana.**

As informações obtidas e disseminadas pelo periódico podiam se tratar de uma ação de desinformação por parte do jornal, baseada numa fábula criada por eles. No entanto, o grupo de personalidades que foi à mídia para apresentar essa informação era grande, e os casos de presenças descobertas e divulgadas de venezuelanos nos territórios de países vizinhos atuando de forma clandestina ou sem a devida comunicação eram expressivos.

No Brasil ocorreu o curioso caso em que um ministro venezuelano tinha entrado no país sem comunicar ao Ministério das Relações Exteriores brasileiro e se reunido com movimentos sociais brasileiros, recebendo reprimendas do Brasil, já que tal ação poderia ser caracterizada como ingerência da Venezuela nos assuntos brasileiros.

Observadores internacionais apontavam que o fato divulgado pelo *El Nuevo Herald* apenas confirmava informações que vinham sendo disseminadas de forma esporádica, mas sem a contundência de declarar que havia uma estrutura (e ainda deve haver), uma "*Red*" (Rede), que estava montada e operando por toda a região.

É irrelevante se isso não passava de uma fantasia ou era real para questões de segurança nacional dos EUA, pois está dentro do concebível, e tal problema tinha grande probabilidade de ser efetivado em reforço às ações do bolivarianismo. Nesse sentido, era um elemento a mais para que os norte-americanos se precavessem e aplicassem suas sanções contra a Venezuela.

Não podemos esquecer que eles já tinham feito isso, tanto que a inclusão da Venezuela naquela lista de perigosos à segurança nacional estadunidense tinha sido precedida, em dezembro do ano anterior, de um conjunto de sanções que o Congresso dos EUA tinha aprovado no meio daquele mês.

Elas foram dirigidas a um grupo de 56 funcionários do governo venezuelano, sob acusação de violação dos direitos humanos e por incitação à violência em seu país. Pela determinação, estava proibida a entrada desses funcionários nos EUA, bem como seria realizado o bloqueio de bens que porventura eles tivessem em solo americano.

A medida vinha no momento em que os EUA se apresentavam de maneira mais incisiva em questões internacionais, disputando diretamente áreas de interesse geoestratégico e geoeconômico, buscando colocar países que consideravam inimigos ou adversários em situação econômica crítica, tal qual fizeram com o Irã e, da mesma forma, contra a Rússia, que tinha assinado os acordos com a Venezuela.

Após saber da declaração a esse respeito de Patrick Ventrell, um porta-voz do Conselho de Segurança da Casa Branca, o governo venezuelano já tinha reagido prontamente, e o chanceler Rafael Ramírez declarou que rechaçava "*de la manera más categórica cualquier injerencia extranjera en nuestros asuntos internos y, sobre todo, (...) de la administración norteamericana, que ha sido permanentemente un elemento de agresión contra nuestro país. (...) Estados Unidos ha sido permanentemente un elemento de agresión contra nuestro país*" ("*da forma mais categórica qualquer ingerência estrangeira nos nossos assuntos internos e, sobretudo, (...) da administração dos EUA, que tem sido permanentemente um elemento de agressão contra o nosso país. (...) Os Estados Unidos foram permanentemente um elemento de agressão contra o nosso país*" – tradução livre).

Nicolás Maduro também se manifestou afirmando que a Venezuela "*no la sanciona nadie, porque decidió ser libre*" ("*não sanciona ninguém, porque decidiu ser livre*" – tradução livre) e fez declaração em cadeia nacional de rádio e TV pedindo a união do povo para "*defender la independencia, la dignidad, la paz de Venezuela*" ("*defender a independência, a dignidade, a paz da Venezuela*" – tradução livre).

Declarou ainda, mostrando estar disposto a confrontar os EUA: "*Ya basta de agresiones, intervencionismos, ya basta de tanto abuso, he tenido mucha paciencia como jefe de Estado y jefe de Gobierno, me he llenado de la sabiduría de Hugo Chávez, que lo conocí muy bien (...) de cómo llevar los asuntos con el imperio estadounidense. (...) me he armado de paciencia y hemos hecho todo lo que se puede hacer y más para que en Washington, los factores de poder del imperio sepan que están derrotados aquí y que lo único que aspiramos son relaciones de respeto y paz. (...) Venezuela tiene un pueblo con valores, con cultura, formado y educado, tenemos una Fuerza Armada Nacional Bolivariana que ahora sí es el ejército de (Simón) Bolívar, una fuerza garantía de independencia. (...) quién es el Senado de Estados Unidos para sancionar a la patria de Bolívar? (...) no aceptamos sanciones imponentes imperialistas, es la patria de Bolívar que ustedes deben aprender a respetar. (...) la Venezuela del comandante Chávez no se deja intimidar con sanciones" ("Basta de agressão, intervencionismo, basta de tanto abuso, tive muita paciência como chefe de Estado e chefe de governo, eu tenho me enchido da sabedoria de Hugo Chávez, que conhecia muito bem (...) de como tratar assuntos com o império estadunidense. (...) Eu me armei com paciência e fizemos tudo o que se pode fazer e mais ainda para que, em Washington, os fatores de poder do império saibam que estão derrotados aqui e que a única coisa a que aspiramos são relações de respeito e paz. (...) A Venezuela tem um povo com valores, com cultura, formados e educados, temos uma Força Armada Nacional Bolivariana que agora, sim, é o exército de (Simón) Bolívar, uma força garantia de independência. (...) quem é o Senado dos Estados Unidos para sancionar a pátria de Bolívar? (...) não aceitamos sanções impressionantes imperialistas, é a pátria de Bolívar que vocês devem aprender a respeitar. (...) a Venezuela do Comandante Chávez não se deixa intimidar com sanções"* – tradução livre).

A questão das sanções adotadas pelos norte-americanos, como dito antes, está dentro do escopo das medidas unilaterais que todo Estado tem o direito de aplicar, restando a possibilidade de respostas por parte do atingido, que pode agir da mesma maneira, como o fez a Federação Russa naquela época e ainda faz hoje.

A eficácia da política adotada e da resposta dada dependem, no entanto, da capacidade de articulação internacional de que dispõe cada país, bem como de sua capacidade econômica, além do conjunto de aliados capazes de lhe dar sustentação e do grau de apoio que o governo recebe de sua sociedade. Diante do quadro de crise, a probabilidade de que a Venezuela se visse profundamente afetada era grande, desde que as sanções fossem direcionadas para setores da economia, e não apenas para funcionários.

Sabia-se, no entanto, pelas ações que naquele momento foram tomadas pelos norte-americanos, que era o primeiro passo de um conjunto de várias sanções sequenciadas a serem impostas, mas, pelos exemplos recentes, estas ocorriam quando havia uma tentativa de ganho real de poder militar por parte do Estado que estava sendo sancionado, incidindo as medidas sobre setores estratégicos questionados pela comunidade internacional (um exemplo foi e é o Irã e seu programa nuclear), ou quando havia agressão a Estados, além de ameaça à segurança internacional, levando ao uso de medidas para barrar qualquer desenvolvimento do país que se considera perigoso.

No caso venezuelano, as ações eram direcionadas a personalidades governamentais, usando como argumento as violações contra os direitos humanos, e os passos seguintes dependeriam da forma como a Venezuela reagisse.

Para Maduro, no entanto, as medidas tomadas pelos EUA em dezembro de 2014 e em fevereiro de 2015 serviram apenas para buscar mais poder na Assembleia Nacional do país, diante de mais sanções dos EUA, que agora iriam ser aplicadas contra sete oficiais venezuelanos, dentre eles, o diretor do serviço de inteligência (Sebin), por violação dos direitos humanos.

Além de buscar mais poder, Maduro ordenou às Forças Armadas um exercício defensivo em todo o país, chamando a população para participar ativamente, com o objetivo de treinar guerra de guerrilhas, em articulação com as milícias e com o Exército. A jogada era tentar uma ação que pudesse gerar articulação de vários setores bolivarianos que não gostavam do mandatário, mas que poderiam ficar ao lado dele diante do inimigo comum.

Crie leis para incentivar a repressão: nove meses para reprimir sem contestação!

Para tristeza do cidadão venezuelano, no dia 15 de março o Legislativo aprovou nova Lei Habilitante, concedendo por nove meses o poder a Maduro para que, sob o argumento apresentado, defendesse o Estado venezuelano das ameaças norte-americanas. Aquilo que os EUA fizeram servira apenas para dar mais argumentos e justificativas ao presidente para adquirir outras condições de reprimir o seu povo.

Ou seja, recebia mais poder o governo que tinha acabado de concluir um período com poderes supremos, graças à Lei Habilitante aprovada em 2013 para que ele passasse todo o ano de 2014 administrando independentemente de autorizações do Legislativo, com o fim de tratar de assuntos econômicos, resolver as questões financeiras e combater a corrupção.

Apenas para ilustrar o que fez, durante esse período sancionou mais de 40 decretos – no entanto, o resultado para a economia foi o pior possível, e os decretos permitiram apenas que ele agredisse o empresariado e a população.

Agora, ganhava mais força para atuar contra o inimigo externo, claro que também agredindo o que via como inimigo interno, pois recebia a seguinte autorização: "*a proteção contra a interferência de outros*

Estados em assuntos internos da República, ações belicistas ou qualquer atividade externa ou interna que pretendam violentar a paz".

De forma direta, recebia autorização para enfrentar o que considerava serem ameaças dos EUA, mas, na realidade, como todos viram ocorrer, o poder seria usado para bloquear as garantias individuais dos cidadãos venezuelanos, usando como justificativa a ameaça do inimigo externo. As declarações dele já indicavam que não haveria diálogo, tal qual a de que "*Este é o momento de estar com a pátria ou com os traidores*".

O mais importante é que ele teria condições de interferir diretamente nas eleições legislativas do final do ano, esse sim o mais perigoso dos confrontos que teria pela frente, acrescentando-se que o CNE nem tinha marcado a data do pleito!

Desde que fora eleito presidente, em abril de 2013, Maduro ficou menos de um ano administrando sob a condição de dialogar com a Assembleia. Isso não foi nada e, ao longo de 2015, com mais esse acréscimo de autonomia, o que se viu foi mais violência, críticas internacionais e ações internacionais denunciando o seu governo, apenas isso.

Maduro via seu poder ser cada vez mais questionado, não apenas pela oposição, que crescentemente acreditava na possibilidade de reverter a situação de inferioridade na Assembleia Nacional Bolivariana nas eleições legislativas que se aproximavam, mas também pelo povo, que, de acordo com o que era noticiado na imprensa, vinha percebendo falta de unidade entre os membros do governo, além de ver claramente os erros administrativos, bem como presenciar acusações permanentes de corrupção. Sem contar o sentimento de desrespeito pelos direitos humanos e a violência constante contra a população.

Em maio de 2015, surgiram denúncias feitas pelo jornal norte-americano *Wall Street Journal* (WSJ) de que uma investigação realizada nos EUA apontava que a Venezuela tinha se tornado a rota mais importante para o tráfico de cocaína que saía da Colômbia em direção à Europa e ao território norte-americano.

Conforme noticiado, o país havia se convertido num *hub* importante para negócios ilícitos, dentre eles também o de lavagem de dinheiro. Isso colocou o governo Maduro na situação de plena desconstrução, já que, pelo divulgado, foram militares e assessores próximos do governante os informantes das ações criminosas feitas por autoridades, que teriam como provável chefe de cartel de tráfico de cocaína o conhecido Diosdado Cabello, o presidente da Assembleia Nacional.

Segundo constava, esses informantes desertaram para os EUA e estavam passando dados sobre os nomes envolvidos e sobre a forma de agir dos traficantes, que, por serem autoridades governamentais, tinham transformado o país no mais importante narcoestado da região.

Denunciaram que havia ocorrido uma aproximação de militares e líderes venezuelanos com membros das FARC e traficantes colombianos, os quais se transferiram para a Venezuela sob vistas grossas de comandantes do Exército e acabaram se associando a esses militares e políticos de expressão, dentre eles Cabello, que também era o segundo líder mais importante do chavismo e do bolivarianismo no país.

No momento, Maduro não constava entre os acusados. Contudo, diante do estardalhaço produzido pelas notícias no WSJ, ele se pronunciou afirmando que estava junto com Diosdado contra essa acusação. Mas não podemos esquecer que, havia algum tempo, pesava contra o presidente da Assembleia suspeitas de que estaria articulando um golpe de Estado contra Nicolás.

Esperou-se pelo avanço das investigações nos EUA para verificar se as ações das autoridades venezuelanas se confirmavam e quais eram os objetivos dos crimes: enriquecimento pessoal dos envolvidos, o que os tornaria meros criminosos comuns; ou obtenção de recursos diante da situação do país, que vinha em decadência, especialmente em face da queda do preço do petróleo.

Neste último caso, não se descartaria a ideia do golpe de Estado por parte de Cabello, que poderia desejar assumir o poder para radicalizar a revolução e precisaria de recursos para tanto, nem a possível futura identificação da Venezuela como um Estado criminoso internacional, o que facilitaria a articulação de sansões e pressão coletiva mundial sobre o seu governo, algo que poderia estar nos planos dos EUA. No entanto, sendo verdadeiras ou não as denúncias, elas serviram de munição aos opositores e levaram a mais repressão, diante da nebulosidade e incerteza envolvidas.

Os dois expressivos líderes opositores que estavam encarcerados, Leopoldo López e Daniel Ceballos, para fazer mais pressão, anunciaram greve de fome contra o governo, pedindo o retorno das manifestações de rua contra o governante e sua equipe, o que ocorreu no dia 30 de maio, denunciando os atos de corrupção, os desrespeitos aos direitos humanos e a crise que se mantinha no país.

As lideranças oposicionistas anunciaram que a manifestação seria pacífica e pediram a libertação de 89 dos prisioneiros políticos encarcerados, dentre eles López e Ceballos. Saíram todos de branco, em símbolo de paz, para evitar que houvesse qualquer acusação de violência por parte dos manifestantes, algo que serviria de justificativa para mais prisões e mais agressões contra a oposição venezuelana.

Daniel Ceballos havia sido transferido de seu cárcere para uma prisão comum sem qualquer tipo de aviso, sem ter sido feita a comunicação para seus advogados, sem permitir que estes contatassem o cliente e se manifestassem, além de, conforme também divulgado na imprensa, sem que houvesse um mandado judicial para transferência do prisioneiro.

No dia 23 de maio de 2015, a mulher de Daniel Ceballos, Patricia Ceballos, na época prefeita de San Cristóbal, se manifestou pelo Twitter: "*Daniel foi transferido na madrugada para o cárcere de San Juan de Los Morros, em Guárico. Nicolás Maduro, você é responsável pela vida dele*".

A oposição havia feito suas primárias eleitorais no domingo, dia 17 de maio, na qual ocorreu significativa vitória dos moderados na Mesa de Unidade Democrática (MUD), que reunia os partidos Primeiro Justiça (PJ), Um Novo Tempo, Vontade Popular, Ação Democrática, Contas Claras, Copei e Avançada Progressista, juntando propostas que oscilavam desde uma transição moderada de poder até um processo radical.

A liderança alcançada pelo Primeiro Justiça, comandado por Henrique Capriles, em relação ao Vontade Popular, de Leopoldo López, demonstrou que se desejava evitar o combate direto, pois acreditavam os moderados que uma ação dessa natureza beneficiaria o presidente Nicolás Maduro, e ele se sentiria respaldado a usar ainda mais da força.

Porém, as recentes ações do governo e a decisão de López e Ceballos pela greve de fome representaram uma alavancagem na tentativa de dar um conteúdo mais rígido aos atos da MUD, apesar dessa maioria conseguida nas primárias pela ala moderada.

E o povo queria exatamente mais firmeza. Em junho, López e Daniel Ceballos, presidente da Câmara Municipal de San Cristóbal, encerraram a greve de forme após 30 dias, após terem recebido o comunicado de que o CNE tinha marcado as eleições legislativas para 6 de dezembro. Ressalte-se que outros 103 presos políticos também estavam em greve de fome.

A tensão aumentou, como também aumentaram a repressão e o discurso polarizado, já que as eleições estavam próximas. Em novembro, opositores denunciaram Maduro e outros membros do governo por crimes de lesa-humanidade na Corte Penal Internacional (CPI), em Haia.

A ação foi feita pelo líder do partido Vontade Popular, Carlos Vecchio, que agora estava no comando depois da prisão de López e advogava para vários dos presos políticos do país. Para completar, quase duas semanas antes do pleito, um dirigente do partido de oposição Ação Democrática (AD), Luis Manuel Díaz, foi assassinado enquanto ocorria um comício. Passaram dirigindo um carro e atiraram, acertando nele.

Atos como esses se tornaram comuns desde que Chávez assumira o poder no país, mas, naquele momento, o assassinato elevou o discurso político ao tom do confronto mais violento, que, por mais que fosse comum, representou mais gasolina no fogo. Aí, em 6 de dezembro de 2015, deu-se a divisão de águas: **a oposição venceu as eleições legislativas!**

Deixe a oposição vencer a eleição, pois isso não mudará nada!

A importância do resultado era gigantesca. Para entender o que estava em jogo, é necessário explicar no que consistia ter esse controle. Primeiro, foram renovados o total dos 167 deputadas e deputados da Assembleia Nacional, sendo que 164 deles foram eleitos nas 24 províncias do país (mais o Distrito Federal) e três vagas eram destinadas à representação indígena. Ou seja, era outro panorama político que se abria, e, mesmo que a oposição declarasse que o sistema tinha um desenho feito para beneficiar o chavismo, ela tinha chances reais devido à queda de aprovação ao governo e à gigantesca crise em que estava o país também naquele momento.

Na Assembleia eram definidos certos limites ao Executivo. Por exemplo, era a Assembleia quem dava ao presidente a possibilidade de governar com decretos, graças à Lei Habilitante, que precisava ser aprovada por 60% dos deputados.

Com 99 cadeiras, é dado o poder de promover emedas para serem votadas por referendo; autorizar ajuizamento ou incapacidade do presidente e deputados; aprovar ou reprovar o orçamento; realizar mudanças no Poder Cidadão (que reúne Promotoria, Procuradoria e Defensoria); emitir votos de censura contra o presidente, o vice-presidente e ministros; sancionar as famosas Leis Habilitantes; aprovar o estado de exceção; além de nomear e retirar membros do Conselho Nacional Eleitoral (CNJ) e do Tribunal Supremo de Justiça (TSJ).

Com 112 cadeiras, há condições de revisar tratados internacionais, mudar as leis orgânicas, como controle de preços, fazer reforma constitucional, propor uma Assembleia Constituinte e remover os chefes do TSJ e dos poderes públicos.

A MUD conseguiu 65,27% das cadeiras, elegendo 109 deputados. O PSUV ficou com 55 delas, ou seja, 32,93%, e a Representação Indígena, com seus três representantes, ficou com 1,8%. Como os representantes indígenas eram considerados como compondo com a oposição, observava-se que os opositores ao governo tinham os 112 deputados necessários (67,07%) para, em síntese, enfim, em 16 anos, haver condições reais de se reverter o quadro no país.

Maduro aceitou a derrota, mesmo que tenha sentido a pancada, mas não recuou, nem buscou diálogo. Considerou que havia perdido uma batalha, mas não a guerra, e sua consideração foi a mesma de sempre: disse que quem venceu o embate foi a contrarrevolução, a "*guerra econômica*". Conforme declarou, "*Ha triunfado la guerra económica, ha triunfado una estrategia para vulnerar la confianza colectiva en un proyecto de país, ha triunfado circunstancialmente el estado de las necesidades creado por una política de capitalismo salvaje, de esconder los productos, de encarecerlos, es una guerra sin parangón, sin igual*" ("*Triunfou a guerra econômica, triunfou uma estratégia para vulnerar a confiança coletiva em um projeto de país, triunfou, circunstancialmente, o estado das necessidades criado por uma política de capitalismo selvagem, de esconder os produtos, de encarecê-los, é uma guerra sem comparação, sem igual*" – tradução livre).

A oposição viu que, pela primeira vez nesse tempo, tinha condições reais de mudar o rumo do país, mas, como vários jornais mostraram, vivia-se na Venezuela! Além disso, como já foi dito, os opositores não eram unificados. Reuniam as mais diversas correntes, e seu comportamento político ao longo do tempo foi o de mostrar as falhas do chavismo, sem conseguir apresentar um programa unificado, concreto, capaz de resolver os problemas do país, com inclusão social, e, por isso, começar a obter o apoio daqueles que recebiam do chavismo a assistência que lhes tornava dependentes das políticas de governo. Sem tal condição, esses segmentos dificilmente migrariam de lado; não o fariam enquanto alguém não lhes desse o mínimo que os bolivarianos lhes davam.

Certas questões estavam ficando claras, como as perdas que a inflação trazia para os mais pobres, porém, não estava claro para esse segmento quem era o culpado por ela. O governo atribuía aos empresários, mais fáceis de serem identificados e tocados. Os opositores atribuíam às políticas erradas, à corrupção e aos gastos públicos, mas o problema é que, dentro desses gastos, estavam exatamente aqueles do assistencialismo.

Complementarmente a essas questões de fundo mais ideológico e do confronto dos discursos, havia outro mais prático, mais perigoso, mais eficaz e mais imediato: a Assembleia eleita ia tomar posse no dia 5 de janeiro, e, do momento em que ocorreu a eleição (6 de dezembro) até o dia 15 de dezembro, a Assembleia que ia ser substituída e tinha maioria bolivariana poderia atuar, acrescentando-se que Maduro ainda estava de posse dos seus poderes especiais até 31 de dezembro. Aqueles que foram dados em março para enfrentar o inimigo externo!

Entre a eleição e a posse, intercaladas pelo recesso parlamentar, havia dias suficientes para fazer impedimentos e tentar destruir a vitória da MUD. Já se sabia que Maduro ia pedir mais poderes especiais, por até outros doze meses. Além disso, dentre os dispositivos da relação entre os poderes, as leis aprovadas pelo Parlamento poderiam ser vetadas tanto pelo presidente da República quanto pelo Tribunal Supremo de Justiça. O que isso significou? A batalha desse momento seria ganha por Maduro, pois ele iria atacar reforçando os quadros do Tribunal, já que ainda tinha tempo com a antiga Assembleia, que era sua "*aliada*".

Logo após o resultado, mesmo que tivesse admitido a derrota, Nicolás veio à frente e ordenou investigação sobre possível compra de votos por parte dos opositores, ameaçando prender os culpados com base em provas que dizia ter em mãos. Além disso, afirmou que vetaria qualquer anistia que fosse dada aos presos políticos, mostrando que o choque institucional iria ocorrer, cedo ou tarde. Em seguida, a Assembleia ainda bolivariana nomeou treze magistrados para o TSJ, seguindo todos os trâmites exigidos (três sessões com maioria de dois terços e uma quarta com maioria simples).

A oposição quis contestar, mas os trâmites tinham sido seguidos. Além disso, o chavismo passou quinze anos trabalhando para destruir ações da oposição e fez outra jogada. De acordo com denúncia da Mesa de Unidade Democrática, tentou impugnar a eleição de 22 dos 112 deputados opositores eleitos, apesar de o Tribunal Supremo de Justiça ter afirmado que a impugnação estava relacionada a oito deputados, e não 22. O argumento era de que havia quase 1,5 milhão de votos nulos registrados em regiões onde o chavismo ganhava e, naquela eleição, perdera por algumas dezenas de votos de diferença nesses lugares, nos quais houve mais de mil votos nulos.

Para a revolta da oposição, o Tribunal Supremo abriu as portas para julgar a solicitação do PSUV, mesmo estando de recesso. Apesar de não ter conseguido impugnar tantos eleitos, quando chegou o dia da posse apenas 163 dos 167 deputados vencedores do pleito puderam fazer o juramento, já que quatro deles tinham suas vitórias contestadas.

Os opositores conseguiram fazer Henry Ramos Allup presidente da Assembleia, mas, dos quatro contestados, três eram da MUD, e isso significava que a maioria de dois terços obtida estava anulada. Restava uma grande maioria (três quintos), mas a guerra entre os dois campos tinha sido enfraquecida para os opositores, pois perderam os importantes dois terços conquistados.

Além disso, Diosdado Cabello, o presidente da Assembleia que estava sendo encerrada, declarou que qualquer votação feita com a presença e apoio desses três deputados da MUD que foram impugnados seria ilegal.

No dia da posse, por exemplo, diante de dezenas de convidados da MUD, dentre eles personalidades estrangeiras, quando Allup deu voz aos parlamentares para discursarem, houve agressões verbais entre os dois lados, e os chavistas se retiraram do plenário, alegando que as regras da sessão estavam sendo violadas, uma vez que a solenidade era apenas para a posse e não deveria ser dada a palavra aos deputados.

Ou seja, a batalha dentro da Assembleia, de forma violenta, com agressões e invasões, tal como vimos nos dias antes da convocação da Constituinte em 2017, esteve presente em todos os momentos em que o chavismo governou, em especial quando a oposição teve condições de se pronunciar.

O ato veio depois que o deputado Julio Borges recebeu o direito de falar – e se sabia que ele faria uma declaração pela anistia dos presos políticos no país. Para complicar mais a vida da Assembleia, poucas horas antes de assumir a nova legislatura, o governo, por meio de um decreto, retirou os poderes do Legislativo sobre a nomeação dos diretores do Banco Central.

Doravante, caberia apenas ao Executivo, e exclusivamente a ele, o direito de nomear o seu presidente e os seis diretores, de forma que as finanças continuariam sob controle de Maduro. Tal ação estava dentro de uma estratégia em que o bloco chavista iria divulgar para o povo um discurso feito à Assembleia pedindo apoio para a aprovação de uma emergência constitucional, com "*um plano de emergência econômica, de ativação e reativação, de reformulação da economia*".

O objetivo era constranger os novos deputados ao fazer esse apelo a eles para apoiarem uma emergência. O pior é que tudo estava dentro da Constituição no pedido de autorização para o estabelecimento de uma emergência econômica, pela qual o governo poderia acelerar trâmites, concentrar recursos etc.

Ou seja, a jogada foi colocar a nova Assembleia sob constrangimento, e, como os diretores do Banco Central seriam nomeados pelo

Executivo, sem que o Legislativo tivesse qualquer força sobe o órgão financeiro máximo, a aprovação dessa medida representaria que haveria continuação na forma de tratar a economia. Os venezuelanos continuariam com o mesmo modelo econômico. Caso recusassem, estariam contra o povo. Foi uma jogada interessante, mas que mostrava que Maduro, o governo, os bolivarianos estavam pouco preocupados com o povo; o interesse deles era, como ainda é, apenas um: **o poder**!

Quebre a Constituição e jogue o TSJ contra o Parlamento. À oposição restava o referendo revogatório? Mais uma ilusão!

No dia 11 de janeiro, o TSJ declarou que todas as votações da Assembleia eram inválidas devido à presença dos deputados que estavam sendo investigados, da mesma forma que seriam consideradas nulas todas as votações enquanto eles permanecessem como deputados.

No dia 13, Allup acatou a decisão e afastou os três deputados, que, segundo informou, remeteram cartas pedindo desincorporação da Assembleia, acreditando que, mesmo que ela fosse reduzida de 167 para 164, isso diminuiria o quórum, mas manteria a maioria de dois terços para os opositores.

Era uma interpretação, mas já se sabe que não seria assim, pois a contestação no TSJ iria contrariar essa interpretação. Ou seja, em termos reais, a oposição perdera o movimento que tinha. Além de o governo ter reduzido a maioria qualificada dos opositores, ele tinha em suas mãos o Supremo do país, ou seja, o cenário não permitia diálogo e convergência, apenas o confronto, mesmo porque está na essência do bolivarianismo tratar a política como guerra.

Já no final do mês, o TSJ aprovou como constitucional o Decreto de Emergência Econômica editado por Maduro, pelo período de sessenta dias, dando prioridade ao tema e à execução governamental. Todos viram o ato como tendo sido feito para afrontar o Legislativo, e não para solucionar os problemas do país.

Pelo decreto seria possível destinar recursos para diversas áreas específicas passando por cima dos trâmites burocráticos. Além disso, afirmava que era necessário proteger a moeda nacional, não esquecendo que o governo divulgava a cotação do dólar que lhe era conveniente, sem respeitar qualquer lógica financeira e econômica.

A prova de que se desejava confrontar o Legislativo veio logo em seguida, com o Tribunal Supremo de Justiça decidindo que o Parlamento poderia controlar o Poder Executivo, mas não os demais poderes, o Judiciário, o Eleitoral e o Cidadão (sabendo-se que na Venezuela são cinco poderes), declarando ainda que a Assembleia estava impedida de demitir os juízes do TSJ, contrariando a Constituição!

O ato veio logo depois que a Assembleia exigiu uma auditoria para averiguar a nomeação dos juízes que fora feita em seguida às eleições legislativas de 6 de dezembro, quando o governo saiu derrotado. Sabia-se que os juízes indicados seriam demitidos, por isso foi feita a medida inconstitucional que era uma afronta direta à harmonia entre os poderes do Estado. O governo percebeu que seria derrotado se não jogasse a batalha para outro campo e para outros combatentes. Assim, trouxe o Judiciário para ser o inimigo da frente de batalha contra os opositores que ganharam o Parlamento.

A ação da oposição foi imediatamente buscar o afastamento do presidente. Em março, anunciou que convocaria o povo para fazer mais pressão, mesmo porque pesquisa realizada indicava que quase dois terços dos venezuelanos (63,6%) afirmavam que Maduro deveria renunciar ou ser afastado.

Além dessas medidas, taticamente, foram sugeridas três ações conjuntas e coordenadas pelos opositores na tentativa de garantir que o mandatário se retirasse do cargo, sendo frisado constantemente que o desejo era que o processo político ocorresse sem traumas para a sociedade e fosse evitado todo e qualquer derramamento de sangue, tanto que a primeira ação seria a solicitação de sua renúncia.

E tal pedido viria com a garantia de que o afastamento seria executado dentro de um acordo para a sua saída. Nele haveria um consenso mínimo entre os opositores e os bolivarianos, levando-os a entender que não havia mais condições de permanência de Maduro para a superação da crise econômica, política e social, a qual ocorria graças especialmente à perda de sua credibilidade perante o povo, à perda da credibilidade do regime perante a comunidade internacional e ao desprestígio da Venezuela perante o sistema internacional.

A segunda ação seria a entrada com o pedido de convocação do referendo revogatório do mandato presidencial, que é uma medida prevista na Constituição e representa ação política dentro da normalidade democrática. Conforme consta, a possibilidade de afastamento é prevista em lei, pelo artigo 72 da Constituição venezuelana, o qual prescreve:

"***Artículo 72.***

Todos los cargos y magistraturas de elección popular son revocables. Transcurrida la mitad del período para el cual fue elegido el funcionario o funcionaria, un número no menor del veinte por ciento de los electores o electoras inscritos en la correspondiente circunscripción podrá solicitar la convocatoria de un referendo para revocar su mandato.

Cuando igual o mayor número de electores o electoras que eligieron al funcionario o funcionaria hubieren votado a favor de la revocación, siempre que haya concurrido al referendo un número de electores o electoras igual o superior al veinticinco por ciento de los electores o electoras inscritos o inscritas, se considerará revocado su mandato y se procederá de inmediato a cubrir la falta absoluta conforme a lo dispuesto en esta Constitución y en la ley.

La revocación del mandato para los cuerpos colegiados se realizará de acuerdo con lo que establezca la ley.

Durante el período para el cual fue elegido el funcionario o funcionaria no podrá hacerse más de una solicitud de revocación de su mandato".

Em português:

"***Artigo 72.***

Todos os cargos e magistrados eleitos são revogáveis. Depois de metade do período para o qual o funcionário foi eleito, um número não inferior a vinte por cento dos eleitores inscritos na circunscrição correspondente poderá solicitar a convocação de um referendo para revogar o seu mandato.

Quando um número igual ou maior de eleitores ou eleitoras que elegerem o funcionário ou funcionária tiverem votado a favor da revogação, desde que um número de eleitores ou eleitoras igual ou superior a vinte e cinco por cento dos eleitores registrados ou registradas tenha comparecido ao referendo, seu mandato será considerado revogado e procederá imediatamente para cobrir a falta absoluta de acordo com as provisões desta Constituição e da lei.

A revogação do mandato dos órgãos colegiados será realizada de acordo com o que estabelece a lei.

Durante o período para o qual o funcionário foi eleito, não poderá ser feito mais do que um pedido de revogação do seu mandato" (tradução livre).

Ou seja, baseado nesse artigo, no caso de Maduro, independentemente do dia exato em que se pode considerar o início do seu mandato presidencial, já que há discussões sobre três datas possíveis, a hipótese mais distante é que o pedido seria legal a partir do dia 19 de abril de 2016, quando teria transcorrido mais da metade do tempo do mandato presidencial de seis anos.

Além disso, seriam necessárias as assinaturas de pelo menos 20% do colégio eleitoral, que, conforme constava, era de aproximadamente 19,5 milhões de pessoas. Necessitaria também ter votação igual ou superior a 7.587.532 eleitores, número de votantes em Maduro na sua eleição, tendo como natural que esses que porventura optassem pela revogação fossem superiores em número aos que se opusessem a ela e, além disso, que o número de eleitores no referendo superasse em 25% o número de eleitores do registro eleitoral.

A coleta de assinatura teria de ser feita em três dias, e o Conselho Nacional Eleitoral teria quinze dias para verificar as assinaturas, três dias para convocar a consulta e até três meses para organizar o referendo.

Em síntese, é um processo com vários interstícios, que poderia ser demorado, dependendo da forma como viesse a ser conduzido, já que é sujeito ao controle do CNE, que poderia acelerar ou retardar o percurso de forma a inviabilizá-lo, por exemplo, não reconhecendo como verídicas as assinaturas coletadas.

Ademais, o processo poderia cair no Tribunal Supremo de Justiça (TSJ) venezuelano para verificar possíveis impugnações de assinaturas, ou, no caso de o referendo ter ocorrido, para verificação de supostas fraudes delatadas, o que tornaria a condução mais lenta e bateria diretamente na instituição judiciária, sobre a qual se sabia estar aparelhada pelo regime e que, por isso, certamente seria usada para dificultar qualquer ação.

A questão do referendo, no entanto, era uma das principais ações, pois, da perspectiva da oposição, havia a vantagem de, no mínimo, expor a fragilidade do governante, podendo ainda levar o *Partido Socialista Unido de Venezuela* (PSUV) e apoiadores do regime a buscarem a renúncia de Maduro. Ou seja, teria validade pela pressão, incluindo a possibilidade de produzir o resultado esperado, uma vez que o povo se encontrava descontente diante da crise.

Além dessa medida, a terceira que estava na pauta dos opositores era a entrada com uma emenda à Constituição com o intuito de reduzir o mandato presidencial de seis para quatro anos, acompanhada de mudanças das regras de convocação de referendos populares para retirar o poder dos órgãos que podem inviabilizar qualquer ação da sociedade, uma vez que os opositores consideram o referendo um direito do cidadão venezuelano que estava sendo tolhido.

Nas palavras do deputado opositor Henrique Márquez, a ideia era: "*retirar do Conselho Nacional Eleitoral a discricionariedade que tem sobre a aplicação de um referendo revogatório no país*", pois, assim, "*acabou-se a manipulação dos referendos, porque aqui teremos uma lei da República, com prazos lógicos para que o povo se expresse*", complementando que "*Hoje, quando o povo decide ir a um refendo de um governador, alcaide (presidente de câmara) ou presidente, tem que ir de estação em estação e percorrer uma via-sacra infinita devido ao atual regulamento. A Constituição diz que os mandatos são revogáveis, mas isso não tem acontecido. Esta lei é a porta de entrada para a consolidação política do país*".

Com tal mudança, considerando que não puderam realizar o referendo revogatório, tentava-se um outro referendo para convocação de uma Assembleia Constituinte, com o intuito de rever a organização institucional do país, o que permitiria que o presidente fosse afastado por medida legal, uma vez promulgada a nova Carta.

Tal processo, no entanto, passava pelos mesmos problemas de qualquer convocação de consulta popular prevista pela Constituição Bolivariana, mostrando que a retirada de Maduro seria difícil, razão pela qual os opositores apostaram numa grande mobilização social para forçar o partido do presidente, o PSUV, a rever seu apoio a ele e caminhar para uma negociação que o afastasse do poder.

Em qualquer situação, os cenários eram de que a crise do país e o embate entre governo e oposição na Venezuela não se encerrariam, pelo contrário, a grande probabilidade era de derramamento de sangue, tal qual vimos em 2017.

Crie um decreto de Estado, mesmo que seja inconstitucional, e coloque o TSJ para assumir as funções do Legislativo: até os funcionários públicos começam a ser perseguidos!

Diante das mobilizações e manifestações, a reposta do mandatário foi o estado de exceção por sessenta dias, em decreto publicado no dia 16 de maio, com a cobertura de ser um "*estado de exceção e emergência econômica*". Com essa condição, ele receberia poderes sobre as áreas de segurança, energia e distribuição de alimentos, mas, para Nicolás, tal necessidade se devia a essas ações dos opositores.

Ele dizia que tentavam lhe dar um golpe de Estado e era isso que fazia com que o povo passasse pelas dificuldades que passava. A queda de braço continuou com a rejeição do decreto no Parlamento, sob a alegação de que era inconstitucional pelo fato de ter sido apresentado de forma unilateral pelo Executivo, e a oposição entrou com petição para coletar assinaturas contra a permanência de Maduro no mandato.

Sua réplica foi falar que o Congresso com maioria opositora não tinha mais legitimidade. Ele declarou em entrevista algo que foi quase uma profecia sobre o que veio a ocorrer um ano depois: "*Não espero nada de bom do Congresso. É uma questão de tempo para ele desaparecer, porque não representa o nosso interesse nacional*". Se Chávez queria implantar uma ditadura em 2012, era certo que Maduro queria silenciar o Parlamento opositor já em 2016.

Era óbvio que o problema iria para a Corte maior, a qual, como também era de se esperar, apoiou o Executivo, afirmando que quem tinha agido de maneira anticonstitucional foi o Parlamento. Essa decisão foi por si assustadora, pois constitucionalmente é ao Legislativo que se atribui o poder de decretar um estado de exceção! Todos se perguntavam como uma Corte que tem por função julgar a constitucionalidade de uma ação dos demais poderes ignora exatamente a Constituição?!

Mas, afinal, a questão não era constitucional, e sim política, mais especificamente ideológica. O próprio argumento do TSJ mostrou isso quando declarou que o decreto editado unilateralmente pelo mandatário "*obedece à necessidade de proteger o povo venezuelano e suas instituições*", as quais foram "*objeto de ameaças internas e externas e de ações para desestabilizar a economia e a ordem social do país*".

O curioso é que essas medidas não foram para buscar soluções econômicas para a crise, mas sim para exercer controle sobre o povo. Um dos casos que mostram a dimensão do comportamento do governo foi quando houve uma revolta com repressão violenta em Caracas porque o presidente ordenara que estabelecimentos deveriam fechar as portas e não mais vender alimentos para as pessoas que estavam nas filas. Havia indivíduos que estavam esperando havia horas, mas Maduro queria que a comida fosse distribuída pelos comitês de bairros, os quais estavam nas mãos dos chavistas.

Além disso, demonizando sempre a oposição, em agosto ele ordenou que os funcionários públicos que apoiavam o referendo, assinando a petição solicitada pelos opositores, tinham 48 horas para deixar seus cargos, mesmo que a lei proibisse a demissão de funcionários públicos por motivos políticos.

Em declaração, a direção do PSUV afirmou: "*Pessoas que são contrárias à revolução e ao presidente não podem permanecer em cargos de direção nos ministérios, instituições públicas, governos e prefeituras*". Ou seja, a ordem legal era irrelevante, só a razão política e ideológica tinha sentido.

A violência contra os opositores não parava, e ainda em agosto Daniel Ceballos foi novamente preso, sendo arrastado de sua casa durante a madrugada e levado de ambulância. Segundo sua esposa, Patricia Gutierrez, "*os agentes chegaram por volta das 3h da manhã do horário local, sem aviso prévio, e levaram o seu marido em uma ambulância, dizendo que ele passaria por exames médicos*", mas levaram-no para a prisão.

A questão é que a oposição vinha declarando que ocorreria uma onda de protestos para permitir que fosse autorizada a consulta popular sobre a antecipação de novas eleições, e o governo afirmou que Ceballos queria fugir antes dos protestos, ou seja, queria fazer o que fosse necessário para calar os opositores. O próprio ministro do Interior declarou: "*As evidências compiladas nos permitem continuar a avançar nas necessárias investigações para prevenir, detectar e neutralizar qualquer ato que tenha como objetivo desestabilizar nosso sistema democrático*".

E não só aumentou a repressão, como também conseguiu em setembro que o CNE suspendesse o referendo, sob a alegação de que tribunais penais tinham entrado com ação acusando que havia fraudes em ao menos cinco regiões, obrigando a paralisação da coleta de assinaturas. Era necessário, pois nesse momento as pesquisas apontavam que se conseguiria coletar o número mínimo. Por isso, o governo adotou essa medida por intermédio do CNE.

A jogada era simples. Pela legislação, os prazos de coleta de assinaturas, autenticação delas e organização da consulta popular tinham de ser cumpridos, o que colocava uma data-limite para a coleta terminar, levando a que o referendo se desse antes de 10 de janeiro de 2017, pois, segundo a Constituição, se acontecesse até esse prazo, seriam convocadas novas eleições. Se ele caísse para depois dessa data, quem assumiria seria o vice-presidente, Aristóbulo Isturiz, até o final de 2018.

Dessa forma, mesmo que ocorresse o referendo e Maduro fosse afastado, o regime se preservaria, e os opositores teriam de enfrentar nova batalha, com novos elementos, recomeçando a luta em um cenário no qual teriam de mudar as armas em pleno combate. Seria algo como trocar o pneu com o carro em movimento.

Com a medida do CNE, ficou impedido que qualquer consulta pudesse ser realizada antes da data-limite, jogando-a para qualquer momento ao longo do primeiro semestre de 2017, mas fora do prazo, caso conseguissem fazê-lo.

Em resposta, a oposição fez acordo e aprovou declaração no Parlamento de que Maduro estava realizando uma "*ruptura da ordem institucional*" ao impedir a coleta de assinaturas. A interpretação foi de que o TSJ, o CNE, mais sete tribunais regionais e o governo tinham dado um golpe de Estado e estavam instaurando uma ditadura.

A declaração foi aprovada e houve agressões dentro do Parlamento. No mesmo ato, exigiu-se a substituição dos magistrados do Tribunal Supremo de Justiça que estavam totalmente comprometidos com o chavismo. A razão era para "*garantir a independência de poderes e o respeito ao Estado de Direito*".

Além disso, levantou-se também a verificação de um problema curioso, uma suposta nacionalidade colombiana de Maduro, algo ilegal para a ocupação do cargo presidencial, e a criação de uma comissão para "*restituir a ordem constitucional*", bem como fazer com que as Forças Armadas "*não obedeçam nem executem qualquer ato ou decisão que sejam contrários aos princípios constitucionais ou prejudiquem direitos fundamentais do povo*".

Maduro reagiu declarando que aquilo era um golpe parlamentar e conclamou os seus partidários a irem às ruas; estes gritavam que a Venezuela não era o Brasil, fazendo referência ao *impeachment* da ex--presidente brasileira, Dilma Rousseff.

As manifestações e os embates nas ruas eram constantes, e, em dezembro de 2016, os opositores responderam novamente no Congresso aprovando declaração pela qual o presidente era responsabilizado pela crise, pela ruptura constitucional e por violação dos direitos humanos, mesmo que tenha ocorrido uma tentativa de diálogo mediada pelo Vaticano, que fracassou após a retirada da MUD, pois a oposição percebeu que o governo estava ganhando tempo, não aceitava quaisquer pontos de convergência e não cumpria qualquer acordo.

Coloque o TSJ para assumir as funções do Legislativo: isso, por si, já era um golpe!

A tensão se manteve em 2017. No final de março, no dia 29, o Tribunal Supremo de Justiça encampou as funções dos parlamentares, num confronto institucional que demonstrava estar, já naquele momento, findado o equilíbrio entre os poderes. Pior, estava acabada a separação entre eles e o Executivo envolvendo o Legislativo por meio do Tribunal Supremo, que retirou da Assembleia as suas funções.

Como o Tribunal era controlado por Maduro, a conclusão óbvia era de que ele tinha assumido o controle da Assembleia, pois poderia comandar por decretos. O mundo inteiro reagiu, não apenas a oposição venezuelana e seu povo, e o TSJ recuou três dias depois, após pedido do presidente, usando um discurso que envergonhou muita gente: **ele fez de conta de que não sabia o que estava acontecendo**! Declarou: "*Não sabia de nada que a Corte Suprema estava fazendo, não fui eu que escrevi a sentença*" (sic).

Apesar de fazer de conta que fora pego de surpresa, defendeu a legitimidade do que foi feito sob o argumento de que o Congresso estava desconsiderando o presidente, e, por isso, o TSJ foi obrigado a assumir apenas umas funções do Legislativo, para evitar a paralização política do país.

Para os chavistas, a prova de que isso era real e não houve golpe contra o Parlamento era que o Supremo não tinha dissolvido a Assembleia e convocado novas eleições. Ou seja, era irrelevante a existência de normas constitucionais prescrevendo atribuições e limites para cada poder.

A estrada já estava traçada com os protestos que ocorriam em todo o país. Em abril, no dia 11, Maduro foi apedrejado e recebeu ovadas quando participou de uma parada militar em Sán Félix, estado de Bolívar. O evento estava sendo transmitido ao vivo, mas as imagens foram cortadas quando ele era retirado às pressas enquanto pessoas queriam agredi-lo.

Diante dessa nova onda de contestações, começaram a ser divulgadas mortes de civis decorrentes da repressão das forças de segurança. E elas começaram a se acumular. As manifestações se tornaram mais violentas, ocorrendo saques que aumentaram ainda mais a confusão, bem como o uso da força por parte do governo.

Até o dia 21 de abril, o número de mortos tinha chegado a 22, e a oposição estava intensificando as mobilizações, mesmo com o anúncio de Nicolás de que em breve seriam realizadas eleições regionais, para governadores e prefeitos, as quais, ressalte-se, deveriam ter sido realizadas no final de 2016, conforme estabelece a Constituição. Mas, com o controle exercido pelo governo sobre o CNE, ele conseguiu adiá-las para evitar uma derrota esmagadora do chavismo, algo que tinham como certo. Não podia permitir as perdas decorrentes dessa derrota, pois, enquanto não ocorriam as eleições regionais, os bolivarianos tinham o controle de vinte dos 24 estados, o que lhes dava força e controle sobre mecanismos regionais de repressão.

Como visto, o controle do processo eleitoral vai além do desrespeito à Carta Constitucional; configura-se como uma autocracia, com a extinção dos poderes do Estado, reduzindo os órgãos públicos apenas a instrumentos para a determinação da vontade de uma personalidade, de um partido, e para a implantação de uma ideologia.

Para melhor explicar esse abuso, distorção e golpe contra as instituições, será interessante retornar brevemente a fevereiro, no dia 10, quando foi tratada a questão do adiamento das eleições regionais pela segunda vez. O CNE declarou que o pleito só seria convocado depois do recadastramento dos partidos políticos, algo previsto para se encerrar apenas em junho de 2017, levando as eleições regionais para o segundo semestre daquele ano.

O primeiro adiamento ocorreu em outubro de 2016, sob a alegação de falta de verbas, e ali foi dada a informação de que a questão seria tratada em janeiro de 2017, vindo a ocorrer em fevereiro, quando se deu o segundo adiamento.

O argumento apresentado nesse momento foi de ser necessário garantir a representação de todos os partidos que consideravam legítimos, pois, segundo uma das responsáveis do Conselho, "*Não se pode violar o direito das organizações com fins políticos que desejem se candidatar*".

Conforme foi disseminado na imprensa, o objetivo era reduzir o número de partidos tendo como critério para a autorização de sua atividade, ou seja, a sua legitimação, o volume de apoiadores que ele apresentasse. Assim, vários partidos tinham de se recadastrar para mostrar que apresentavam condições de permanecerem ativos e assim participarem das eleições regionais.

A forma de identificar os partidos que deveriam fazer o recadastramento era pelos dados fornecidos pelo CNE a respeito dos resultados das eleições de 2010 e 2015, e todos os partidos que não tivessem alcançado

1% dos votos válidos nessas eleições deveriam mostrar que tinham essa representatividade nesse momento, daí precisarem se recadastrar.

Curiosamente e "***concidentemente***", apenas o PSUV tinha sido liberado, e mais assustador ainda é que estavam na lista dos partidos que deveriam ser verificados alguns dos que tinham superado o percentual mínimo, como é o caso do Primeira Justiça, de Henrique Capriles e Júlio Borges, na época o presidente da Assembleia Nacional, que obteve 8,62% e 32% em 2010 e 2015, respectivamente.

Por mais absurdo que possa parecer, conforme disseminado no jornal brasileiro *Folha de S.Paulo*, "*As 59 organizações foram distribuídas em dez fins de semana, entre 18 de fevereiro e 23 de abril. Em dois dias, elas terão* (teriam) *que coletar o apoio de 0,5% do eleitorado – 97.520 pessoas – em 12 dos 23 estados. A coleta de impressões digitais será* (seria) *feita nas praças principais de 360 cidades*".

O resultado seria dado pelo CNE até 21 de junho. Sabia-se que o governo queria resolver três problemas: 1) reduzir os partidos opositores, fazendo com que muitos fossem impedidos de participar das eleições, sem ter tempo de se agregarem aos poucos que ficassem compondo a frente opositora; 2) impedir a oposição de se articular e ter força naquele momento; e 3) preservar, nos governos estaduais e municipais, os chavistas que tinham ganhado nas eleições passadas – e naquele momento, depois do resultado de 2015 e dos índices apresentados em pesquisas, certamente o chavismo iria receber uma pancada capaz de inviabilizar qualquer recuperação.

A pancada seria forte porque, além de não ter mais o Legislativo em suas mãos, os bolivarianos poderiam ver a maioria dos estados e municípios sob controle dos opositores a partir de 2017, dando-lhes condições para exercer mais pressão sobre o governo e também possibilidades de tentar convencer as Forças Armadas de que Maduro não tinha apoio popular.

Além das ações do governante para controlar e reduzir o número de partidos, estava no horizonte a tentativa de extinguir a união de agremiações da MUD, sob acusação de fraude na coleta de assinaturas para o referendo revogatório, algo a ser feito pelo TSJ, que precisaria realizá-lo antes de qualquer eleição. Se tal ação fosse feita depois das eleições e a MUD ganhasse muitas prefeituras e governos regionais, então haveria um vácuo institucional de responsabilidade exclusiva do Executivo e com cenários imprevisíveis, uma vez que eles fariam uma caça a líderes legitimamente escolhidos pelo povo. Se até aquele momento a ditadura buscava uma máscara, de então estaria completamente nua.

Feito tal retrospecto, quando olhamos para essa promessa de Maduro realizada em abril de que seriam convocadas as eleições regionais para breve, não só ele estava desacreditado, como também a promessa já não fazia mais sentido.

Convoque a Constituinte! Não tem mais como evitar a ditadura!

No dia 22 de abril, a "*Marcha do Silêncio*" convocada pela oposição mostrou o descontentamento popular, mas, apesar de tentar ser uma ação pacífica, no dia anterior protestos geraram saques, combates nas ruas e violenta repressão governamental.

Nesse momento, ficou claro que a situação era de impasse, e Maduro fez a convocação da Constituinte, pior, de uma Constituinte originária! Aproveitou as comemorações do dia 1º de maio para fazer a declaração: "*Anuncio que, no uso de minhas atribuições presidenciais como chefe de Estado constitucional, de acordo com o artigo 347, convoco o Poder Constituinte Originário para que a classe operária e o povo, em um processo nacional constituinte, convoque uma Assembleia Nacional Constituinte. (...) Será uma Constituinte eleita com voto direto do povo para eleger uns 500 constituintes: 200 ou 250 pela base da classe operária, as comunas, missões, os movimentos sociais*".

É necessário que sejam feitos alguns esclarecimentos. A oposição sempre se posicionou favorável a uma Constituinte, e também que fosse originária, pois a Constituição promulgada em 1999 veio carregada de elementos que sobrepunham o Estado como agente econômico em relação à sociedade, mais especificamente em relação à iniciativa privada.

A busca dos opositores para que houvesse uma nova Carta Magna decorria do fato de verificarem as falhas presentes nas instituições e organização administrativa venezuelana, que não permitiam ao povo exercer controle sobre os governantes, apesar de existirem prescrições claras sobre essa possibilidade.

Um exemplo ilustrativo era o caso do referendo revogatório de qualquer mandato eletivo. Mas, como foi demonstrado, tais prescrições poderiam ser ignoradas, desrespeitadas ou até mesmo contornadas por mecanismos legais, bastando para isso que houvesse um controle político sobre órgãos que deveriam ser técnicos por excelência, tais como nos casos do TSJ e do CNE.

Por isso, os opositores sempre tentaram a instauração de uma Assembleia Constituinte, para permitir que fossem removidas as travas políticas que impediam a mudança, bem como gerar um progresso com equilíbrio social e possibilitar a aplicação de uma nova fórmula política e econômica, visando solucionar a crise venezuelana com elementos como a redução do papel do Estado na economia, o controle dos gastos públicos e o estímulo ao empreendedorismo.

A necessidade dessa nova Constituição se dava pelo fato de o controle político, partidário e ideológico de um único grupo sobre as instituições não permitir qualquer diálogo ou discordância sobre o que estava sendo feito, muito menos qualquer avanço que pudesse alterar o projeto bolivariano, mesmo que ele estivesse se mostrando um fracasso e fosse questionado pela maioria do povo, tal qual revelaram as últimas eleições.

Nesse sentido, a ideia de uma nova Carta Magna, para a oposição, era clara e ainda é clara, mas para buscar um modelo de Estado, de sociedade, de país e de política que seja livre e democrático, instaurando o Estado Democrático de Direito. Isso, contudo, deveria ser feito de acordo com as normas legais e dentro dessa Constituição de 1999, apesar de ela ser falha e incapaz de implantar uma sociedade livre.

Não acreditavam os opositores que tal coisa seria possível diante de tantos abusos dos chavistas e de seu partido, o PSUV, mas sabiam que o modelo ia chegar a um grau de esgotamento tal que a chance poderia surgir, o que ocorreu a partir de 2015. A oposição poderia recuperar o espaço dentro das instituições para fazer as alterações necessárias, até mesmo escrever uma nova Carta Constitucional.

Ou seja, a ideia de uma Constituinte, para os opositores, nunca foi pela ruptura do processo político, mas por envolvimento da sociedade para que houvesse a legitimação das alterações que precisavam ser feitas.

O que Maduro fez foi diferente e não precisa de muita explicação, pois está claro: **ele precisava da Constituinte para calar os opositores e, de quebra, radicalizar o conteúdo socialista-chavista dentro dela**. São duas perspectivas completamente distintas e de resultados também diferentes, tal qual vimos ao longo do último ano e meio. Por isso os opositores se viram diante de um quadro em que o impasse estava sendo posto, e já se sabia que o resultado era o confronto cada vez mais violento.

Em junho aconteceu um suposto ataque contra o prédio do TSJ por um helicóptero do Corpo de Investigações Científicas, Penais e Criminalísticas (CICPC), pilotado por agente do mesmo órgão. Mas um vídeo gravado antes de ele ocorrer foi disseminado pelo país, alegando que havia uma coalizão de civis e militares contrários ao governo.

Maduro, como era de se esperar, acusou o ato como terrorismo dos golpistas e conclamou seus partidários a pegar em armas contra eles para defender a revolução bolivariana.

No entanto, várias questões sobre a ação ficaram no ar. Dentre elas, como o helicóptero tinha ficado quase duas horas rodando o prédio sem ter acertado em nada, nem ninguém, nem ter sido derrubado pelas forças de segurança, mesmo com todo esse tempo realizando a ação? Além disso, nem o helicóptero foi recuperado, nem os envolvidos localizados ou rastreados, mesmo que o autor tenha se identificado!!!

A todos pareceu óbvio que era uma ação do próprio governo para se colocar como vítima de atentado e aumentar a repressão. Isso se deu no final de junho, e, logo no início de julho, no dia da sessão especial em homenagem à Independência do país, a Assembleia Nacional foi invadida por militantes chavistas armados de madeira e barras de ferro que agrediram os deputados opositores. Também essa ação fora preparada!

A violência ocorreu logo depois de o vice-presidente da Venezuela, Tarek Al Aissami, fazer uma visita de surpresa ao prédio parlamentar durante a sessão, acompanhado de representantes das Forças Armadas e do governo, e, com a Declaração de Independência em suas mãos, professar: "*forças globais estavam, novamente, tentando subjugar o país. (...) Nós ainda não terminamos de quebrar as correntes do Império*". Referiu-se depois que a Constituinte era um caminho para quebrar essas amarras, em resposta aos novos colonizadores, aos imperialistas atuais.

O ato de brutalidade tinha outra função: impedir que a Assembleia aprovasse a convocação de uma consulta popular para que o povo se manifestasse se era contra ou a favor da Constituinte convocada por Maduro.

O plebiscito foi realizado no dia 16, um domingo, e, apesar das ameaças que o povo sofreu, incluindo intimidações diretas aos funcionários públicos, quase 7,2 milhões de pessoas foram votar e 98,4% dos participantes (6.387.854 pessoas) declararam ser contrários à Constituinte solicitada por Nicolás Maduro.

O volume foi enorme diante das dificuldades apresentadas e do fato de que a consulta era considerada informal. Além disso, a oposição fez mais três movimentos, tentando o recuo do governo: declarou que não inscreveria ninguém para compor lista na votação que decidiria os deputados constituintes no dia 30 de julho, e convocou duas greves gerais.

No dia 21 de julho, a greve de 24 horas teve adesão de 85% da população, conforme dados apresentados pelo deputado opositor José Manuel Olivares. A greve foi sentida em várias localidades, dentre elas Caracas, que teve boa parte da cidade paralisada. A outra greve, de 48 horas, ocorreu no dia 26 e, segundo informação disseminada, teve maior abrangência e adesão, mostrando que os opositores ganhavam terreno.

Estimou-se que no primeiro dia o percentual que aderiu foi de 92% dos trabalhadores em todo o país. Conforme foi divulgado na imprensa, "*a greve geral teve maior adesão no setor de transportes, com mais de 90% dos trabalhadores parados. No comércio, o índice de participação foi de 86%. Já no setor público e no petroleiro, opositores estimam a adesão em 82% e 77%, respectivamente*".

Em síntese, estava claro que o povo, em parte expressiva, e certamente em sua maioria, não queria o caminho trilhado pelo bolivarianismo, ou, ao menos, que a sociedade estava dividida e queria, ao invés do confronto e do fim da ordem constitucional, que se buscasse o caminho pelos meios já instituídos.

Tanto isso era verdade que a própria oposição tentou usar do argumento de que se estava destruindo a Constituição chavista para impor uma ditadura, mostrando aos bolivarianos que o ato por si era nefasto e não significava que o caminho trilhado pelos chavistas no seu início estava sendo respeitado por esses herdeiros.

Claro que era um argumento retórico, pois se sabia que Chávez fora um contínuo candidato a ditador, mas era um jogo para dizer que, se eles se diziam democratas, o que Maduro fazia ia contra essas declarações dos bolivarianos.

A nova resposta do presidente foi proibir qualquer tipo de manifestação entre o dia 28 de julho e 1º de agosto, para impedir atos contrários à eleição dos deputados constituintes, marcada para o dia 30. Ele ameaçou com prisão de entre cinco e dez anos e garantiu que a votação teria segurança das Forças Armadas, proteção civil e 140 mil policiais à disposição.

Ou seja, as forças de segurança foram colocadas nas ruas para fazer com que ocorresse uma eleição rejeitada pelo Parlamento, para uma Constituinte recusada pelo povo e convocada para evitar um diálogo entre os segmentos sociais.

Fica a dúvida sobre se a presença das tropas nas ruas se deu para garantir a ordem ou para garantir que o ato eleitoral pudesse se realizar, mesmo que causando repulsa na sociedade, mascarando a instauração de uma ditadura.

Até aquele momento, durante 2017, o número de mortos decorrentes da repressão passava de cem. Foram assassinatos e execuções de cidadãos feitos por forças de segurança, milicianos, partidários do chavismo, militantes do PSUV e por pessoas que passavam em motocicletas ou de carro, paravam e atiravam em qualquer indivíduo que se manifestava como opositor.

Logo após a votação para a Constituinte, os descontentes foram afastados pelo governo, dentre eles a procuradora-geral, Luisa Ortega Diaz, que foi exonerada de seu cargo, sob a acusação de ser traidora e uma voz crítica a Maduro entre os socialistas.

Da mesma forma, já no dia 1º de agosto, durante a madrugada, Leopoldo López e António Ledezma, que tinham sido libertados do presídio em julho, foram presos pelo serviço de inteligência em suas casas, onde cumpriam prisão domiciliar.

Apenas para lembrar, as mortes chegavam a 125 pessoas. Mas, indiferente a isso, no dia 4 de agosto a Constituinte tomou posse. A presidente escolhida foi a ex-chanceler ultrarradical Delcy Rodríguez, que deu o tom de que os contrários iriam responder na Justiça por seus atos e que, como era de se esperar, a Constituinte não vinha para aposentar a antiga Constituição, mas para "*apartar do caminho todos os obstáculos, todas as arbitrariedades ditatoriais que nos* (a eles) *impediram de exercer a validade material da nossa Constituição*".

Por incrível que possa parecer, um regime ditatorial, da sua perspectiva, é a existência da discordância!! Que deve ser calada!!!!! Por isso, aquele momento foi o derradeiro para se estabelecer uma ditadura sem máscaras no país. Por incrível que possa parecer, o último ano e meio mostrou o mesmo exercício, com as mais variadas artimanhas para manter as Forças Armadas fiéis a Maduro e a oposição subjugada.

Havia a esperança das eleições presidenciais de 2018, mas estas também foram submetidas a vários golpes e artimanhas, como as negociações frustradas na República Dominicana, em dezembro de 2017 e janeiro de 2018, bem como com a antecipação do pleito para maio, já que o correto seria no final do ano – mas Maduro desejava que se desse em abril.

Além disso, ao longo desse outro curto período que desemboca em 2019, houve boicotes, fraudes, violências, negociações vistas como espúrias para evitar que ocorresse qualquer derrota, tanto que se deu novo boicote no pleito eleitoral para a presidência, desembocando nesta crise que se vive hoje, em janeiro deste ano.

É outro percurso, no qual se mostraram os mesmos instrumentos, que serão apresentados em outra oportunidade. O objetivo até aqui foram dois: primeiro, mostrar que a gênese da ditadura e do fracasso econômico já estava no chavismo e no modelo macroeconômico aplicado no país; segundo, apresentar que a gênese da presidência de Maduro foi o exercício do fracasso institucional da Venezuela, do qual dificilmente se sairá de forma pacífica.

Não é preciso falar do governo venezuelano de agora para entender o que é este regime. Bastará fazer um recorte em qualquer época, desde a ascensão de Chávez ao poder, para se observarem quadros similares. Da convocação da Constituinte até a declaração de Juan Guaidó se falará em outra oportunidade. O que nos resta agora são cenários, e, em todos eles, infelizmente, está a certeza de que são quase nulos os possíveis caminhos pacíficos para o país.

PARTE 3

TÓPICOS SOBRE A ASCENSÃO DA ESQUERDA NA AMÉRICA LATINA DO SÉCULO XXI

Faça tudo como sempre fez, mas diga que é uma renovação: pior é que Chávez trouxe alguma novidade, mas nem tudo que é novo é bom!

De todos os pontos para entender a ascensão da esquerda na América Latina no final do século XX, a criação da Venezuela bolivariana é um dos que precisam receber muita atenção. Independentemente da repulsa que possa causar a todos os que detestam o bolivarianismo, o socialismo do século XXI, o regime venezuelano e o chavismo, não se podem negar duas coisas:

1. A primeira é que Hugo Chávez conseguiu a proeza de fazer a América do Sul receber holofotes no cenário internacional, seja porque prometeu e convenceu muita gente de que traria soluções à pobreza de seu país e da região, seja pela quantidade de problemas que ele trouxe para os latino-americanos;
2. A segunda, que Chávez encontrou um caminho para tentar dar à Venezuela um lugar como protagonista no cenário internacional.

Ele buscou uma forma de articular o seu papel em um mundo que pregava integração, cooperação, globalização da cadeia produtiva dos países, articulação de economias dinâmicas e constante evolução da comunicação. Porém, mesmo que a lógica, a história e a tecnologia exigissem, ele, contrariando a realidade, tentou fazê-lo com um modelo de economia estatizada, sem dinamismo, sem empreendedorismo e lutando para a extinção da inciativa privada. Não deve assustar que a economia do país tenha fracassado a ponto de gerar a pobreza em que a Venezuela está.

Ou seja, buscou uma maneira de inserir a Venezuela no sistema internacional que ainda está por se concretizar, definitivamente, neste século XXI, com a tentativa de se sobrepor aos demais atores, mas, como dito, adotando uma proposta macroeconômica e um regime político típicos das décadas de 50 e 60 do século passado, típicos do grupo de países que foi vencido na Guerra Fria, produzindo, ou resgatando, sabe-se lá, esse modelo que tem em si próprio todos os ingredientes para o fracasso.

Chávez e os bolivarianos fizeram isso, ou seja, tentaram introduzir a Venezuela na dinâmica da nova realidade internacional com os instrumentos limitados, ultrapassados e questionados do século XX, mesmo que tenham feito propaganda alardeando que se tratava de um modelo pensado para este momento, tanto que usou a expressão socialismo do século XXI para denominar o seu socialismo.

Para nossa tristeza, a América Latina, especialmente no último terço do século XX, recebia atenção de segunda linha, pois não participava no cenário global como uma área que tinha atores de primeira escala nas altas esferas de poder das relações internacionais.

Quando chamava a atenção, isso se devia a Cuba, a sua revolução e à ousadia de Fidel Castro, bem como aos constantes golpes de Estado, revoluções e guerrilhas, ou aos manifestos violentos contra os regimes autoritários que proliferaram na região.

Tais coisas, no entanto, excetuando-se as ações cubanas, não tinham força para afetar e alterar o sistema internacional. Elas poderiam ser observadas com relativo distanciamento pelas grandes potências e maiores economias mundiais, e se limitavam a produzir reflexos mais para a própria região.

A América Latina não era uma área que estava no centro geopolítico do poder, e o que acontecia aqui, por mais intenso que fosse, não poderia comprometer a ordem mundial, mesmo com as grandes reservas de matérias-primas que os países latino-americanos detêm, especialmente os sul-americanos. A América do Sul tinha menos relevância ainda, em especial por estar abaixo do Canal do Panamá, este sim um ponto de interesse mundial.

Chávez e seu grupo fizeram uma confusão tão grande quanto Fidel e sua ilha, ressaltando- se que Cuba está a cinco minutos de um ataque aos EUA e sempre foi foco de atenção dos norte-americanos, além de ter sido vista como um "protetorado" rebelde dos Estados Unidos.

Além disso, Cuba passou depois a ser uma aliada e "protetorado" dos soviéticos, com o respaldo da URSS, que lhe mandava recursos e treinamento, de forma que quaisquer ações cubanas chamavam atenção do sistema internacional e uma decisão desproporcional de algum líder poderia levar a um ato coletivo capaz de abalar a ordem mundial. Basta que se veja a Crise dos Mísseis, de 1962.

A Venezuela é diferente em muitos sentidos, dentre eles a distância geográfica dos EUA, a localização no hemisfério sul, ou seja, no hemisfério onde estão os mais pobres e majoritariamente aqueles em condição mais subalterna na ordem internacional. Ela tem um posicionamento geopolítico afastado dos centros decisores de poder mundial, de forma que a confusão que os bolivarianos fizeram foi maior que a cubana.

Lamentavelmente, temos de admitir que se trouxe uma atenção que antes não havia para a América do Sul e se tornou a região palco de uma dança mundial das relações internacionais, não sendo mais exclusivamente regional, e com os contornos, qualidades e defeitos típicos dos sul-americanos. Ressalte-se que isso não significa que as ações e os resultados foram positivos, nem que foram louváveis.

Aceitar tal coisa não significa concordar com suas atitudes e com o que construiu, mas apenas admitir o que ocorreu, mesmo porque, analogamente, o que se afirma é que Lúcifer era o anjo mais belo, mas tal coisa não significa que ele representa algo positivo, nem que devemos ser partidários da revolta luciferiana, menos ainda ser satanistas, até porque um resultado das ações e ideias de Lúcifer é o inferno, e as ações dos bolivarianos na Venezuela são exemplos importantes de como construir caminhos para ir até lá.

E o pior para os venezuelanos é que eles ainda não estão nos pontos mais baixos desse lugar, pois várias coisas ainda devem acontecer para colocar o país numa situação como a da Síria, por exemplo, que é um inferno vários degraus abaixo – mas a Venezuela cada vez se aproxima mais.

Para entender melhor o que Chávez fez, que não se resume ao cenário interno da Venezuela, é importante observar que, quando ocorreu o fim da Guerra Fria, para alguns, em 1989, com a Queda do Muro de Berlim, para outros, em 1991, com a mudança do regime na União das Repúblicas Socialistas Soviéticas (URSS), não se sabia o que ocorreria no mundo. Afinal, a queda da URSS, nas condições em que se deu, sem uma guerra geral entre as duas superpotências, trouxe uma novidade na ideia de mudança de sistemas internacionais.

Recrie momentos históricos ruins e finja que foram bons. Hoje há dificuldade de identificar o sistema internacional, por isso a esquerda emergiu com tanta força: na desordem ela se fortalece!

De acordo com a noção de sistema internacional, para que um desapareça e outro surja no cenário, tem de ocorrer uma guerra geral. É importante aqui observar alguns conceitos para entender o mundo que estava surgindo, ver o campo em que a esquerda emergiu e mostrar o que Chávez e os bolivarianos podem ter percebido depois que ele se tornou o mandatário na Venezuela, tendo feito uma aposta que levou a este estado de coisas que o mundo olha com temor e tristeza nos dias atuais.

A confusão que surgiu sobre o que viria depois da queda da União Soviética, o grande modelo de socialismo, e o consequente encerramento do sistema internacional da Guerra Fria foi que permitiu a ascensão de personagens como Chávez pelo mundo, e não apenas dele. Entender essa confusão nos permite perceber por que ele conseguiu se destacar.

A ideia de sistema internacional, sinteticamente, **um conjunto de atores estatais (as unidades políticas) que interagem gerando uma ordem nas relações entre eles, a qual regula as relações internacionais, pois determina como cada tipo de ator (unidades políticas, organizações internacionais, organizações não governamentais internacionais, corporações multinacionais, além dos chamados**

difusos – crime organizado, narcotráfico, terrorismo etc., que, por serem ilegais, atuam travestidos dos corpos dos demais tipos de atores) deve atuar, traz em si o entendimento das transformações que se deram no mundo pós-Guerra Fria, o qual viu surgir uma nova realidade das relações internacionais. Também possibilita entender as questões contemporâneas das relações de poder entre os povos.

Antecipando a conclusão sobre o que Hugo Chávez tentou fazer, pode-se afirmar que sua estratégia foi construída para colocar a Venezuela como um ator de primeiro time no sistema internacional contemporâneo, apesar de este ainda estar se estruturando, embora a Venezuela não tivesse recursos nem arcabouço para isso.

Porém, o mais curioso é que, enquanto trabalhava para tanto, em realidade ele não buscava fazer do seu país uma grande potência, mas, sim, angariar aliados e apoiadores externos, bem como internos, para, dessa forma, garantir a derrota de seus inimigos políticos. Ou seja, ele quis atuar internacionalmente para, inserido no sistema mundial como personagem importante, conseguir força para derrotar os seus inimigos nacionais.

Independentemente do modelo atrasado de economia, parece que intuiu a jogada das relações internacionais contemporâneas, quando, com o fim da Guerra Fria, todos ficaram sem saber que sistema internacional estaria nascendo.

Afinal, não teve guerra geral, aquela que envolve todas as grandes potências que regulam um sistema internacional em determinada época e, por isso, envolve o mundo inteiro e quaisquer atores. A superpotência derrotada na realidade apenas desistiu de continuar naquele jogo, mas não foi vencida definitivamente, tanto que ressurgiu sem socialismo e, hoje, tenta-se isolá-la para evitar que se expanda e recupere a zona de influência que tinha.

Além disso, não se sabe dizer com certeza quem são as grandes potências que podem organizar as relações internacionais no mundo atual. São apenas os EUA e alguns aliados seus? Claro que não! É o G7? É o antigo G7+1? É o G7+BRICS? É o G20? São os chineses, os americanos e os europeus?

Não há resposta unânime por enquanto. Curiosamente, porque as próprias relações internacionais mudaram na sua natureza. Porém, mais curiosamente ainda, parece que os bolivarianos e Chávez, em especial, intuíram isso. Ele é um gênio? Essa é uma resposta irrelevante, mesmo porque um gênio pode desenvolver uma máquina para identificar o cheiro de carne podre, mas um animal também o faz naturalmente, e não é incomum que vá até ela com prazer! O instinto animal quase sempre consegue fazer com que as bestas produzam ações equivalentes às dos gênios ou dos deuses, como diriam os gregos antigos. Stalin que também o diga.

Saber em que elementos a natureza das relações internacionais mudou é essencial para entender a política externa chavista, bem como a estratégia usada. A partir do último terço do século XX, principalmente nos últimos vinte anos, emergiram vários outros tipos de atores nas relações internacionais, além das unidades políticas, apresentando-se como ativos, relacionando-se com autonomia no cenário internacional e agindo além das realidades exclusivas ao interior dos seus países de origem.

Alguns já existiam, como são os casos dos organismos internacionais e instituições transnacionais (nem que fossem apenas como precursores), mas apenas recentemente é que eles se mostraram reivindicando interesses próprios.

Quando olhamos de forma ampla, foi no momento em que os novos tipos de atores se firmaram como sujeitos das relações internacionais, comportando-se quase da mesma forma como as unidades políticas, que a realidade mudou.

Tanto que, nas relações internacionais, não existe mais apenas um sistema internacional; também há a sociedade internacional, a comunidade internacional e uma vida internacional ativa que caminha tentando ficar livre das amarras dos governos das unidades políticas. Basta que se vejam as redes sociais, o ciberespaço e as interações das sociedades civis dos mais variados países.

A principal diferença é que esses tipos de atores não são detentores da capacidade de declarar uma guerra convencional, com exército, pois, mesmo que eles estejam jogados num ambiente em que não há alguém que comande a todos e, por isso, possam tomar decisões tresloucadas, que às vezes vão além das decisões dos Estados – por exemplo, os *hackers* –, ainda assim o ambiente internacional está cheio de constrangimentos morais, de contratos e de tratados que obrigam a que todos apresentem certo comportamento. Além disso, os Estados ainda estão presentes, com capacidade legítima de usar da violência para estabelecer uma ordem e obrigar os demais tipos de sujeitos das relações internacionais a não usar violência.

À medida que os novos tipos de atores foram emergindo, eles começaram a buscar interesses pessoais, e não os dos países nos quais estão baseados, ou dentro dos quais estão vivendo.

Foi na economia, no entanto, que ocorreu o grande salto, quando a tecnologia permitiu que as cadeias produtivas se globalizassem. Isso levou a que os Estados reduzissem a capacidade de tomar decisões unilaterais, já que um erro nessa decisão afetaria não apenas o país focado, mas também a própria economia e a sociedade do país cujo governo decidiu agir isoladamente, e tem sido claro que é enorme o prejuízo de quem assim age, independentemente de isso acontecer ainda hoje.

Da mesma forma, quanto mais inserido na cadeia produtiva global, mais um país está protegido das ações de terceiros contra ele. Quanto menos inserido, maior a probabilidade de ação contra ele. Tal condição se tornou quase uma lei.

Em síntese, o mundo está diferente. Foi com essas características que o distinguem do mundo de outrora que se viu uma América Latina colocando a cabeça para fora da água, aparecendo no cenário.

O que todos falavam sobre a região, a respeito do que ocorreu aqui na década de 80 do século XX, era que, economicamente, foi a década perdida para os latinos, mas foi também o momento em que se iniciou a denominada redemocratização da área, trazendo novidades na política regional. No entanto, apesar dessa mudança, os latino-americanos continuaram recebendo da política externa dos EUA a mesma postura de outrora: eram fontes de matéria-prima; eram mercados consumidores; alguns locais de investimentos pontuais, voltados para empreendimentos específicos, dentro de uma estratégia de remessa de lucros que não prejudicasse essas empresas, nem a remessa de divisas para os EUA, preservando seus interesses.

Ressalte-se que os norte-americanos estão certos em buscar seus objetivos e não têm culpa se as lideranças dos países ao sul foram incompetentes nas suas negociações e incapazes de pensar no desenvolvimento e na justiça das suas sociedades, pensando apenas nos seus bolsos.

Um ponto novo: a sociedade civil surge no cenário! A esquerda ascende porque a sociedade civil emergiu, e isso foi a grande novidade, mas... que sociedade civil é essa?

Na década de 90, a região viu, a toda velocidade, o processo de redemocratização, com a ascensão de governos reformistas, mas principalmente viu três coisas intimamente ligadas:

1. A emergência da sociedade civil;
2. A emergência da esquerda;
3. E, no final desta última emergência, a ascensão de um grupo com características especiais, que, na Venezuela, produziria o bolivarianismo.

Sobre esses três pontos, é necessário se deter para podermos entender em que campo o bolivarianismo foi semeado, bem como para podermos empreender qualquer pesquisa sobre no que ele consiste e sobre sua ascensão, a qual se mostra, na realidade, como a aparência final dada ao surgimento e crescimento de Chávez. Aquilo que é chamado de bolivarianismo, também denominado por Hugo como socialismo do século XXI, na realidade, como doutrina, é unicamente chavismo, com todas as confusões que possa representar, em termos tanto conceituais como políticos e doutrinários.

É interessante ressaltar, como ponto inicial, essa emergência da sociedade civil. Isso foi uma novidade na área, tanto pelo fato de a sociedade civil começar a existir de forma a ter corpo e personalidade, como pela maneira como apareceu no cenário regional.

O termo civil dessa expressão se refere a cidadão, pois deriva do latim. Primeiramente, por mais imediato que possa parecer, é importante ressaltar que não significa a oposição entre profissionais das áreas militares e profissionais não militares. Não é perda de tempo ressaltar isso, pelo simples fato de parte da mídia sub-repticiamente tentar trazer tal confusão como forma de estigmatizar os militares, especialmente no Brasil.

Também não significa uma exclusiva separação entre Estado e sociedade, como se civil implicasse em dizer que tudo aquilo que é Estado exclui o que é social e o civil estivesse fora do estatal. Mas também não se pode admitir que o civil exista por estar dentro do Estado, ou por este tê-lo produzido. Mais importante ainda, é interessante frisar uma abordagem interpretativa que percebe que é o Estado que deriva da sociedade, e não o contrário.

É algo que até mesmo choca, mas infelizmente a glorificação do Estado está implícita nos discursos pela região, como se o Estado significasse algo fora da sociedade e acima dela, ou seja, como se ele estivesse fora da realidade social. Tal comportamento é uma idolatria ao Estado. E deve ficar claro também que, contrariamente ao que ocorreu recentemente por aqui, para que a sociedade civil exista, ela não pode ser financiada pelo Estado ou vista como uma espécie de prolongamento dele, indo a lugares onde ele não pode ir, pois isso implicaria na sua extinção e na construção de um totalitarismo.

O civil refere-se a todo aquele que é membro de uma sociedade, em gozo pleno de seus direitos para viver nela. Refere-se ao cidadão. O problema é que, na América Latina, ser cidadão é algo ainda não claro para o povo, pois ser cidadão mostra que existe a garantia de que os indivíduos têm direitos (os quais devem ser instaurados, executados e preservados), e, dentre esses direitos, está a possibilidade de atuar também em todos os ambientes políticos, participando das escolhas, dos comandos e dos controles sobre os governantes.

Nesse sentido, o ser cidadão indica que se é portador de direitos essenciais que serão respeitados, razão pela qual, se o respeito deve ser universal, e todos devem ter direitos, exige-se também que, de forma transparente, se estabeleçam os deveres para todos, algo esquecido pela esquerda latino-americana, pois ela constrói seu discurso de ascensão ao poder pela reivindicação de direitos contra uma ordem antiga que também definiu um conjunto de direitos e deveres, mas que ela quer destruir.

Sendo assim, dizer que houve a emergência da sociedade civil significa duas coisas:

1. A primeira, que, no processo de redemocratização da década de 90, se sonhou com o estabelecimento de um Estado Democrático de Direito.

Afinal, o que se reclamava era que nos governos anteriores na região, pelas restrições que existiam a algumas liberdades, a cidadania estava reduzida apenas aos grupos que detinham o poder ou apoiavam esses grupos, já que somente esses poderiam ver toda a plenitude dos seus direitos e usufruir plenamente dos benefícios sociais.

Em síntese, dizia-se que, com o estabelecimento do Estado Democrático de Direito, o usufruto dos benefícios sociais e das liberdades seria dado a todos, sendo, por isso, a primeira grande ação concreta de inclusão social na nossa história.

Curiosamente, o termo inclusão é chave, pois, apesar de correto e ser uma das exigências da humanidade nos dias atuais, pelo qual todos trabalham e devem buscar para nos colocarmos como dignos de sermos ditos humanos, tal termo foi usado da forma mais pífia de todas: foi incorporado no discurso político voltado para aquisição de força a partidos e grupos que queriam ascender aos cargos de mando.

Nesse sentido, a ascensão da sociedade civil era um sonho da abertura de portas e construção de canais institucionais na sociedade para que a cidadania fosse instaurada para a totalidade dos segmentos, universalmente, e os cidadãos pudessem buscar seus direitos de forma organizada, por intermédio de entidades que estivessem fora do Estado, ou seja, que não fossem financiadas por ele, por intermédio do governo.

Mas aqui temos outra distorção que foi produzida na região, pois criaram-se entidades, ou reforçaram as que existiam, porém, não para que elas buscassem direitos e atuassem na sociedade de forma ampla na defesa de valores e esclarecimento do povo, ou seja, na qualificação do cidadão, logo no aperfeiçoamento da própria cidadania, mas sim para participarem do Estado, para darem força ao governo e serem contratadas por ele, ou para se tornarem braços de partidos políticos na luta pelo poder.

Elas atuaram para ser parte do Estado e ter sobrevivência garantida por este, e não para ser sociedade civil! Alguns diriam até que para se tornarem funcionários públicos indiretos e sem concurso público de admissão, algo possível de ser visto até mesmo pelo discurso mais estranho e incoerente dos que poderiam ser usados, e que foi aplicado de forma plena e sem críticas, e mesmo elogiado, quando se dizia, por exemplo, que o terceiro setor deveria atuar onde o Estado não alcança, ou complementando o seu trabalho!!!!!

Ressalte-se que, na região, devido a um hábito que se tornou natureza, graças a nossa história política de igualar Poder Executivo a governo e governo a Estado, as entidades da sociedade civil, ao se mostrarem como complementos do Estado, ou atuarem onde ele não alcança, mas com seu apoio, passaram a significar um complemento do Poder Executivo, logo, a ser braços dos grupos que chegaram ao poder, ou a ser braços daquele governo.

Isso foi algo que ocorreu plenamente na Venezuela com Chávez e ainda hoje ocorre, pois eles estruturaram as instituições políticas para extinguir a sociedade civil e torná-la segmentos estatais, razão pela qual não é errado dizer que ele e os demais bolivarianos desde o início buscaram e ainda tentam implantar um totalitarismo.

Além disso, não estranha que tenha havido tanto controle ideológico dessas entidades da sociedade civil pela região: seja pela penetração dos seus quadros por membros de partidos; seja pela compra moral delas, com patrocínio, contratação, participação em projetos juntamente com o governo, ou em projetos financiados por ele, casos típicos de Brasil, Argentina, Uruguai, Equador; seja pela ação direta sobre tais entidades, caso venezuelano e boliviano.

Aqui vemos uma das características da emergência da sociedade civil na América Latina, com a pretensão de ser o sinal da emergência do Estado Democrático de Direito: **esse conceito foi deturpado em sua construção por ser envolvido pela busca de poder dos grupos à esquerda que estavam sendo alavancados politicamente e, assim, destruíram a noção de que os direitos devem ser universais, porque também se exige a existência de deveres universais, razão pela qual se produziria igualdade jurídica real**. Isso ficou explícito não na normatividade jurídica, mas na luta política e na imprecisão legal.

Eles fizeram tal coisa porque poluíram os seus discursos com a ideia deturpada de que, para fechar a lacuna social existente nas sociedades latino-americanas, deveriam resgatar os direitos daqueles que tinham sido os excluídos da história, e isso só seria possível se acabassem com os direitos dos que foram identificados como os exploradores.

Na Venezuela, os caminhos para fazê-lo foram variados e, como foi dito, escolheu-se uma implantação totalitária, algo visível com os procedimentos usados para o aparelhamento do Estado que os chavistas adotaram depois que ganharam o governo, bem como com as medidas usadas por eles para que a sociedade fosse sobreposta, envolvida e tomada pelo Estado.

2. A segunda coisa que significa a emergência da sociedade civil é que tal acontecimento foi uma novidade para a história regional. Dizer que a sociedade civil emergiu por aqui é de uma estranheza gigantesca, pois é o mesmo que dizer que o cidadão, de sua ação mais individual até a mais coletiva (por meio de entidade e/ou instituições), e de forma universal (incluídos todos os segmentos sociais, e não mais apenas alguns grupos), passou a atuar em todos os aspectos da vida social, especialmente naquele lugar em que existe a capacidade de que ações e decisões possam valer para todas as demais esferas da vida em sociedade: a política.

Ou seja, nesse sentido, dizer que houve a emergência da sociedade civil significa dizer que o povo, todo ele, e não apenas alguns grupos, por intermédio de seus cidadãos, de suas entidades, associações, empresas, instituições etc., passou a ser agente político, porque a política se ampliou para algo além da política partidária ou da política por intermédio do Estado, ou deixou de ser propriedade de apenas alguns.

Sempre, na região, os atores da política foram pessoas específicas detentoras do poder, em especial o econômico. Grupos determinados, algumas instituições do Estado que se autonomizaram em relação a ele, mas nunca o cidadão, seja como agente individual – algo que necessita da existência de várias instituições que lhe deem condições de atuar pessoalmente –, seja coletivamente, por meio dos grupos institucionalizados.

Essa novidade na nossa história regional foi marcante, pois, se o cidadão ascendeu, ascendeu sem sabermos o que ele é, menos ainda como fazer para que pudesse ser o agente em todas as dimensões da sociedade, como a dimensão econômica, a jurídica, a religiosa, a cultural etc., e, claro, a política.

E o cenário mais trágico se manifestou: aquilo que foi chamado cidadão só pôde atuar por intermédio do Estado, com as distorções de entendimento que temos na América Latina sobre o que ele é. Ou pior, só pôde agir por intermédio do governo. Ou, pior ainda, só pôde se manifestar e operar se fosse por intermédio do grupo político no poder.

Na Venezuela bolivariana, não houve o menor pudor em fazer isso, pois sempre esteve claro, nos discursos chavistas e nos fundamentos do bolivarianismo, que só existe o cidadão se ele estiver dentro do aparelho do Estado, ou absorvido por ele, significando: se estiver sendo tutelado por ele. Como consequência, apenas se o cidadão estiver envolvido pelo bolivarianismo, ou seja, se estiver dentro do chavismo.

Parece intuitivo que, com a emergência da sociedade civil com esses dois traços (ser uma novidade na região a real universalidade do cidadão; e que este pudesse fazer política, independentemente de sua origem social), a interpretação do que deveria ser a cidadania e de como organizar a política seria dada pelos que agora estavam conquistando seu espaço de poder e se contrapunham aos grupos que antes o detinham.

Aplique a Teoria da Dependência: ela serviu para manter a postura de sempre se posicionar contra as grandes potências!

Em toda a região caíram governos formados por grupos voltados para o capitalismo e com uma aliança direta com os EUA, graças, especialmente, ao posicionamento na Guerra Fria e, também, claro, não se pode ignorar, graças ao envolvimento de alguns fortes grupos econômicos regionais com os grupos econômicos norte-americanos. E ascenderam aqueles grupos que se formaram no período anterior com uma visão marxista da história, da política, da sociedade e, principalmente, da economia.

Em um primeiro momento, eles tinham em mente a chamada Teoria da Dependência, aquela teoria de que os capitalismos dos países da região latino-americana eram complementares, associados e dependentes do capitalismo norte-americano e europeu.

Essa teoria foi desdobrada na ideia de Teoria da Dependência Associada, pois se concluiu que, para um país ser dependente de verdade, deveria haver uma associação das elites econômicas das sociedades dependentes com as elites econômicas das sociedades "exploradoras".

Segundo entendem, essa associação permite a produção de uma configuração curiosa em que a elite de lá preserva sua condição devido à geração de classes médias enormes em seus países de origem, as quais lhe dão sustentáculo, mas tal coisa não pode ocorrer sem que alguém seja explorado.

Nesse caso, então, conforme interpretam esses teóricos, a exploração se transfere para os países periféricos, estando a América do Sul nessa cesta. Sob essa ótica, o povo daqui precisa ser explorado para que as elites dos países ricos possam se manter no poder permanentemente.

Ou seja, pela teoria, é a exploração dos povos subalternos (latino--americanos, africanos, asiáticos e quaisquer que sejam) que permite a criação de uma classe média nos países desenvolvidos, que jamais derrubarão as suas elites enquanto essa exploração se mantiver, graças, por sua vez, a essa associação das elites das grandes potências econômicas capitalistas com as elites econômicas dos países pobres.

Tal teoria norteou as reflexões dos grupos à esquerda que estavam emergindo e ainda se mantém constante no raciocínio atual. De onde se acha que vem o discurso desses últimos vinte anos na América Latina de combater o imperialismo, destruir o que eles chamam de oligarquias regionais de direita que dizem estar associadas com os EUA, e enfrentar o que denominam como extrema direita latina, declarando que ela é entreguista aos EUA?

É o mesmo molde mental, alterando apenas algumas palavras para manter a velha teoria das décadas de 60 e 70 do século XX, que foi turbinada, mas que continua apresentando o mundo e as relações internacionais como se ainda estivéssemos vivendo há cinquenta anos.

Em cada país da região, essa forma de ver a realidade foi adaptada às suas circunstâncias específicas e foram produzidas respostas próprias. A Venezuela de Chávez; a Bolívia de Morales; o Equador de Rafael Correa foram direto ao ponto: **declaram que essas elites são inimigas e que devem ser destruídas com uma ação direta, por meio do modelo socialista e com a conquista totalitária do Estado, que será instaurado paulatinamente**.

Em outros lugares, como o Brasil, o caminho foi outro: preferiu-se a conquista de posições e o caminhar em etapas, "gramscianamente" falando, certamente pelo fato de nossa economia ser mais diversificada – sabendo-se que, para ser dirigente de algo nesses países, você deve antes ter o domínio da cabeça daquele que está dirigindo. Os objetivos, contudo, são os mesmos; as estratégias é que são diferentes.

É muito curioso que, dentro da própria Teoria da Dependência Associada, o então professor de sociologia Fernando Henrique Cardoso, considerado por alguns como um dos maiores intelectuais da história brasileira, ao estudar o sistema político regional, em especial o do Brasil, deu-se conta de algo que ele chamou de "anéis burocráticos".

Podemos entendê-los como sendo núcleos dentro da administração pública que servem de elo entre o meio empresarial que está no topo da escala e o governo, logo com os grupos que detêm o poder político, para garantir uma cadeia de controle do processo de formulação das políticas públicas. Isso garante também o carreamento de recursos para obras específicas, para trabalhos empresariais de grande vulto, bem como para os usos privados dos recursos públicos que deveriam ser destinados ao povo.

É uma associação entre o Estado, por meio do governo e dos poderes estatais, com um segmento empresarial mais poderoso e com a administração pública para garantir a execução de políticas públicas e projetos governamentais específicos.

Esse processo permitiria também a associação tranquila e inquestionável entres os grupos daqui da nossa região com os de lá, dos grandes centros econômicos, das grandes economias capitalistas, preservando os interesses de ambas as confrarias numa associação em que, para existir continuidade, precisa ser garantida a exploração dos povos subordinados, no caso, os latino-americanos, africanos etc., e não a exploração dos povos dos subordinadores, tal qual já foi falado.

A fórmula é clara: as elites dos países pobres dominam as suas políticas públicas não apenas porque participam da política diretamente, ocupando cargos, mas também porque há anéis burocráticos que garantem a criação de projetos por parte dos governos, ou a aprovação de leis em determinados setores, os quais, por sua vez, são destinados apenas a beneficiar esses grupos econômicos, que, não se pode esquecer, têm associação com os grupos dos grandes países. Às vezes, são esses mesmos que estão atuando diretamente como investidores nesses lugares que devem ser explorados.

Essa é a teoria, mas ela é da década de 60 e 70 do século passado! No entanto, manteve-se e ainda é usada pela esquerda regional, em especial pelo bolivarianismo, apesar de toda a mudança que ocorreu nas relações internacionais e na economia internacional graças à globalização da cadeia produtiva.

O mais assustador é que, supondo que essa teoria esteja certa, por qual razão não se mudou esse sistema em alguns dos países da região onde a produção capitalista estava mais desenvolvida?

No caso brasileiro, por exemplo, o que se viu foi o aproveitamento dessa ideia para elevá-la a outra categoria, pois, se antes eram grupos com partidos variados e não integrados e existia uma estrutura político-administrativa limitada em vários sentidos, passou-se a ter um grupo unificado, uma máscara ideológica atuante e uma estrutura político-administrativa remontada com espaço suficiente para criar, enrijecer e preservar os anéis burocráticos. Além disso, com uma máquina partidária altamente profissionalizada para ser a formadora de quadros para essa estrutura!

É quase sair do modelo artesanal e aplicar um modo industrial de produção. É como saltar da situação em que se tem na rua vários, mas individualizados, "***cidadãos em confronto com a lei***" que realizam furtos por necessidade (deve ser essa a forma politicamente correta de se referir aos ladrões batedores de carteira) para a condição do elegante "***crime organizado***". É outra categoria! É sair do amadorismo e elevar-se ao profissionalismo!

A novidade é que, para manter o orgulho e mostrar que continuaram sendo marxistas, logo antiempresários privados e ainda adeptos das teorias da dependência, continuaram a usar dessa teoria, mas, depois da ascensão ao poder, ela serviu apenas para mostrar como agir na realidade que era descrita e como preservá-la de alguma forma.

Isso foi feito a um ponto tal que, em alguns lugares, produziram-se desculpas travestidas de procedimentos táticos, como dizer que deveriam auxiliar na aceleração do processo de monopólio dos grandes empresários, pois isso aumentaria a exploração, aumentaria o exército de reserva de trabalhadores (capazes de serem convertidos em revolucionários) e, no caso de terem espaço para uma ação revolucionária, tornaria mais fácil derrubar de uma tacada só poucos "grandes burgueses", em vez de uma grande massa de milhares ou milhões de micro, pequenos e médios empresários dotados de mentalidade liberal.

Esse tipo de coisa se ouvia com maior ou menor clareza desde as salas de aula até em reuniões de botecos. Essa foi uma desculpa para justificar terem apoiado a substituição do "***grande burguês internacional***" dos países capitalistas desenvolvidos pelos "***grandes burgueses nacionais***", que precisariam ser criados, ou ser comprados, no caso dos que já existiam, que antes trabalhavam com outros amigos, mas podiam ser úteis agora, bastando adquirir suas almas! A altos preços, claro!

No Brasil, por exemplo, escolheram alguns que existiam e criaram por ação direta do Estado outros grandes campeões privados da nossa nação. Tão curioso quanto isso foi também ver professores marxistas indo a rádios e TVs dizendo que os liberais eram curiosos, pois defendiam a exploração dos grandes empresários estrangeiros, mas combatiam a criação de "grandes campeões nacionais"!

Viraram nacionalistas extremados!!!! Mas, como marxistas, não são contra a iniciativa privada em si, independentemente de quem seja? Talvez se diga que fazia parte de uma estratégia de longo prazo para acabar com a capacidade de empreendimento no país, já que não há como vencer os monopólios apoiados pelo Estado.

O mais interessante foi ter visto o uso dessa desculpa por grupos políticos formados por pessoas que ascenderam na escala social, mas acabaram vendo e sentindo os sabores da riqueza, tornando-se mais exploradores do que aqueles que antes eles acusavam.

A defesa do nacionalismo foi usada de forma diferente também. Nos países em que os revolucionários de esquerda não eram hipócritas, como Bolívia e Venezuela, eles, apesar de estarem atrasados no tempo, ao menos tiveram vergonha na cara e, se eram marxistas, diziam que o grande empresário nacional tinha de ser estatal. Podem estar deslocados no tempo e certamente ser crentes de um modelo destinado ao fracasso, mas tem-se de admitir que tiveram a coragem de se apresentar como sendo o que são. Isso não os torna melhor como políticos, ou com capacidade de governar países, mas ao menos foram menos cínicos.

Na Venezuela, tal qual foi dito, a situação é outra, e a ação também foi, pois são mais diretos no que querem, e não se desejou correr riscos. Para eles, o "grande burguês explorador" só pode ser o Estado, e ponto final.

Como o Estado se confunde com Deus, esse grande burguês terá de ser uma empresa estatal, no caso a grandiosa *Petroleos de Venezuela S.A.* (PDVSA), já que o Estado, como divindade, sempre age no mundo material por intermédio de suas criações.

Não é de estranhar que, para esse grupo venezuelano que ascendeu ao poder, o Estado seja visto dessa forma. E há até como provar que veem assim, pois, segundo consta, muitas vezes, para iluminar ou para fazer revelações aos seus líderes, o Estado envia anjos, santos ou o próprio messias, o seu filho dileto e a encarnação dele, agora falecido, na forma de passarinho, para conversar com o presidente da República. Pelo menos foi o que Nicolás Maduro disse quando declarou que o messias Chávez tinha aparecido como um pássaro para lhe dar orientação!

Se aproveite dos erros da "direita" – os governos reformistas dos anos 80 e 90 apenas prepararam o campo para a semente da esquerda!

Juntamente com a emergência da sociedade civil, o processo de redemocratização viu o aparecimento de governos reformistas, nas décadas de 80 e 90, que foram responsáveis pela transição entre regimes.

Nesse sentido, foi quase natural que a esquerda ascendesse, pois os governos regionais anteriores não conseguiram resolver plenamente o problema do grande fosso existente dentro das sociedades latino-americanas, apesar de terem alcançado um avanço excepcional.

Se o Brasil, por exemplo, presenciou, na década de 70, um momento de milagre econômico, naquela época havia uma confusão de que o crescimento por si geraria riqueza para toda a sociedade, e essa riqueza, cedo ou tarde, seria distribuída de forma mais equilibrada, tanto que uma das frases que eram repetidas por defensores do que estava sendo feito economicamente na década de 70, e criticada pelos opositores, tanto de esquerda quanto de direita, era de que o essencial é fazer o bolo crescer, para depois dividi-lo. Em síntese: primeiro se deveria fazer crescer a economia, mesmo com concentração excessiva, e depois seria feita a divisão dos ganhos e produzido o desenvolvimento.

Talvez isso seja um daqueles tiques nervosos da época em que a sociedade era reduzida ao conceito de nação, ou seja, como um todo homogêneo, composto de coisas parecidas que se complementam em uma harmonia natural por serem semelhantes, exceto, claro, pelos deslocados que existem em todos os lugares e podem ser contidos. A sociedade não era vista como um conjunto de coisas diferentes, com diversas condições, desejos e necessidades.

Ressalte-se que os governos anteriores da região não extinguiram ou reduziram a lacuna social existente. Além disso, não houve como fazer o bolo crescer em muitos lugares, nem tempo de dividi-lo onde ele cresceu, como foi o caso brasileiro, por excelência. E nem se sabe se isso seria possível!

Claro, então, que, com a denominada redemocratização, aqueles que criticaram os modelos anteriores traziam consigo a imagem de que portavam um novo sonho. Eles ficaram no processo de redemocratização como vítimas daquilo que foi depois disseminado na mídia e nas escolas como um erro de construção política, econômica e social, sendo essa a forma como a esquerda que chegou ao poder definiu o período imediatamente anterior. Parece um cenário escrito para ser colocado no palco. Afinal, os elementos estavam postos, sendo que os principais foram:

1. A existência de grandes lacunas entre os mais ricos e os mais pobres, tal como dito, com diferenças sociais gigantescas. Afinal, a década de 80 foi a década perdida, sendo um momento em que, inclusive, houve crescimento da dívida externa dos países da região e chegou-se à conclusão de que eles não teriam como pagá-las.

Ademais, independentemente de que lado da política alguém se posicione, não há como imaginar uma sociedade estável sem um mínimo de equilíbrio entre os segmentos que constituem um povo e um máximo de inclusão social;

2. A existência de uma grande massa pobre constituindo essa lacuna social existente, com uma certeza de que não teria como ascender, saindo de sua condição, exceto se tivesse o auxílio de pessoas capazes de mudar o jogo e criar uma estrutura política e social mais inclusiva, sendo isso uma expressão do messianismo que constitui o comportamento e a imaginação dos povos da região em relação aos seus dirigentes.

Quem acha que tal coisa é de pouca importância ou não corresponde à realidade, que veja Peron e Evita, na Argentina (o corpo desta última, embalsamado, carregava uma aura de Santa intocada no Cemitério da Recoleta, em Buenos Aires); ou Tancredo Neves, no Brasil (após sua morte, populares no estado brasileiro de Minas Gerais desejavam que fosse considerado Santo, e até alegavam que já poderia estar produzindo milagres. A situação tornou-se tão estranha que a própria esposa de Tancredo, Risoleta Neves, veio a público pedindo para que se encerrasse esse tipo de solicitação e abordagem); ou Hugo Chávez, que é visto pelos bolivarianos como o iluminado mandado por Deus para libertar a Venezuela, tanto quanto Bolívar o foi para a América dos latinos;

3. Neste elemento será necessário se deter mais. Ele diz respeito à emergência de porta-vozes do novo tempo, que saíram da década de 70, quando foram oposição àqueles governos que existiam.

Todos foram educados em escolas que trocavam clandestinamente livros secretos, com capas vermelhas e fotos de seus ídolos, os quais estavam carregados de uma sombra mística, pois contavam a história desde o início dos tempos e de como o homem tinha decaído e se tornado explorador do próprio homem. Esses livros também contavam como fazer para retornar ao paraíso, e tais explicações, ressalte-se, vinham com a garantia de serem científicas, logo, não há como falhar.

Vários indivíduos declaram, inclusive, que um dos grandes erros dos governos daquele período das décadas de 60, de 70 e metade de 80, que levou a que os seus herdeiros fossem derrotados ideologicamente no processo de redemocratização da região, foi eles terem impedido a manifestação plena da discordância e dos opositores aos seus projetos governamentais.

Ao fazerem isso, mataram a oposição não de esquerda, mas de direita, que se reduziu ao ponto de não ser capaz de produzir projetos de inclusão social da perspectiva da direita. A oposição de esquerda se manteve e se reforçou, já que o "clandestinismo"[1], lhe deu um charme de idealistas lutadores contra o mal, em nome do bem e pela humanidade, sendo, portanto, capazes de apresentar um projeto alternativo ao mundo que surgia no horizonte – e precisava ser justo, já que, até então, pela sua interpretação, não tinha sido.

Pior, essa aura lhes permitiu dividir o mundo de forma maniqueísta[2], com o bem e o mal plenamente definidos, sendo ambos cartesianamente

---

[1] Clandestinismo é um neologismo aqui colocado para definir o hábito de querer, ou ser obrigado a, fazer tudo às escondidas e clandestinamente, uma vez que eram impedidos de fazê-lo dentro de uma ordem com ampla liberdade de expressão, de organização e de manifestação.

[2] Muito curiosa a incoerência observada desses tais portadores da verdade, pois sempre se disseram dialéticos. Se assim são, como podem então ser tão metafísicos, a ponto de apresentarem convicção tão cartesiana sobre o bem e o mal? Afinal, pelo que diziam, essa forma metafísica de pensar em que se classifica algo ou alguém definitivamente como bom/bem e mau/mal não era coisa da direita, tanto que era por essa forma de pensar que a direita, e só ela, criava a segregação? Eles também se esqueceram de dizer que, quando o bem e o mal são definidos pela política, e o são de forma pura, normalmente a substância

nomeados com clareza e distinção, afirmando-se que bom é esquerda e mal é direita. Ambos podem ser identificados pelas características escritas em teses bem precisas, as quais passaram a ser pregadas nas portas de seus templos (as universidades), mesmo que sejam templos de química, de engenharia, de farmácia, de biologia, de meteorologia etc., e não de humanas.

Voltando aos governos anteriores pela região, eles também cometeram, em maior ou menor grau, esse erro, mas os "portadores da luz" de um novo tempotambém o fizeram depois, o fizeram até recentemente, e em graus de maniqueísmo muito mais elevado.

Deveriam ouvir um pouco da psicanálise e das consequências de uma das suas regrinhas básicas, que diz que há ambivalência nos sentimentos de amor e ódio, que sempre andam juntos e acabam se confundindo, sendo uma consequência dessa regra que se deve evitar odiar muito alguma coisa, pois a tendência é que a pessoa se torne exatamente igual àquilo que mais despreza e passe a ter atitudes piores que as daquilo.

Retornando ao erro daqueles governos ao lidarem com a discordância e a oposição aos seus projetos, o que fizeram, ao impedir que suas propostas fossem questionadas em amplas dimensões, por variados segmentos e em diferentes perspectivas, não foi anular a esquerda, mas sim colocar num mesmo prato todas as vozes discordantes, igualando-as todas.

Assim, mesmo liberais eram colocados no mesmo grupo quando se angustiavam e criticavam que governos denominados e/

---

deles, ou seja, a definição do que é o bem e o mal, é feita pelas características que dão para aquilo que chamam de bem e mal, e essa forma, ou conjunto de características, é identificada por quem está no poder, o qual, apenas por coincidência, também é o portador da bondade e da verdade. O resultado, é óbvio, será que essa verdade seja implantada, ponto final, pois quem discordar dela está do lado errado, logo, da maldade!

ou autodenominados ocidentais e capitalistas criassem uma empresa estatal após outra, ou que tais governos, numa interpretação errônea da economia de mercado, estimulassem com benefícios que empreendedores surgissem de forma agressiva para responder às demandas que a sociedade apresentava por intermédio do mercado, mas não se preocupassem em impedir ou coibir o monopólio e o oligopólio, as facadas traiçoeiras que o capitalismo mal construído dá no próprio capitalismo.

Ao fazerem isso, ou seja, colocar todos no mesmo prato, esses governos anteriores deram, sim, antecipadamente, e de presente, uma vitória expressiva à esquerda, pois ela surgiu no horizonte como a única capaz de apresentar uma proposta modificadora da realidade.

Foi a esquerda, e mais fortemente a marxista, quem saiu da piscina como um atleta apto a nadar no torneio do mundo que estava surgindo. Infelizmente, para aquelas massas hipnotizadas por esses líderes que vinham ganhando espaço, os liberais passaram a representar o retrocesso, até porque aqueles verdadeiros liberais que questionaram tanto a estatização e o monopólio foram calados e, quando apareceram em cena, na década de 90 do século XX, trazendo a experiência do saneamento do Estado, enxugamento de sua máquina e redução dos gastos (os chamados neoliberais), não produziram nessa região do mundo o resultado de diminuir a lacuna social.

Reproduziram um exercício que estava sendo aplicado e pode ter gerado frutos numa área desenvolvida do mundo, a Inglaterra, que tinha sociedade civil ativa, desenvolvida e consciente, que tinha instituições estáveis e tinha a certeza de que liberalismo e economia de mercado só existem onde há concorrência entre empreendedores.

Parece ser mania de latino-americano pegar cartilha alheia e aplicá-la totalmente, esquecendo que ela foi produzida em país desenvolvido com as suas condições específicas.

A cartilha pode até ser correta, mas ainda se precisava fazer muita coisa para implantá-la em sua totalidade. Aplicaram-na por aqui, mas não mudaram as estruturas típicas do terceiro mundo, com os vícios estatizantes e de associação do Estado com os nossos "capitalistas".

É claro que não tinha como dar certo! Mas, para efeito de propaganda da esquerda emergente, o entendimento de por que não daria certo era irrelevante e mesmo inadequado, pois o que importava era ter uma doutrina amaldiçoada para representar o pensamento dos que deveriam ser destruídos.

Basta lembrar que, em qualquer discurso que se tente trazer responsabilidade para o gasto do governante, a pretensa ofensa que a esquerda faz é chamá-lo de neoliberal – e na maior parte das vezes sem nem saber do que estão falando.

4. O quarto elemento deriva do fato de esses porta-vozes terem a aura do heroísmo, algo que auxilia no cenário messiânico que existe na política latino-americana. Não podemos esquecer que alguns combateram militarmente os governos anteriores e, além disso, traziam a imagem de **vítima**, outra grande palavra-chave para os povos daqui. Como foram construídos como colônia de povos que vieram para cá e derrotaram os nativos, massacrando-os em vários lugares, o latino-americanos têm em seu espírito a figura de que são vítimas constantes de exploradores, nunca tendo conseguido escapar dessa condição.

Sendo assim, esses "heróis" saídos dos anos 70, por se dizerem "vítimas" dos governos que lá estavam, traziam consigo um ingrediente importante para se apresentarem como líderes políticos de povos que gritavam por cidadania, dizendo-se capazes de indicar-lhes o caminho, bem como construir a estrada, afinal, eles vendiam a ideia de que eram capazes de sentir o que o povo sente.

Lembremos que é muito comum que tais líderes digam que são do povo, e quase usam metodicamente um ditado popular de que "quem vem do povo e sentiu o que ele sente, sabe do que ele precisa", fazendo todos acreditarem que isso leva imediatamente à ideia de que essas pessoas farão o que for preciso para solucionar os males da sociedade.

Se usar de ditado for a regra, talvez deveria o povo lembrar-se de outros, dentre eles um que diz que, quando alguém começa a sentir os prazeres do poder, geralmente esquece de onde veio, passa a usar de sua biografia como instrumento para se manter na condição conquistada e passa a fazer exatamente o que condenava, se não pior. O aforismo que resume isso e que deveria o povo também ter em mente é fácil de lembrar: muitas vezes, "o pior feitor é aquele que já foi escravo".

Como dito, foi um palco montado para produzir o resultado que hoje vemos, pois a sua construção se deu pelos fatores tratados acima, que se resumem em:

1. Grandes lacunas sociais que não foram reduzidas;
2. Uma década inteira (a de 80) perdida, com o crescimento da dívida externa dos países da região (algo que reforça o discurso da exploração capitalista externa e da dependência associada);
3. Em alguns lugares houve crescimento econômico, mas não desenvolvimento, aumentando a lacuna social que havia;
4. A inexistência de uma oposição de direita, com projetos alternativos de direita para realizar inclusão social e apresentar uma ordem liberal com equidade, capaz de realizar o diálogo e contraposição argumentativa com a esquerda emergente;

5. O messianismo associado aos líderes de esquerda que saíram das décadas de 60 e 70 e passaram a atuar com liberdade e desenvoltura no final dos anos 80 e durante os anos 90;
6. Tentativas de reorganizar as sociedades nos anos 90 com propostas que não alteraram a estrutura econômica e social;
7. No frigir dos ovos, houve apenas a preservação dos problemas, com a alavancagem da esquerda.

Apresente a esquerda de forma mirabolante e com o *status* de salvadora da pátria, certamente como uma oposição ao mal, sendo entendido como mal tudo aquilo que é diferente dela!

Bem interessante também é a consideração idealizada e divulgada a plenos pulmões sobre o que é ser "de esquerda", pois, quando os novos líderes começaram a assumir cargos políticos ao longo das décadas de 80 e de 90, o imaginário sobre eles serem os salvadores apareceu também com a construção de que o bem era tudo aquilo que estivesse ao seu lado, logo do lado da esquerda, e o mal era algo da natureza dos que haviam sido governantes naquele passado recente, logo, o mal estava na direita.

A imagem do que é ser de esquerda foi construída por afirmações claras, feitas menos pelos seus teóricos e doutrinadores e mais pelos seus propagandistas e publicitários, que realizaram separação rígida entre um lado e outro.

Fizeram de forma fácil de entender, de maneira que, se você se identificar como estando de um lado, logo tem as suas virtudes, ou vícios e deformidades, ficando, claro, para a esquerda, o que há de bom.

Essa distinção foi e ainda é usada para construir os discursos políticos da maioria dos que se dizem esquerdistas, em qualquer situação em que se apresentem e para qualquer público.

Claro que deve existir uma esquerda que se afasta disso e defende a democracia como é entendida no Ocidente, que defende o diálogo entre os diferentes e defende a busca de projetos que incluam as mais variadas perspectivas, além da sua, mas esta é considerada por aquela que ascendeu ao poder como também sendo do outro lado e, por isso, rejeitada e ofendida da mesma forma que ofendem os da direita.

Suas afirmações são fáceis de decorar, independentemente de serem reais ou não, ou serem necessárias explicações mais detalhadas sobre elas. Para eles, as explicações já são dadas pela teoria geral da exploração humana exposta no seu credo, e é irrelevante o entendimento da realidade específica de cada país, de cada sociedade, bem como o entendimento da construção das lideranças políticas em determinado lugar, conhecendo as histórias locais.

E é óbvio que evitem dar mais explicações dessa natureza! Se fizerem isso, poderão anular os efeitos dessa divisão precisa que fazem entre uma coisa e outra (esquerda e direita), bem como os efeitos daquilo que eles queriam dizer como sendo certo e errado. É algo que abalaria a verdade inquestionável dessas frases curtas, condensadas e, como dizem, combativas.

Não vamos aqui entrar numa discussão teórica sobre o que é ser de esquerda ou ser de direita, embora seja necessário que se faça em algum momento, já que os conceitos precisam ser revistos e entendidos diante do mundo atual, que abalou as certezas sobre o que são uma e outra coisa.

Dentro do que nos interessa aqui, independentemente do que seja cada uma, um dos maiores problemas, hoje, não são os esquerdistas ou os direitistas, mas aqueles que o jurista Ricardo Giuliani, advogado, artista, ex-membro de governo do PT, logo, autoposicionado de esquerda no Brasil, chamava de "ambidestros", significando não quem é de centro, pois o centro verdadeiro é aquele que busca formas de convergência e projetos que contemplem as partes em diálogo, e não escodem que adotam uma perspectiva, mesmo porque é do fato de assumirem uma percepção específica que se pode gerar a busca por projetos convergentes. Se o centro fosse neutro, então não haveria convergência, pois todos já estariam em um mesmo plano. Não é possível que isso seja ignorado!

Os "ambidestros" seriam aqueles que jogam com as cartas de quem está no poder, mudam de lado a todo momento, defendem as posições dos que governam, indiferentes ao conteúdo delas e de quaisquer atitudes que tenham tomado anteriormente.

O que querem é se defender, alheios a valores, políticas públicas, projetos de inclusão, à lealdade, ao povo, à sociedade, a quem representam, às suas palavras e à sua própria sombra. E estão em todos os lugares, da política à economia, passando por várias instâncias da sociedade. Bela percepção desse jurista sobre uma realidade que se implantou em muitos lugares pela América do Sul, mas no Brasil se expressou com excelência.

Para nós interessa, neste momento, o que tem sido dito, pelos que conquistaram o poder, sobre o que caracteriza um lado e o outro. Dentre as várias oposições que eles apresentam na sua diferenciação, quatro podem ser colocadas num quadro para resumir o que essa modalidade da esquerda latino-americana atual que chegou ao poder afirma sobre ambos os lados – e sempre usa dessas afirmações em seus discursos para enquadrar o mundo político à sua volta e também para auxiliá-los na construção de seus discursos, bem como na criação de estratégias. São elas:

DIREITA	ESQUERDA
1) É dito que a direita defende a preservação das diferenças, das lacunas sociais e as explorações entre as classes sociais, pois, segundo entende, para os do outro lado, o modelo econômico capitalista só sobrevive se isso se mantiver. Conforme acreditam, somente com a continuidade dessas diferenças sociais (econômicas, culturais, políticas, raciais, de gênero etc.) é que se pode manter a economia capitalista, já que ela existe apenas se executar e der prosseguimento à exploração de uma classe social pela outra. Ou seja, ser de direita, para os esquerdistas no poder ou em embate para alcançá-lo, é impedir a inclusão social, impedir a igualdade de qualquer espécie e combater todos os que realizarem ações nessa direção, que, para as teorias marxistas, é o sentido do progresso. Por isso se autodefinem como progressistas. De acordo com a doutrina, caminham na direção e no sentido do progresso humano de igualdade, o qual, para eles, ocorrerá inevitavelmente com	**1) Luta pela igualdade entre todos, algo somente possível com a mudança da estrutura social existente, a qual, por sua vez, só poderá ser efetivada com a mudança do modelo econômico, passando para o transitório modo socialista até chegar ao modo de produção comunista, que ocorrerá no final da história.** Essa afirmação está embasada nas teses marxistas de que a propriedade privada dos meios de produção é a responsável pela exploração do homem pelo homem e é a geradora das diferenças sociais. Por isso, para eles, o modelo econômico capitalista tem de ser extinto, superado com a extinção da propriedade privada dos meios de produção (que precisa passar para as mãos do Estado) e substituído por uma sequência de modos de produção que virão necessariamente depois da queda do capitalismo, indo, de então, do socialista até o modo final, quando o comunismo será implantado. É isso que o chavismo

a sequência histórica da substituição dos modos de produção (primitivo, asiático, escravista, feudal, capitalista, o transitório socialista, terminando no comunista), causada pelo esgotamento de cada etapa anterior, e seguindo em direção a um final de harmonia em que o governo dos homens pelos homens será substituído pela administração das coisas pelos homens.

Nesse sentido, como usam desse conjunto de certezas, como dito acima, eles acham que seguem no sentido do progresso humano, razão peal qual se consideram progressistas. A contrapartida disso é que, para eles, a direita vai contra o progresso e, por isso, é chamada de reacionária, ou seja, como aqueles que reagem a qualquer mudança e trabalham para que a história caminhe para trás, ou fique na mesma condição de exploração.

tenta na Venezuela, mas sem passar pela revolução clássica!

É interessante que, para essa esquerda, como a direita defende a liberdade de produção, expressada na plena atuação do empreendedor privado, não há como pregar a igualdade entre os homens sem afastar essas teses dos liberais, ou sem extinguir a propriedade privada, logo, o modo de produção capitalista.

Para tais indivíduos, as teses liberais e a propriedade privada agem contra o progresso e são coisas da direita que chamam de maldita, pois, para eles, é ela quem sempre atua para impedir que se caminhe no sentido da igualdade entre os seres humanos.

É óbvio que, dentro dessa perspectiva, ser de esquerda é ser bom, e ser de direita é ser mau!

2) O inimigo interno da direita são todos os questionadores da ordem capitalista.

A direita é reduzida aos que impedem a inclusão social porque, segundo afirmam os esquerdistas, a ordem que aqueles da direita defendem tem uma elite econômica acumuladora das riquezas e uma classe de trabalhadores geradora delas, mas que é explorada e

2) Se a ordem capitalista estabelece uma elite acumuladora de riquezas que impede a igualdade, então o inimigo interno da esquerda só pode ser essa elite econômica.

Incluem também todos os que apresentem teses contrárias à implantação de um modo de produção socialista, os quais têm de ser conquistados ou eliminados.

incapaz de reagir, já que não tem organização, meios e recursos para exigir que seus direitos sejam estabelecidos.

Por essa razão, atribuem como estando no discurso da direita que os inimigos são todos os questionadores da ordem capitalista, de forma que, se assim é, em sua interpretação, os inimigos são aqueles que trabalham pela igualdade no meio social, ou trabalham para que ela se instale.

De forma mais direta, é construído um discurso pelo qual é dito que a direita considera como seu principal inimigo interno os movimentos sociais que buscam a ampliação dos direitos dos trabalhadores e a inclusão dos segmentos mais pobres. Em síntese, a sociedade civil.

O resultado imediato é que a esquerda que emergiu pela América Latina criminaliza os governos que não sejam de esquerda e com essa postura ainda consegue justificar suas pregações de que não há como dialogar com aqueles que são identificados como de direita, os quais, por sua vez, devem ser eliminados. Para a esquerda, eles são inimigos mortais e devem morrer!

É uma curiosa inversão do comportamento atribuído ao outro, trazendo para si o que eles dizem ser do lado oposto – ou seja, adotam uma postura de segregação, de violência e de

Em suas teses, o inimigo em cada país é a sua própria elite econômica, pois ela explora o seu povo e o faz para que possa manter o acúmulo de recursos produzidos socialmente.

É impossível o diálogo, da perspectiva dessa esquerda que ascendeu. Claro que, em cada país da região, houve estratégias e táticas distintas. Como dito antes, em lugares como a Venezuela e a Bolívia, a ação foi direta.

Em lugares como a Argentina e o Brasil, optou-se pela tomada de posições e em associação com grupos empresariais locais que olharam seus lucros, mas não a forma como estava sendo criado o espaço para que eles conseguissem obtê-los.

O tratamento desse inimigo se dá pela eliminação deles à medida que conseguem ganhar mais força. Ou seja, é uma ilusão para os empresários acharem que desejam um modelo intermediário, já que este será construído em alguns lugares apenas como um recurso para ganhar tempo, até haver poder suficiente e condições adequadas para aniquilarem as elites econômicas e o capitalismo.

Até o momento, isso não foi possível pela América Latina. As razões foram várias, mas os governantes da Venezuela tiveram esse objetivo como principal foco desde que Chávez assumiu o eliminação do diferente.

Além disso, justificam que a ordem legal pode ser rompida pelos movimentos sociais, pois, na ordem capitalista e liberal, estes são vistos como inimigos e são reprimidos, restando apenas a resposta violenta como caminho.

Não podemos esquecer ainda que, para a esquerda que assumiu os governos na região, toda violência será perdoada se for feita em nome dessa causa, afinal, os partidários do socialismo, do comunismo, representam o progresso, tanto quanto a inclusão dos excluídos.

O fato de os movimentos sociais serem usados por partidos, pelos políticos ou por governos é irrelevante e não invalida a guerra que deve ser travada contra aqueles que são identificados como sendo da direita.

poder e o bolivarianismo começou a se instalar.

3) Na interpretação da cartilha, o inimigo externo da direita são os outros países, os outros Estados, pois os países lutam entre si para adquirir mais poder na ordem mundial e assim ganhar mais recursos que serão usados no desenvolvimento da economia capitalista desses países, individualmente.

Conforme afirmam, é por essa razão que os Estados com governos liberais e economia capitalista trabalham tanto

3) Para a esquerda, o inimigo externo não são os países, já que estes são constituídos de sociedades nas quais, onde houver modo de produção capitalista, haverá exploração, mesmo no caso dos mais desenvolvidos. Sendo assim, o inimigo externo só podem ser as elites desses países, que atuam em associação com as elites locais dos demais lugares para realizarem a exploração dos "trabalhadores".

pelo fortalecimento militar e pela segurança nacional.

Essa esquerda emergente se apropriou da ideia de que as relações internacionais estão além das relações entre Estados, algo correto, devemos reconhecer.

Além disso, se apropriou da constatação de que outros tipos de atores estavam surgindo nas relações internacionais do pós-Guerra Fria, outra coisa também certa, mas adotou a postura de que esses atores poderiam ser usados ideologicamente para estabelecer uma nova ordem política, econômica, social e mundial.

Isso é fácil de entender, pois os marxistas, ao raciocinarem sobre relações internacionais, sempre as colocaram em segunda linha em suas reflexões, já que o que lhes interessa é a realização da revolução ou a conquista de posições transitórias para acabar com o capitalismo.

Assim, sempre preferiram olhar para a sociedade e procurar nelas tudo o que pode contribuir para um processo revolucionário.

Ao dizerem que a direita elege como inimigo externo os países que afrontam a sua nação, o que fazem é reduzir a reflexão da direita, já que, pelo que declaram, com esses discursos as elites econômicas escondem a associação que

Deve-se lembrar que, em qualquer discurso das lideranças socialistas que ascenderam ao poder no final da década de 90 do século passado até este momento, sempre o inimigo a ser destruído foi a elite de um lugar, e não o país propriamente dito.

Mesmo quando se referem aos EUA como adversário mortal, o que pensam é no que chamam de "imperialistas", ou a "grande burguesia americana", ou a "elite de extrema direita americana" etc. Quando falam dos Estados Unidos, é a isso que se referem.

É simples entender, pois o que deve ser derrotado para a esquerda não é um povo, ou uma sociedade, mas a sua elite econômica e sua classe dirigente, já que ela é a mantenedora do modo de produção capitalista, o inimigo real que precisa ser extinto.

Esse discurso caiu muito bem para as lideranças de esquerda que assumiram o poder, pois serviu para mascarar as falhas políticas, institucionais, econômicas e administrativas internas dos governos que ascenderam.

Dessa forma, apontando uma entidade a ser derrotada no exterior, que se associava com uma entidade a ser derrotada no interior dos seus países (é o modelo da Teoria da Dependência aparecendo sempre), e falando de maneira fácil de entender para aqueles grupos existe entre as elites econômicas pelo mundo, bem como a exploração que realizam sobre cada povo.

Afirmam que mascaram essa exploração com a ideia de que o povo é homogêneo e todos trabalham pela grandeza de algo que supera os indivíduos, ou seja, trabalham pela grandeza da nação, e a nação, sendo forte e atuando como um corpo, fará com que todos do povo sejam beneficiados, incluindo a própria elite e os explorados, e é por essa razão que os mais ricos também sofrem quando a nação é afrontada ou invadida.

Isso foi uma maneira de rebaixar a reflexão sobre os inimigos externos da direita, mas produziu muitos resultados nas ações de aproximação entre líderes e intelectuais de esquerda pela região, criando fóruns e apostando na integração regional.

Para eles, os governantes conscientes dessa "realidade" conseguem trabalhar juntos, integrados e auxiliando um ao outro, mesmo que seja necessário agir contra seu próprio povo.

Chegam até a aceitar que empresas estatais de seu país sejam tomadas pelo governo de outros países, vide o caso da brasileira Petrobras na Bolívia, em 2006.

Afinal, os governos são apenas o reflexo de um tipo de exploração. E, por que estavam sendo atraídos no seu país, eles conseguem unir o povo para lhes dar apoio e permanecer no poder.

Esse comportamento de arranjar inimigo externo e interno para unir a população, que deve ser mobilizada constantemente para derrotar alguém, é um exemplo de retrocesso na democracia, pois é a negação da diferença, do diálogo e da busca da convergência – em síntese, da própria democracia.

Nesse sentido, eles transformam a política num ato de guerra entre pessoas diferentes, estabelecendo uma relação de amigos (para estes, tudo) e inimigos (para estes, nada).

Se usassem braçadeiras, certamente um observador desavisado pensaria que estamos na Itália ou na Alemanha da década de 30 do século XX, e "*Ave il Duce*", ou "*Sieg Heil*".

incrível que pareça, declaram que, com governantes de esquerda, a exploração será substituída pela cooperação. Essa é mais uma palavra de ordem que é sempre emitida, mas que não corresponde à realidade.

4) Segundo entendem, para a direita, a democracia se resume a um esboço de democracia política, e ela é apenas uma forma de manter a dominação dos trabalhadores pelos proprietários dos meios de produção.

Para eles, a direita não se preocupa com a democracia econômica (a distribuição de renda) e a democracia social (a inclusão dos demais segmentos da sociedade na partilha dos bens e na obtenção de direitos que devem ser dados a todos em igualdade de condições, como forma de impedir a segregação e gerar a igualdade).

No entanto, o que falam acerca da maneira como a direita entende a democracia decorre daquilo que a esquerda marxista define como sendo o Estado.

Para os marxistas, todo modelo de Estado não passa de uma ditadura de uma classe social sobre a outra, pois ele se constitui de um conjunto de instituições (ou seja, regras, logo, leis) que permitem aos governantes, que são de

4) A esquerda entende a democracia de outra forma, algo que é atingido plenamente apenas quando for extinta a divisão de classes sociais, já que se teria não apenas a democracia política, mas também a econômica e a social.

Pelo mesmo princípio de que todo modelo de Estado é uma ditadura de uma classe sobre a outra, admitem que **a transição para o futuro comunismo também terá de viver uma ditadura, mas será uma ditadura da classe trabalhadora sobre a classe dos proprietários dos meios de produção e, por ser a ditadura da maioria sobre a minoria, será mais democrática que a democracia liberal, além de, nas suas concepções, ser mais branda, ser menos violenta!** Acreditem! Eles dizem isso! Quando não dizem explicitamente, falam nos seus gabinetes e nas reuniões dentro do grupo! Para a tristeza de todos, também se acham no direito de falar isso em salas de aula.

uma classe específica, impor a vontade dessa classe sobre a outra com o objetivo de preservar um tipo de dominação, logo, um tipo de exploração de homens por outros homens.

Em sua cartilha, se assim é, então a democracia que a direita defende é a democracia dos burgueses, ou seja, dos proprietários dos meios de produção, dos empresários, para enganarem o trabalhador, colocando-o na condição de eleitor, mas reduzindo sua possibilidade de subir na vida, menos ainda de mudança na estrutura da sociedade.

Esse modelo de democracia, para os marxistas, é uma ditadura tão violenta quanto qualquer outra, já que funciona apenas para preservar a exploração, pois o poder político se concentra nas mãos dos ricos proprietários, que usam de todos os instrumentos do Estado, especialmente da polícia, para reprimir contestações e impedir alterações na ordem social. Interessante como não veem esse comportamento das forças de segurança na Venezuela!

Assim, a violência dessa forma de ditadura se espalha de muitas maneiras, indo desde a física, com a repressão, a fome e a pobreza a que são submetidos os trabalhadores, até a psicológica, por meio da segregação e de várias formas de colocar e preservar as classes

Primeiro porque, como dito, a massa trabalhadora corresponde ao grande percentual da sociedade; depois porque a ditadura será implantada usando da violência física, com repressão apenas contra a classe alta, que é uma minoria.

No entanto, para eles, a violência física, ao contrário da que ocorre na democracia burguesa, será apenas a dessa repressão limitada e transitória, e não a violência da fome e da pobreza aplicada contra o povo, devido a sua exploração por uma classe social.

Além disso, dizem que não existirá violência psicológica, pois haverá inclusão social e será extinta toda forma de segregação, já que se trabalha para superar a divisão da sociedade em classes sociais, algo que precisa das segregações existentes para manter a sociedade dividida entre ricos (muito poucos) e pobres (uma vasta maioria).

Isso é tão claro para eles que chegam a defender teses de que todas as relações sociais na ordem capitalista expressam a dominação do capital, ou seja, dos ricos, para estimular essa hierarquia entre os homens.

Para essa esquerda, a família, por exemplo, é ilustrativa dessa realidade, pois, segundo entendem, há um pai, detentor de poderes, e uma mãe, receptora de poderes, com relação de subordinação entre eles, pois a mulher se submete subalternas em condição de insignificância e inferioridade.

Eles dizem que isso se apresenta desde a simples condição de pobre em oposição a rico, até a de que há raças superiores e inferiores, ou gêneros que são inferiores um ao outro, mais especificamente, a mulher como sendo inferior ao homem.

De forma resumida, para essa esquerda marxista, a democracia liberal, ou seja, a chamada por eles de democracia burguesa, é uma democracia das classes altas para as classes altas, no entanto, é uma ditadura das classes altas sobre os trabalhadores, uma ditadura da minoria sobre a maioria.

Isso ocorre porque os ricos são poucos, e os pobres são o grande contingente de pessoas desprovidas de meios de se manter com igualdade e dignidade, bem como desprovidas de meios para tentar sair de sua condição de classe social.

Por essa razão, declaram que essa forma de democracia tem de ser superada, extinta e substituída por outro modelo de democracia.

Tal concepção explica também por que, quando eles participam da política em um país que tem o sistema da democracia liberal, os seus atos são feitos para miná-la ou extingui-la.

Lutam para tomarem o governo, ao homem, para ambos atuarem sobre os filhos e reproduzirem uma educação que tem como fim colocar esses filhos na estrutura produtiva capitalista, garantindo, assim, a exploração do homem sobre o homem.

Por isso, a família, com esse modelo, deveria ser dissolvida, acabando com as relações de subordinação e a hierarquia, substituindo-a por outro tipo de família, com igualdade plena entre os seus membros.

Mas, para que isso funcione, a tarefa da educação dos filhos terá de ser retirada dos pais e atribuída ao governo (dizem Estado, mas querem falar de governo), de forma que os filhos pertenceriam não mais ao grupo familiar – que estará sendo todo ele refeito na nova ordem –, mas ao Estado.

O exemplo da forma como precisam abordar o problema da família é uma das táticas a serem usadas para extinguir a ordem social construída pelos liberais, a chamada ordem burguesa.

Conforme declaram, esse modelo de família tradicional é apenas um dentre vários outros existentes, os quais devem ser impostos em substituição ao modelo de família que a sociedade liberal-democrática e capitalista tem, desde que todos esses outros modelos tenham como objetivo extinguir uma depois o Estado, depois todas as instituições, e trabalham para acabar com os partidos políticos, ou, no máximo, toleram-nos, mas desde que estejam dentro de um mesmo segmento, desde que sejam de esquerda – e esquerda, para eles, se resume a marxismo.

Afinal, o que desejam é a implantação da democracia socialista, ou democracias populares, como uma transição até que o comunismo seja implantado, momento em que não será mais necessária a existência do Estado. Nisso é que acreditam.

forma de dominação que eles dizem que a família tradicional cria e reproduz.

Até mesmo o incesto surge como tática, pois, se um filho ou filha passar a ver o pai e a mãe como parceiro sexual, então o verão como iguais, logo, recusarão a autoridade desses na recepção da cultura. Sendo assim, a cultura será transferida apenas pelo Estado, o único com autoridade para tanto. Convenhamos, não será estranho que, um dia, os historiadores chamem a isso apenas como uma doença mental desses profetas da nova família que ascenderam ao poder em determinado momento da história humana.

Na sua concepção, o modelo socialista contempla o que há de mais perfeito e o que há de mais próximo do que se quer como poder do povo, logo, como democracia.

Não é à toa que, para eles, nos países em que houve revolução, ou que conseguiram implantar um regime socialista e foi aplicado um governo do proletariado, deram o nome de democracia popular.

Nesses lugares, a organização e participação do povo ocorria e ocorre por intermédio de um partido, ou alguns poucos com a mesma configuração ou no mesmo espectro ideológico, que têm a função de formar os quadros administrativos para o Estado e para o governo e são o único canal, ou são os únicos canais, para as manifestações da sociedade, sabendo-se que um deles é sempre o majoritário. No caso de existirem alguns poucos, os mais inexpressivos apenas auxiliam o partido importante.

Apenas pelo partido a vontade do povo se organiza e apenas por intermédio dele os cargos governamentais do Estado podem ser preenchidos. Esses cargos, por sua vez, serão ocupados por eleições que definirão os nomes, mas tais nomes serão escolhidos apenas por esse partido.

Além disso, as funções de representação seriam estabelecidas também pela escolha popular, mas sempre dentro do que é definido por essa agremiação partidária.

Existem variações de lugar para lugar. Em alguns, pode ocorrer a situação em que são escolhidos os representantes locais para que esses ocupem cargos locais, mas, juntamente com esses cargos, eles recebem o direito de escolher os representantes regionais, e assim sucessivamente, até os cargos mais altos.

Em outros, pode-se observar a participação direta do povo na escolha dos cargos mais altos, porém, dentre nomes definidos pelo partido único, quando não apenas para confirmar um único nome apresentado.

O relevante nessa situação, independentemente do modelo que se esteja adotando, é que, para a implantação do regime político, do modelo de economia e organização da sociedade, a esquerda tem de se unificar para extinguir as representações da direita e trabalhar pela implantação de um partido único para exercer o governo, tomar o Estado, controlar todas as instituições, tutelar a sociedade e se sobrepor a ela.

Podemos concluir que, na realidade, essa é uma forma de ver a democracia em que ela fica reduzida à tirania da maioria ignorante e não questionadora do núcleo detentor do poder, que é exercido pela elite do proletariado. O cinismo disso tudo é que dizem fazê-lo pela causa, a qual justifica a adoção de qualquer bestialidade, vide a quantidade de mortes justificadas em nome do futuro!

Essas quatro oposições estão essencialmente dentro da visão de mundo que norteou e ainda norteia os discursos e projetos dessa esquerda que ascendeu ao poder neste final de século XX e início de século XXI.

Ao longo da América Latina, ela usou de estratégias e táticas diferentes, mas tentou aplicar os mesmos princípios e adotou a mesma fala. Dizer que foi uma cilada coletiva, comandada por reuniões entre os líderes e intelectuais da esquerda durante muito tempo, como o que se deu com o Foro de São Paulo, só traz mais destaque e dá mais força ao que foi feito, pois é quase tentar diminuir a própria derrota admitindo e inconscientemente exaltando a inteligência do outro. Ou seja, é quase alguém assumir, mas de forma acusatória, que perdeu porque o outro foi eficiente! Isso não é justificativa nem explicação, mas sim admissão de incompetência!

Como na década de 90 houve a emergência das sociedades civis, bem como da esquerda, em toda a região, com essas características e com esse discurso, na Venezuela também ocorreu o mesmo, com os mesmos parâmetros, mas com o diferencial que foi Hugo Chávez.

Ele produziu uma mistura de elementos vindos da história latino-americana, da luta política regional nos anos 60, das teses marxistas, do populismo e do caudilhismo regional, de sua história pessoal, da sua formação militar, e isso resultou em algo que muitos chamam de bolivarianismo, especialmente os esquerdistas, como se Simon Bolívar tivesse relação com o que Chávez e seu grupo apresentaram.

Chávez, por sua vez, tentou chamar essa mistura também de socialismo do século XXI, com a pretensão de propagandear que havia criado algo totalmente diferente. Mas, para um observador atento, esse bolo não passa de um conjunto de elementos do século passado, com nomes diferentes. É um monstro Frankenstein, com vários pedaços deformados de vários corpos mortos ou moribundos.

No entanto, tal doutrina, na realidade, só pode ser chamada de chavismo, pois ela se esgota nas ideias dele, que são carregadas de conceitos confusos, de imprecisão histórica e muita vontade política, e tais ideias só puderam ser implantadas pelas circunstâncias específicas da Venezuela, pelas características pessoais de Chávez, dentre elas a de ser militar, e pela sua ousadia.

O importante é que o chavismo, ou bolivarianismo, não pode ser explicado por definição teórica, ou conceitual, mas pelo que foi sendo criado no seu exercício ao longo dos anos em que houve a tomada de poder, e dos atos para garantir sua sobrevivência e a preservação do *status* alcançado.

Sendo assim, a melhor forma de entender o que é bolivarianismo se dá pela apresentação de alguns elementos da história venezuelana, algumas passagens da biografia de Chávez, pelo percurso político desde a sua ascensão ao poder, mas, principalmente, pela apresentação das instituições que foram criadas e pela forma como os bolivarianos trabalharam para impedir o desenvolvimento de uma economia livre e dinâmica.

Ou seja, o bolivarianismo é uma espécie de foto sequenciada de um sistema político (não chega a ser um filme, e tem erros de continuidade gigantescos) que foi se remendando em movimento, a cada momento, para tentar sobreviver aos arroubos tresloucados dos líderes que buscavam e dos que buscam sobreviver ao seu cargo, posto ou poder, e foram construindo um modelo econômico que ainda hoje está sendo implantado, embora esteja em sua fase final, porque gerou uma situação terminal, à beira da morte, algo que esclarece duas coisas:

primeiro, que **esses modelos não têm como triunfar**; segundo, que **a atuação política de Chávez e dos bolivarianos da Venezuela, na realidade, não passa de um exemplo excelente de como proceder para destruir um país**. O que está acontecendo agora, com Maduro e Guaidó, é apenas uma etapa de algo que ainda virá para trazer mais sangue ao prato vampírico do bolivarianismo.

Quando entendemos o que são as relações internacionais hoje, em se tratando da Venezuela de Chávez, os bolivarianos intuíram que um país cuja economia, queiram ou não, se reduzia ao petróleo, com um modelo econômico estatizante, e depois estatizado, e um sistema político com alma autoritária, não teria muito o que pretender em termos mundiais, então, algo deveria ser feito para inseri-lo na cadeia produtiva global.

Sua base política sempre foi a camada mais pobre da população, para a qual teve de deslocar recursos com políticas assistencialistas. Numa economia capitalista, contudo, tal postura é insustentável em longo prazo. Por essa razão, apostaram na extinção da inciativa privada e da oposição e concentraram forças nas empresas estatais e na expansão da estatização, focando a produção naquilo em que tinham capacidade, o petróleo, mas sem investir na diversificação do parque industrial, na modernização do que existia, nem na expansão da economia para setores diversos e agentes econômicos variados, pois, não podemos esquecer, afirmam-se socialistas, logo, odeiam o proprietário privado dos meios de produção.

O problema é que tal aposta isolaria a Venezuela, já que sua inserção na cadeia produtiva global seria mínima e, por isso, suscetível a confrontações diretas, bem como a uma quebra anunciada. Por tal razão é que ele investiu na integração regional, na qual um grupo integrado de países permitiria a complementariedade das economias e os suportes mútuos. Poderia usar da comunidade internacional, no caso, regionalizada, para lhe dar apoio em nome dos valores da inclusão social, sobre a qual ele e a esquerda continental tanto falam. E poderia tentar dominar as sociedades dos países da região com o amparo dos aliados governos desses Estados latino-americanos que caminhavam para a integração.

Chávez, de forma esperta, percebeu que poderia fornecer a solda política e ideológica para comandar a integração, orientar a comunidade internacional regionalizada e, assim, garantir o fornecimento de recursos a ele e à Venezuela, os quais, por sua vez, produziriam força suficiente para destruir a oposição política interna e manter sua base social, com o assistencialismo permanente, e com condições de manter servidores administrativos, em especial as Forças Armadas.

Não tinha como isso dar certo, exceto se toda a região seguisse sua cartilha e trabalhasse dentro do socialismo bolivariano, canalizando recursos para ele, mas tal modelo é algo destinado ao fracasso, pela sua própria organização interna e conceitual, bem como pela base econômica em que se apoia. Bastou ocorrer a queda no preço do barril de petróleo e ele não tinha mais condições de manter suas políticas, nem de preservar a remessa de dinheiro para os seus aliados pelo continente. Assim, todo o castelo de cartas começou a cair.

Foi uma aposta irresponsável, pela natureza do modelo econômico e do regime político estruturado. Hoje ficou totalmente claro que tais modelos tinham limites e o esgotamento viria. A questão que se apresenta é se a queda total será agora e quais serão as saídas para a Venezuela, que poderá viver um inferno ainda pior do que este que o messias do socialismo do século XXI criou, mesmo porque o líder que ele produziu para substituí-lo mostra deter as piores características para alguém que quer se apresentar como um dos apóstolos de Hugo Chávez; que se vê como uma pedra (Pedro) sobre a qual a igreja bolivariana está amparada. Bom... foi assim que o próprio Maduro um dia se definiu!

Neste momento, a única coisa que se sabe é que esse é um apostolado de sangue e sofrimento, e assim é que deveria ser o nome da igreja que eles criaram: **igreja bolivariana-chavista para o derramamento do sangue e para o sofrimento dos povos**! Graças a Deus, sua pregação pode estar chegando definitivamente ao fim, mas, a sociedade venezuelana ainda terá de caminhar e mergulhar bastante na lava que eles criaram para gerar o sofrimento do seu povo!

REFERÊNCIAS

JUSTIA. *Constitución de la República Bolivariana de Venezuela,* Capítulo III - De la Asamblea Nacional Constituyente. Venezuela, 2018. Disponível em <https://venezuela.justia.com/federales/constitucion-de-la-republica-bolivariana-de-venezuela/titulo-ix/capitulo-iii/>. Acessado em 08.04.2019.

CAMPOS, Jonatas. "Novas pesquisas eleitorais confirmam liderança de Chávez ne Venezuela. In *Opera Mundi* [UOL], 5 de ago de 2012. Disponível em <https://operamundi.uol.com.br/noticia/23483/novas-pesquisas-eleitorais-confirmam-lideranca-de-chavez-na-venezuela>. Acessado em 08.04.2019.

ANSA. "Chávez admite falhar de seu governo e promete mais eficiência". In *Folha de S.* Paulo, Mundo, 04/08/2012. Disponível em <https://www1.folha.uol.com.br/mundo/1132001-chavez-admite-falhas-de-seu-governo-e-promete-mais-eficiencia.shtml>. Acessado em 08.04.2019.

JN. "Hugo Chávez queira-se que a imprensa não divulga obras do Governo". In *Jornal de Notícias* (JN), Mundo, 05 de agosto de 2012. Disponível em <https://www.jn.pt/mundo/interior/hugo-chavez-queixa-se-que-a-imprensa-nao-divulga-obras-do-governo-2705749.html?id=2705749>. Acessado em 08.04.2019.

REUTERS. "Chávez entra em rede nacional de TV e tira opositor do ar", in *G1 – Mundo,* 17/09/2012. Disponível em <http://g1.globo.com/mundo/noticia/2012/09/chavez-entra-em-rede-nacional-de-tv-e-tira-opositor-do-ar-1.html>. Acessado em 08.04.2019.

REUTERS. "Chávez entra em rede nacional de TV e tira opositor do ar", in *G1 – Mundo,* 17/09/2012. Disponível em <http://g1.globo.com/mundo/

noticia/2012/09/chavez-entra-em-rede-nacional-de-tv-e-tira-opositor-do-ar-1.html>. Acessado em 08.04.2019.

NARANJO, Mario; ORE, Diego. “Denúncias de corrupção turvam campanha na Venezuela, in *O Globo – Mundo*, 13/09. Disponível em <https://oglobo.globo.com/mundo/denuncias-de-corrupcao-turvam-campanha-na-venezuela-6087877>. Acessado em 08.04.2019.

NARANJO, Mario; ORE, Diego. “Denúncias de corrupção turvam campanha na Venezuela, in *O Globo – Mundo*, 13/09. Disponível em <https://oglobo.globo.com/mundo/denuncias-de-corrupcao-turvam-campanha-na-venezuela-6087877>. Acessado em 08.04.2019.

PRESSE, France. “Capriles desafia Chávez para debate”, in *Globo.com Mundo*, 16 Set 2012. Disponível em <http://g1.globo.com/mundo/noticia/2012/09/capriles-desafia-chavez-para-debate.html>. Acessado em 08.04.2019.

EFE. “Enquete dá 14,7 pontos de vantagem a Chávez a 18 dias das eleições”, in *Terra – Mundo*, 19 Set 2012. Disponível em <http://noticias.terra.com.br/mundo/america-latina/enquete-da-147-pontos-de-vantagem-a-chavez-a-18-dias-das-eleicoes,2b2b9c01358da310VgnCLD200000bbcceb0aRCRD.html>. Acessado em 08.04.2019.

TERRA, “Perto das eleições, Venezuela distribui 1 milhão de livros sobre Chávez”, in *Terra – Mundo*, 22 Set 2012. Disponível em <http://noticias.terra.com.br/mundo/america-latina/perto-das-eleicoes-venezuela-distribui-1-milhao-de-livros-sobre-chavez,c2083d6ab696b310VgnCLD200000bbcceb0aRCRD.html>. Acessado em 08.04.2019.

TERRA. “Chávez e Capriles fazem advertências na reta final de campanha eleitora” in *Terra - Mundo*, s/d. Disponível em <http://noticias.terra.com.br/mundo/chavez-e-capriles-fazem-advertencias-na-reta-final-de-campanha-eleitoral,6738ca96d81ea310VgnCLD200000bbcceb0aRCRD.html>. Acessado em 08.04.2019.

AFP. “Capriles pede que Chávez ‘deixe de mentir’”, in *Band.com.br – Notícias*, 21/09/2012. Disponível em <https://noticias.band.uol.com.br/mundo/noticias/?id=100000535240>. Acessado em 08.04.2019.

AFP. "Chávez: oposição tem plano para 'cantar fraude' na eleição", in *Terra - América Latina*, 26 set 2012. Disponível em <http://noticias.terra.com.br/mundo/america-latina/chavez-oposicao-tem-plano-para-cantar-fraude-na-eleicao,75083d6ab696b310VgnCLD200000bbcceb0aRCRD.html>. Acessado em 08.04.2019.

AFP. "Chávez usa rede nacional de TV para bloquear Capriles", in *Terra – Mundo*, 25 de setembro de 2012. Disponível em <http://noticias.terra.com.br/mundo/noticias/0,,OI6180449-EI294,00-Chavez+usa+rede+nacional+para+bloquear+Capriles.html>. Acessado em 08.04.2019.

PRESSE, France. "Chávez acusa rival de obter recursos do narcotráfico na Venezuela", in *G1 – Mundo*, 01.12.2012. Disponível em <http://g1.globo.com/mundo/noticia/2012/10/venezuela-chavez-acusa-capriles-de-obter-recursos-do--narcotrafico.html>. Acessado em 08.04.2019.

AFP. "Venezuela alerta ONU para violência 'golpista' após vitória de Chávez", in *Terra – Mundo*, 1 out 2012. Disponível em <http://noticias.terra.com.br/mundo/venezuela-alerta-onu-para-violencia-golpista-apos-vitoria-de-chavez,374b9c01358da310VgnCLD200000bbcceb0aRCRD.html>. Acessado em 08.04.2019.

MARREIRO, Flávia. "Estudo diz que eleição na Venezuela é limpa, embora não justa", in *Folha de S. Paulo*, 01/10/2012. Disponível em <https://www1.folha.uol.com.br/mundo/2012/10/1161797-estudo-diz-que-eleicao-na-venezuela--e-limpa-embora-nao-justa.shtml>. Acessado em 08.04.2019.

AFP. "Eleição será antidemocrática na Venezuela, diz conselheiro eleitoral", in *G1 – Mundo*, 03/04/2013. Disponível em <http://g1.globo.com/mundo/hugo--chavez/noticia/2013/04/eleicao-sera-antidemocratica-na-venezuela-diz-conselheiro-eleitoral.html>. Acessado em 08.04.2019.

ARRAIS, Amauri. "Seguiremos o modelo brasileiro, diz candidato oposicionista na Venezuela", in *G1 – Mundo*, 06/10/2012. Disponível em <http://g1.globo.com/mundo/noticia/2012/10/seguiremos-o-modelo-brasileiro-diz-candidato--opositor-na-venezuela.html>. Acessado em 08.04.2019.

EXPRESSO. "Hugo Chávez volta a lutar contra o cancro", in *Expresso – Atualidade/Arquivo*, 09.12.2012. Disponível em <https://expresso.pt/actualidade/hugo-chavez-volta-a-lutar-contra-o-cancro=f772590>. Acessado em 08.04.2019.

CLARIN. "Chávez llegó a Cuba y y alo preparan para outra operación", in *Clarin – Mundo*, 11/12/2012. Disponível em <https://www.clarin.com/mundo/Chavez-llego-Cuba-preparan-operacion_0_B1nWkAhsD7x.html>. Acessado em 08.04.2019.

GIRALDI, Renata. "Estado de saúde de Chávez é agravado por infecção respiratória", in *Terra Mundo*, 12 dez 2012. Disponível em <https://www.terra.com.br/noticias/mundo/estado-de-saude-de-chavez-e-agravado-por-infeccao-respiratoria,a777f4ff6c7ab310VgnCLD2000000ec6eb0aRCRD.html>. Acessado em 08.04.2019.

BLASCO, Emili, J. "Hugo Chávezm em coma inducido", in *ABC Intenacional*, 02.01.2013. Disponível em <https://www.abc.es/internacional/20130101/abci-chavez-coma-inducido-201301011903.html>. Acessado em 08.04.2019.

R7. "Vice afirma que Chávez está consciente da complexidade de sua doença", in *R7 Saúde*, 23.01.2013. Disponível em <https://noticias.r7.com/saude/vice-afirma-que-chavez-esta-consciente-da-complexidade-de-sua-doenca-23012013>. Acessado em 08.04.2019.

REDAÇÃO. "Oposição venezuelana exige informações sobre Chávez", in *Exame – Mundo*, 29 dez 2012. Disponível em <https://exame.abril.com.br/mundo/oposicao-venezuelana-exige-informacoes-sobre-chavez/>. Acessado em 08.04.2019.

AGÊNCIA Estado. "Oposição venezuelana exige informações sobre Chávez", in *Estadão Internacional*, 29 dezembro de 2012. Disponível em <https://internacional.estadao.com.br/noticias/geral,oposicao-venezuelana-exige-informacoes-sobre-chavez,978812>. Acessado em 08.04.2019.

NOTICIAS24. "El chavismo jura lealtad a Chávez: 'No habrá fuerza capaz de dividirnos'", in *Noticias 24*, 27 de diciembre de 2012. Disponível em <https://www.noticias24.com/venezuela/noticia/143238/el-chavismo-jura-lealtad-a-chavez-no-habra-fuerza-capaz-de-dividirnos-hasta-lograr-la-victoria-definitiva/>. Acessado em 08.04.2019.

SCHARFENBERG, Ewald. "Militares são peça-chave numa transição venezuelana", in *O Globo – Mundo*, 31/12/2012. Disponível em <https://oglobo.globo.

com/mundo/militares-sao-peca-chave-numa-transicao-venezuelana-7169923>. Acessado em 08.04.2019.

BORGES, Gustavo. "De Caracas a Barinas: chavistas celebram retorno de presidente venezuelano", in *Opera Mundi*, 18 de fev de 2013. Disponível em <https://operamundi.uol.com.br/noticia/27259/de-caracas-a-barinas-chavistas-celebram--retorno-de-presidente-venezuelano>. Acessado em 08.04.2019.

SÁNCHEZ, Jesus. "Venezolanos celebran retorno del presidente Chávez", in *Informativo JBS – Internacionales*, 18 febrero, 2013. Disponível em <http://informativojbs.com/venezolanos-celebran-retorno-del-presidente-chavez/>. Acessado em 08.04.2019.

SOAREZ, Luis. "Venezuela celebra retorno de Hugo Chávez, in *Pragmatismo – Política* [América Latina], 18/feb/2013. Disponível em <http://www.pragmatismopolitico.com.br/2013/02/venezuela-celebra-retorno-de-hugo-chavez.html>. Acessado em 08.04.2019.

EFE. "Capriles dá boas-vindas a Chávez e diz esperar 'sensatez' do governo", in *G1 – Mundo*, 18/02/2013. Disponível em <http://g1.globo.com/mundo/noticia/2013/02/capriles-da-boas-vindas-chavez-e-diz-esperar-sensatez-do-governo.html>. Acessado em 08.04.2019.

UOL. "Hugo Chávez está morto, afirma diplomata panamenho", in *UOL Notícias Internacional*, 28/02/2013. Disponível em <https://noticias.uol.com.br/internacional/ultimas-noticias/2013/02/28/hugo-chavez-esta-morto-afirma-ex-embaixador-do-panama-na-oea.htm>. Acessado em 08.04.2019.

FELIPE, Leandra. "Chávez 'segue lutando pela vida', diz vice-presidente venezuelano", in *EBC Editorias Internacional*, 01/03/13. Disponível em <http://www.ebc.com.br/noticias/internacional/2013/03/chavez-segue-lutando-pela-vida-diz-vice-presidente-da-venezuela>. Acessado em 08.04.2019.

PÚBLICO. "Vice-Presidente da Venezuela diz que Chávez está 'a lutar pela sua vida'", in *Público América Latina*, 1 de março de 2013. Disponível em <https://www.publico.pt/2013/03/01/mundo/noticia/vicepresidente-diz-que-chavez-esta-a-lutar-pela-sua-vida-1586246>. Acessado em 08.04.2019.

REUTERS. "Opositor Capriles ironiza herdeiro de Chávez na Venezuela", in *G1 – Mundo*, 20.03.2013. Disponível em <http://g1.globo.com/mundo/hugo-chavez/noticia/2013/03/opositor-capriles-ironiza-herdeiro-de-chavez-na-venezuela.html>. Acessado em 08.04.2019.

PRESSE, France. "Capriles desafia Maduro a debate antes das eleições da Venezuela", in *G1 – Mundo*, 13/03/2013. Disponível em <http://g1.globo.com/mundo/hugo-chavez/noticia/2013/03/capriles-desafia-maduro-debate-antes-das-eleicoes-presidenciais.html>. Acessado em 08.04.2019.

AGÊNCIA France-Presse. "Ministro venezuelano assegura que Hugo Chávez 'se imolou pelo povo'", in *Correio Braziliense – Mundo*, 17/03/2013. Disponível em <https://www.correiobraziliense.com.br/app/noticia/mundo/2013/03/17/interna_mundo,355196/ministro-venezuelano-assegura-que-hugo-chavez-se-imolou-pelo-povo.shtml>. Acessado em 08.04.2019.

AFP. "Chávez deve ter influenciado dos céus eleição do Papa, diz Maduro", in *G1 – Mundo*, 13/03/2013. Disponível em <http://g1.globo.com/mundo/novo-papa-francisco/noticia/2013/03/chavez-deve-ter-influenciado-dos-ceus-eleicao-do-papa-diz-maduro.html>. Acessado em 08.04.2019.

CNE. "Divulgación Presidenciales 2013", in *CNE Poder Eletoral*, 14 de abril de 2013. Disponível em <http://resultados.cne.gob.ve/resultado_presidencial_2013/r/1/reg_000000.html>. Acessado em 08.04.2019.

PÚBLICO. "Maduro vence eleições, Capriles não reconhece resultado", in *Público – Mundo América*, 15 de abril de 2013. Disponível em <https://www.publico.pt/2013/04/15/mundo/noticia/maduro-vence-eleicoes-na-venezuela-por-1-mas-capriles-nao-reconhece-1591310>. Acessado em 08.04.2019.

R7. "Capriles pede formalmente recontagem dos votos na Venezuela", in *R7 – Internacional*, 17/04/2013. Disponível em <https://noticias.r7.com/internacional/capriles-pede-formalmente-recontagem-dos-votos-na-venezuela-17042013-1>. Acessado em 08.04.2019.

PRESSE, Agence France. "Maduro lanza em Venezuela plan nacional para el desarme de civiles", in *El Nuevo Herald*, 21 de septembre de 2014. Disponível em

<https://www.elnuevoherald.com/noticias/mundo/america-latina/venezuela-es/article2194708.html>. Acessado em 08.04.2019.

BBC Brasil. "Briga no Parlamento complica crise política na Venezuela", in Último Segundo – Internacional, 01/05/2013. Disponível em <https://ultimosegundo.ig.com.br/mundo/2013-05-01/briga-no-parlamento-complica-crise-politica-na-venezuela.html>. Acessado em 08.04.2019.

BBC Brasil. "Gravação que acusa militar de conspirar contra Maduro provoca caos na Venezuela", in Último Segundo BBC, 21/05/2013. Disponível em <https://ultimosegundo.ig.com.br/mundo/bbc/2013-05-21/gravacao-que-acusa-militar-de-conspirar-contra-maduro-provoca-caos-na-venezuela.html>. Acessado em 08.04.2019.

BBC Brasil. "Oposição perde espaço com mudanças em canal de TV na Venezuela", in Disponível em <https://ultimosegundo.ig.com.br/mundo/bbc/2013-05-28/oposicao-perde-espaco-com-mudancas-em-canal-de-tv-na-venezuela.html>. Acessado em 08.04.2019.

BBC Brasil. "Governo vê 'golpe elétrico' da oposição em apagão na Venezuela", in Último Segundo BBC, 04/09/2013. Disponível em <https://ultimosegundo.ig.com.br/mundo/bbc/2013-09-04/governo-ve-golpe-eletrico-da-oposicao-em-apagao-na-venezuela.html>. Acessado em 08.04.2019.

CONSTITUCIÓN, de la República Bolivariana de Venezuela. In *Red Hemisférica de Intercambio de Información para la Asistencia Mutua em Materia Penal y Extradición*. Disponível em <https://www.oas.org/juridico/mla/sp/ven/sp_ven-int-const.html>. Acessado em 08.04.2019.

CRISTINA, Lana. "Assembleia da Venezuela aprova lei que dá poderes para que Maduro governe sob a emissão de decretos", in *Agência Brasil – Empresa Brasil de Comuinicação,* internacional, 19/11/2013. Disponível em <http://memoria.ebc.com.br/agenciabrasil/noticia/2013-11-19/assembleia-da-venezuela-aprova-lei-que-da-poderes-para-que-maduro-governe-sob-emissao-de-decretos>. Acessado em 08.04.2019.

MARREIROS, Flávia. "Maduro comemora maioria dos votos em municipais na Venezuela", in *Folha de S. Paulo – Mundo,* 09/12/2013. Disponível em <https://

www1.folha.uol.com.br/mundo/2013/12/1382846-governo-venezuelano-celebra-resultado-de-eleicoes-municipais.shtml>. Acessado em 08.04.2019.

RAWLINS, Carlos Garcia. "Empresários da Venezuela impedidos de despedir funcionários até ao final de 2014", in *RTP Notícias – Mundo*, 07 Dez, 2013. Disponível em <http://www.rtp.pt/noticias/mundo/empresarios-da-venezuela-impedidos-de-despedir-funcionarios-ate-ao-final-de-2014_n701421>. Acessado em 08.04.2019.

CNE. "Resultados Electorales", in *CNE Poder Electoral*, s/d. Disponível em <http://www.cne.gov.ve/web/estadisticas/index_resultados_elecciones.php>. Acessado em 08.04.2019.

IG São Paulo. "Jornal: Juíza da Venezuela ordena prender opositor após protestos com 3 mortos", in Último Segundo – mundo, 13/02/2014. Disponível em <https://ultimosegundo.ig.com.br/mundo/2014-02-13/juiza-da-venezuela-ordena-prisao-de-opositor-apos-protestos-com-tres-mortos.html>. Acessado em 08.04.2019.

BBC Brasil. "Governo vê tentativa de golpe em protestos na Venezuela", in Último Segundo – Mundo, 18/02/2014. Disponível em <https://ultimosegundo.ig.com.br/mundo/2014-02-18/venezuela-governo-nao-ve-legitimidade-em-protestos-e-acusa-golpe.html>. Acessado em 08.04.2019.

IG São Paulo. "Líder da oposição Leopoldo López enfrenta acusações na Venezuela", in Último Segundo – Mundo, 20/02/2014. Disponível em <https://ultimosegundo.ig.com.br/mundo/2014-02-20/lider-da-oposicao-leopoldo-lopez-enfrenta-acusacoes-na-venezuela.html>. Acessado em 08.04.2019.

REUTERS. "Procuradora-geral da Venezuela vê excessos policiais contra protestos", in Último Segundo – Mundo, 23/03/2014. Disponível em <https://ultimosegundo.ig.com.br/mundo/2014-03-23/procuradora-geral-da-venezuela-ve-excessos-policiais-contra-protestos.html>. Acessado em 08.04.2019.

BBC Brasil. "Maduro justifica pressão contra oposição alegando golpe de Estado", in Último Segundo – Mundo, 27/03/2014. Disponível em <https://ultimosegundo.ig.com.br/mundo/2014-03-27/maduro-justifica-pressao-contra-oposicao-alegando-golpe-de-estado.html>. Acessado em 08.04.2019.

CALLE, La. "Meléndez: 'Jamás Aceptaremos um Gobierno Que no Surja Por la Vía Constitucional'", in *La Calle – Política*, 18 febrero, 2014. Disponível em <https://lacalle.com.ve/2014/02/18/melendez-jamas-aceptaremos-un-gobierno--que-no-surja-por-la-via-constitucional/>. Acessado em 08.04.2019.

SAIZ, Eva. "O Exército dos EUA alerta que a Venezuela avança para a catástrofe", in *El país – Internacional*. Washington, 13 mar 2014. Disponível em <https://brasil.elpais.com/brasil/2014/03/13/internacional/1394745930_595859.html>. Acessado em 08.04.2019.

BRESSER-PEREIRA, Luiz Carlos. "Análise: Crise econômica aumenta a chance de golpe", in *Folha de S. Paulo – Mundo*, 13/03/2014. Disponível em <https://www1.folha.uol.com.br/mundo/2014/03/1424644-analise-crise-economica-aumenta-a-chance-de-golpe.shtml>. Acessado em 08.04.2019.

IG São Paulo. "Venezuela acusa o líder da oposição, Leopoldo López, por quatro crimes", in Último Segundo – Mundo, 04/04;2014. Disponível em <https://ultimosegundo.ig.com.br/mundo/2014-04-04/venezuela-acusa-o-lider-da-oposicao-leopoldo-lopez-por-quatro-crimes.html>. Acessado em 08.04.2019.

INFOBAE. "Corina Machado aseguró que 'las protestas em Venezuela están lejos de extinguirse'", in *Infobae – Argentina*, 23 de mayo de 2014. Disponível em <https://www.infobae.com/2014/05/23/1567121-corina-machado-las-protestas-venezuela-no-se-acabaron/>. Acessado em 08.04.2019.

TELESUR HD. "Venezuela denunció ante OIT el plan de magnicidio contra Nicolás Maduro", in *Telesur HD – Mundo*, 31 mayo 2014. Disponível em <https://www.telesurtv.net/news/Venezuela-denuncio-ante-OIT-el-plan-de-magnicidio-contra-Nicolas-Maduro-20140531-0046.html>. Acessado em 08.04.2019.

ROMERO-CASTILLO, Evan. "Nicolás Maduro: el omnipresente magnicidio", in *DW – América Latina*, 25.02.2015. Disponível em <https://www.dw.com/es/nicol%C3%A1s-maduro-el-omnipresente-magnicidio/a-18278454>. Acessado em 08.04.2019.

AL MINUTO. "Nicolás Maduro pide cárcel para todos los implicados em el plan de Golpe de Estado", in *Alminuto.mx*, 2011. Disponível em <https://www.

alminuto.mx/2014/05/nicolas-maduro-pide-carcel-para-todos.html>. Acessado em 08.04.2019.

NOTIMEX. "Desistima diputado opositor denuncia de magnicidio contra Maduro", in *20 minutos,* 31.05.2014. Disponível em <https://www.20minutos.com.mx/noticia/b156840/desestima-diputado-opositor-denuncia-de-magnicidio-contra-maduro/>. Acessado em 08.04.2019.

EFE. "Líder estudantil venezolano disse que seguirán las protestas", in *La Prensa – Mundo,* 31 may 2014. Disponível em <https://www.prensa.com/mundo/Lider-estudiantil-venezolano-seguiran-protestas_0_3946855291.html>. Acessado em 08.04.2019.

EFE. "Líder estudantil venezolano disse que seguirán las protestas", in *La Prensa – Mundo,* 31 may 2014. Disponível em <https://www.prensa.com/mundo/Lider-estudiantil-venezolano-seguiran-protestas_0_3946855291.html>. Acessado em 08.04.2019.

EFE. "Líder estudantil venezolano disse que seguirán las protestas", in *La Prensa – Mundo,* 31 may 2014. Disponível em <https://www.prensa.com/mundo/Lider-estudiantil-venezolano-seguiran-protestas_0_3946855291.html>. Acessado em 08.04.2019.

ABC. "Claman apoyo de la OEA contra régimen de Maduro", in *ABC Color,* 31 de mayo de 2014. Disponível em <http://www.abc.com.py/edicion-impresa/politica/claman-apoyo-de-la-oea-contra-regimen-de-maduro-1250664.html>. Acessado em 08.04.2019.

EUROPA Press. "Maduro acusa a la MUD de condicionar el diálogo a la entrega de 'cargos' para sus miembros", in *Europa Press – Internacional,* 02/06/2014. Disponível em <https://www.europapress.es/internacional/noticia-maduro-acusa-mud-condicionar-dialogo-entrega-cargos-miembros-20140602232612.html>. Acessado em 08.04.2019.

TELESUR HD. "Nicolás Maduro promete erradicar la pobreza de Venezuela", in *Telesur HD – América Latina,* 31 junio 2014 Disponível em <https://www.telesurtv.net/news/Nicolas-Maduro-promete-erradicar-la-pobreza-de-Venezuela-20140607-0013.html>. Acessado em 08.04.2019.

AVN. "Presidente Maduro se reunirá este sábado con las UBCH mirandinas en Charallave", in *La Radio del Sur – Venezuela*, 07/06/2014. Disponível em <https://laradiodelsur.com.ve/presidente-maduro-se-reunira-este-sabado-con-las-ubch-mirandinas-en-charallave/>. Acessado em 08.04.2019.

REDACCIÓN Perú21. "Venezuela: Oposición exige renuncia de Nicolás Maduro y adelantar elecciones", in *Perú21*, 08/06/2014. Disponível em <https://peru21.pe/mundo/venezuela-oposicion-exige-renuncia-nicolas-maduro-adelantar-elecciones-163026>. Acessado em 08.04.2019.

ICN. "Venezuela: plantean Asamblea Nacional Constituyente para sacar a Maduro del poder", in *ICN Iberoamérica Central de Noticias – Sociedad*, 9 junio, 2014. Disponível em <https://www.icndiario.com/2014/06/09/venezuela-plantean-asamblea-nacional-constituyente-para-sacar-a-maduro-del-poder/>. Acessado em 08.04.2019.

NOTICIAS24. "Diosdado Cabello: 'Los que ahora critican a Maduro son los mismos que criticaron a Chávez", in *RedPress Prensa*, 09 Jun 2014. Disponível em <http://www.redpres.com/t10740-diosdado-cabello-los-que-ahora-critican-a-maduro-son-los-mismos-que-criticaron-a-chavez#sthash.JWLflWEu.dpbs>. Acessado em 08.04.2019.

EFE. "Inflación anualizada en Venezuela superó el 60% y Capriles responsabiliza a Maduro", in *Ev Houston*, 13 de junio, 2014. Disponível em <http://www.elvenezolanohouston.com/detalle-php-i-npapkq-inflacion-anualizada-en-venezuela-supero-el-60-y-capriles-responsabiliza-a-maduro/>. Acessado em 08.04.2019.

GIORDANI, Jorge. "Testimonio y responsabilidade ante la historia", in *Aporrea*, 18/06/2014. Disponível em <https://www.aporrea.org/ideologia/a190011.html>. Acessado em 08.04.2019.

EL NACIONAL. "Maduro: 'No hay excusa para la trición de nadie al proyecto revolucionario'", in *El Nacional – Política*, 18 de junio de 2014. Disponível em <http://www.el-nacional.com/noticias/politica/maduro-hay-excusa-para-traicion-nadie-proyecto-revolucionario_110229>. Acessado em 08.04.2019.

SOUSA, Desirre. "Oficialistas aseguraron que el chavismo está abierto al 'debate de ideias'", in *Lo Último – Venezuela*, 19 junio, 2014. Disponível em <https://

runrun.es/nacional/venezuela-2/131758/oficialistas-aseguraron-que-el-chavismo-esta-abierto-al-debate-de-ideas/>. Acessado em 08.04.2019.

APORREA. "Carta aberta dirigida al presidente obrero Nicolás Maduro Moros", in *Aporres.org*, 19/06/2014. Disponível em <https://www.aporrea.org/poderpopular/n253011.html>. Acessado em 08.04.2019.

INFOBAE. "El chavismo inspeccionó más de 4.000 empresas como parte de la 'ofensiva económica'", in *Infobae – América*, 22 de junio de 2014. Disponível em <https://www.infobae.com/2014/06/22/1575000-el-chavismo-inspecciono-mas--4000-empresas-como-parte-la-ofensiva-economica/>. Acessado em 08.04.2019.

DOLAR Today. "!HABLANDO CLARO! Luis Vicente León: La crisis económica es culpa de Nicolás Maduro", in *DolarToday*, jun, 22 2014. Disponível em <https://dolartoday.com/hablando-claro-luis-vicente-leon-la-crisis-economica--es-culpa-de-nicolas-maduro/>. Acessado em 08.04.2019.

DOLAR Today. "!HABLANDO CLARO! Luis Vicente León: La crisis económica es culpa de Nicolás Maduro", in *DolarToday*, jun, 22 2014. Disponível em <https://dolartoday.com/hablando-claro-luis-vicente-leon-la-crisis-economica--es-culpa-de-nicolas-maduro/>. Acessado em 08.04.2019.

REUTERS. "Partido de presidente da Venezuela suspende dirigente por críticas ao governo", in Último Segundo – Mundo, 26/06/2014. Disponível em <https://ultimosegundo.ig.com.br/mundo/2014-06-26/partido-de-presidente-da-venezuela-suspende-dirigente-por-criticas-ao-governo.html>. Acessado em 08.04.2019.

CASTILLO, Paramaconi. "Conspirar para cambiar violentam ente la Constituición", in *Aporrea.org*, 26.06.2014. Disponível em <https://www.aporrea.org/oposicion/a248210.html>. Acessado em 08.04.2019.

MARURADAS. "!SE DESATÓ EL DICTADOR! Maduro amenazó com 'cortar cabezas' en el chavismo", in *Maduradas*, 11 Julio, 2014. Disponível em <https://maduradas.com/se-desato-el-dictador-maduro-amenazo-con-cortar-cabezas-en--el-chavismo/>. Acessado em 08.04.2019.

HINTERLACES. "Schémel: Maduro tiene el único liderazgo visible del país (Video)", in *Hinterlaces – Análisis Situacional*, 28 julio, 2014. Disponível em

<http://hinterlaces.com/schemel-maduro-tiene-el-unico-liderazgo-visible-del--pais/>. Acessado em 08.04.2019.

REUTERS. "Pesquisa aponta leve vantagem de Chávez na Venezuela", in *G1 – Mundo*, 27/06/2012. Disponível em <http://g1.globo.com/mundo/noticia/2012/06/pesquisa-aponta-leve-vantagem-de-chavez-na-venezuela.html>. Acessado em 08.04.2019.

EFE. "maduro dice que el 'pajarito' se apareció y le dijo: Chávez 'está feliz'", in *La República – Política*, 28 de julio de 2014. Disponível em <https://www.larepublica.ec/blog/politica/2014/07/28/maduro-dice-que-el-pajarito-se-aparecio-y-le-dijo-chavez-esta-feliz/>. Acessado em 08.04.2019.

Disponível em <https://www.correodelorinoco.gob.ve/bcv-informoque-inflacion-acumulada-2014-llego-a-39>. Acessado em 08.04.2019.

EFE. "maduro dice que el 'pajarito' se apareció y le dijo: Chávez 'está feliz'", in *La República – Política*, 28 de julio de 2014. Disponível em <https://www.larepublica.ec/blog/politica/2014/07/28/maduro-dice-que-el-pajarito-se-aparecio-y-le-dijo-chavez-esta-feliz/>. Acessado em 08.04.2019.

EFE. "Maduro llama a los trabajadores a tomar las empresas que hagan 'guerra económica'", in *ElDiario.es – Economia*, 10/08/2014. Disponível em <https://www.eldiario.es/economia/Maduro-trabajadores-empresas-guerra-economica_0_290820916.html>. Acessado em 08.04.2019.

VINOGRADOFF, Ludmila. "La vida de lujo y los despilfarros de Maduro y las hijas de Cháves", in *ABC Internacional*, 16/08/2014. Disponível em <https://www.abc.es/internacional/20140816/abci-lujos-despilfarros-maduro-chavez-201408152052.html>. Acessado em 08.04.2019.

MONITOREO Ciudadano. "Caden-ó-metro: Contador de horas de Nicolás Maduro en Cadena Nacional de Radio y Televisión en Venezuela", in *Monitoreo Ciudadano / Centro de Investigación de la Comunicación (CIC-UCAB)*, 2013-2018. Disponível em <http://monitoreociudadano.org/cadenometro/>. Acessado em 08.04.2019.

ÚLTIMA Hora. "Cadenas nacionales de Maduro costaron USD 240 millones", in *UltimaHora,* 17 de agosto de 2014. Disponível em <https://www.ultimahora.com/cadenas-nacionales-maduro-costaron-usd-240-millones-n821422.html>. Acessado em 08.04.2019.

EL NACIONAL. "Cadenas de Maduro este año costaron más de Bs 1,5 millardos", in *El Nacional,* 17 de agosto de 2014. Disponível em <http://www.el-nacional.com/noticias/politica/cadenas-maduro-este-ano-costaron-mas-millardos_114092>. Acessado em 08.04.2019.

VILLASENIN, Lucas. "Venezuela debate el precio de la gasolina", in *Alba TV – Canal em movimento.* Venezuela, 1 de septiembre de 2014. Disponível em <http://www.albatv.org/Venezuela-debate-el-precio-de-la.html>. Acessado em 08.04.2019.

INFOBAE. "Venezuela perdió un cuarto del valor de sus reservas em oro", in *Informe 21.com,* 16/08/2014. Disponível em <https://informe21.com/economia/infobae-venezuela-perdio-un-cuarto-del-valor-de-sus-reservas-en-oro>. Acessado em 08.04.2019.

ATODOMOMENTO. "Sectores más bajos del país desaprueban gestión de Nicolás Maduro", in *Atodomomento.com,* 18/08/2014. Disponível em <http://atodomomento.com/sectores-mas-bajos-del-pais-desaprueban-gestion-de-nicolas-maduro/>. Acessado em 08.04.2019.

YVKE MUNDIAL. "Evaluación positiva del desempeño del presidente Maduro incremento a 60%", in *Ministério del Poder Popular para Relaciones Exteriores,* Gobierno Bolivariano de Venezuela, 25 de agosto de 2014. Disponível em <http://embavenez.by/es/noticias/1508-hinterlaces-evaluacion-positiva-del-desempeno-del-presidente-maduro-incremento-a-60>. Acessado em 08.04.2019.

YVKE MUNDIAL. "Evaluación positiva del desempeño del presidente Maduro incremento a 60%", in *Ministério del Poder Popular para Relaciones Exteriores,* Gobierno Bolivariano de Venezuela, 25 de agosto de 2014. Disponível em <http://embavenez.by/es/noticias/1508-hinterlaces-evaluacion-positiva-del-desempeno-del-presidente-maduro-incremento-a-60>. Acessado em 08.04.2019.

INFOBAE. "El desplome de su popularidade obliga a Maduro a rediseñar su estrategia", in *Infobae,* 14 de septiembre de 2014. Disponível em <https://

www.infobae.com/2014/09/14/1594728-el-desplome-su-popularidad-obliga--maduro-redisenar-su-estrategia/>. Acessado em 08.04.2019.

ZEA, Sendai. "Banco Central de Venezuela admite histórica inflación", in *Panam Post – Notícias y Análisis de Las Américas*, Sep 15, 2014. Disponível em <https://es.panampost.com/sendai-zea/2014/09/15/banco-central-de-venezuela-admite--historica-inflacion/>. Acessado em 08.04.2019.

STAFF. "Gobierno venezoelano confiscará todos los bienes de sancionados por delitos económicos", in *Panam Post – Notícias y Análisis de Las Américas*, Ene 1, 2015. Disponível em <https://es.panampost.com/panam-staff/2014/09/15/gobierno-venezolano-confiscara-todos-los-bienes-de-sancionados-por-delitos-e-conomicos/>. Acessado em 08.04.2019.

EFE. "Nicolás Maduro dice que derecha pretendía iniciar guerra bacteriológica", in *El Espectador – El Mundo*, 18 Sep 2014. Disponível em <https://www.elespectador.com/noticias/elmundo/nicolas-maduro-dice-derecha-pretendia-iniciar--guerra-ba-articulo-517516>. Acessado em 08.04.2019.

EFE. "Maduro dice hay sospecha de que derecha pretendia iniciar guerra bacteriológica", in *Noticias Caracol – Mundo*, 18 de septiembre de 2014. Disponível em <https://noticias.caracoltv.com/mundo/maduro-dice-hay-sospecha-de-que--derecha-pretendia-iniciar-guerra-bacteriologica>. Acessado em 08.04.2019.

EFE. "Maduro afirma que levará 'verdade total' sobre a Venezuela à ONU", in *G1 – Mundo*, 24/09/2014. Disponível em <http://g1.globo.com/mundo/noticia/2014/09/maduro-afirma-que-levara-verdade-total-sobre-venezuela-onu.html>. Acessado em 08.04.2019.

AGÊNCIA France-Presse. "Maduro ataca as potências poluentes em reunião sobre clima da ONU", in *Correio Braziliense*, 23/09/2014. Disponível em <https://www.correiobraziliense.com.br/app/noticia/ciencia-e-saude/2014/09/23/interna_ciencia_saude,448426/maduro-ataca-as-potencias-poluentes-em-reuniao-sobre-clima-da-onu.shtml>. Acessado em 08.04.2019.

EXAME. "Maduro critica soluções capitalistas a problemas climáticos", in *Exame – Mundo*, 23 set 2014. Disponível em <https://exame.abril.com.br/mundo/maduro-critica-solucoes-capitalistas-a-problemas-climaticos/>. Acessado em 08.04.2019.

NCR. "Opositores denuncian altos gastos de Maduro en la ONU", in *Noticias RCN,* Septiembre 29 de 2014. Disponível em <https://noticias.canalrcn.com/internacional-america/opositores-denuncian-altos-gastos-maduro-onu>. Acessado em 08.04.2019.

VINOGRADOFF, Ludmila. "Maduro se gasta en Nueva York más que uma estrella de cine", in *ABC - Internacional,* 05/10/2014. Disponível em <https://www.abc.es/internacional/20141002/abci-maduro-gasta-nueva-york-201410011228.html>. Acessado em 08.04.2019.

DELGADO, Antonio Maria. "Maduro enfrenta un nuevo peligro, la caída de los precios del petróleo", in *El Nuevo Herald.* Disponível em <https://www.elnuevoherald.com/noticias/mundo/america-latina/venezuela-es/article2525201.html>. Acessado em 08.04.2019.

BRASIL, Agência. "Oposição pede a Maduro reabertura do diálogo político na Venezuela", in Último Segundo – Mundo, 14/10/2014. Disponível em <https://ultimosegundo.ig.com.br/mundo/2014-10-14/oposicao-pede-a-maduro-reabertura-do-dialogo-politico-na-venezuela.html>. Acessado em 08.04.2019.

REPÚBLICA Bolivariana de Venezuela. "Ley Orgánica de Precios Justos", In Graceta Oficial n. 40.340, 2 de enero de 2014, 12 p. Disponível em <http://www.ucv.ve/fileadmin/user_upload/cendes/Ley-Org%C3%A1nica-de-Precios-Justos.pdf>. Acessado em 08.04.2019.

ZONA FRANCAMX. "Opositor venezolano descarta voto castigo en comícios de 2015", in *Zona Franca*, 10 de novembre, 2014. Disponível em <https://zonafranca.mx/sin-categoria/opositor-venezolano-descarta-voto-castigo-en-comicios-de-2015>. Acessado em 08.04.2019.

REUTERS. "Maduro vaticina un 'voto de castigo' a la oposición em las elecciones parlamentarias de 2015", in *El Economista – Chile,* 8/11/2014. Disponível em <https://www.eleconomistaamerica.cl/politica-eAm-co/noticias/6227536/11/14/Venezuela-Maduro-vaticina-un-voto-de-castigo-a-la-oposicion-en-las-elecciones-parlamentarias-de-2015.html>. Acessado em 08.04.2019.

MHH. "Maduro busca infiltrados y traidores en el chavismo", in *Libertad Digital,* 2014-11-15. Disponível em <https://www.libertaddigital.com/internacional/

latinoamerica/2014-11-15/maduro-busca-infiltrados-y-traidores-dentro-del-chavismo-1276533537/>. Acessado em 08.04.2019.

VINOGRADOFF, Ludmila. "Maduro abre línea telefónica para delatar a 'traidores'", in *El Diario de Caracas,* 15/11/2014. Disponível em <https://diariodecaracas.com/politica/abc-maduro-abre-linea-telefonica-delatar-traidores-en-el-chavismo>. Acessado em 08.04.2019.

FIGUEIREDO, Janaína. "Crise econômica na Venezuela gera insatisfação na base governista", in *O Globo – Mundo,* 24/11/2014. Disponível em <https://oglobo.globo.com/mundo/crise-economica-na-venezuela-gera-insatisfacao-na-base-governista-14641581>. Acessado em 08.04.2019.

AGENCIAS. "Aprobación de Maduro cae e um 24,5% en noviembre", in *Radio Televisión Martí,* deciembre 02, 2014. Disponível em <https://www.radiotelevisionmarti.com/a/aprobacion-maduro-cae-24-noviembre/81370.html>. Acessado em 08.04.2019.

EFE. "Maduro reduce un 20% de 'gastos improtuctivos' tras caída precio del petróleo", in *La República,* 2 de diciembre de 2014. Disponível em <https://www.larepublica.ec/blog/politica/2014/12/02/maduro-reduce-gastos-improductivos-caida-precio-petroleo/>. Acessado em 08.04.2019.

BRASIL, Agência. "Venezuela prende cinco militares sob suspeita de envolvimento em golpe de Estado", in Último Segundo – Mundo, 13/02/2015. Disponível em <https://ultimosegundo.ig.com.br/mundo/2015-02-13/venezuela-prende-cinco-militares-sob-suspeita-de-envolvimento-em-golpe-de-estado.html>. Acessado em 08.04.2019.

JARDIM, Claudia. "Após sanções, Maduro pede poderes especiais para governar por decreto", in Último Segundo – Mundo, 11/03/2015. Disponível em <https://ultimosegundo.ig.com.br/mundo/2015-03-11/maduro-pede-poderes-especiais-para-governar-por-decreto.html>. Acessado em 08.04.2019.

HERALD, El Nuevo. "El chavismo opera red latino-americana de informantes", in *Informe 21.com,* 24/11/2014. Disponível em <https://informe21.com/el-nuevo-herald/nuevo-herald-el-chavismo-opera-red-latinoamericana-de-informantes>. Acessado em 08.04.2019.

RFI. “El Congreso norteamericano adopta sanciones contra altos funcionarios venezolanos”, in *Las Voces del Mundo – Américas,* 11-12.2014. Disponível em <http://es.rfi.fr/americas/20141211-el-congreso-norteamericano-adopta-sanciones-contra-altos-funcionarios-venezolanos>. Acessado em 08.04.2019.

REDACCIÓN. “Nicolás Maduro rechazó sanciones aprobadas por el Senado de EEUU”, in *Perú21,* 11/12/2014. Disponível em <https://peru21.pe/mundo/nicolas-maduro-rechazo-sanciones-aprobadas-senado-eeuu-200485>. Acessado em 08.04.2019.

EL UNIVERSAL. “Maduro exige ‘paz y respeto’ a EU”, in *El Mundo*, 10 de diciembre de 2014. Disponível em <http://archivo.eluniversal.com.mx/el-mundo/2014/impreso/maduro-exige-8220paz-y-respeto-8221-a-eu-89160.html>. Acessado em 08.04.2019.

MHH. “Maduro busca infiltrados y traidores en el chavismo”, in *Lidertad Digital*, 2014-11-15. Disponível em <https://www.libertaddigital.com/internacional/latinoamerica/2014-11-15/maduro-busca-infiltrados-y-traidores-dentro-del-chavismo-1276533537/>. Acessado em 08.04.2019.

PRESSE, France. “Legislativo aprova superpoderes a Maduro em primeira votação”, in *G1 – Mundo*, 11/03/2015. Disponível em <http://g1.globo.com/mundo/noticia/2015/03/legislativo-realiza-primeira-votacao-apos-maduro-pedir-superpoderes.html>. Acessado em 08.04.2019.

BBC. “O que significam os poderes especiais concedidos a Maduro?”, in *BBC News Brasil*, 16 de março 2015. Disponível em <https://www.bbc.com/portuguese/noticias/2015/03/150309_habilitante_maduro_venezuela_mdb>. Acessado em 08.04.2019.

CÓRDOBA, José; FORERO, Juan. “Funcionarios venezolanos, bajo sospecha de convertir el país en um centro global de la cocaína”, in *The Wall Street Journal*, May, 18, 2015. Disponível em <https://www.wsj.com/articles/funcionarios--venezolanos-bajo-sospecha-de-convertir-el-pais-en-un-centro-global-de-la-cocaina-1431979851>. Acessado em 08.04.2019.

CNN. "Leopoldo López levanta la huelga de hambre", in *CNN Español – Venezuela*, 23 Junio, 2015. Disponível em <https://cnnespanol.cnn.com/2015/06/23/leopoldo-lopez-levanta-la-huelga-de-hambre/>. Acessado em 08.04.2019.

BBC MUNDO. "Maduro acepta triunfo de la oposición en las elecciones parlamentarias: 'Esta es uma bofetada para despertar'", in *BBC News Mundo*, 7 diciembre 2015. Disponível em <https://www.bbc.com/mundo/noticias/2015/12/151207_venezuela_maduro_nicolas_parlamentarias_oposicion_derrota_amv>. Acessado em 08.04.2019.

G1. "Maduro retira poderes da Assembleia sobre o Banco Central antes de posse", in *G1 Mundo,* 05/01/2016. Disponível em <http://g1.globo.com/mundo/noticia/2016/01/maduro-retira-poderes-de-assembleia-sobre-o-banco-central-antes-de-posse.html>. Acessado em 08.04.2019.

BERMÚDEZ, Ángel. "Cómo el Tribunal Supremo de Venezuela le quita poder a la Asamblea Nacional controlada por la oposición", in *BBC News Mundo,* 3 marzo 2016. Disponível em <https://www.bbc.com/mundo/noticias/2016/03/160303_venezuela_tsj_asamblea_nacional_poderes_ab>. Acessado em 08.04.2019.

JUSTIA. *Constitución de la República Bolivariana de Venezuela,* Capítulo III - De la Asamblea Nacional Constituyente, Artículo 73. Venezuela, 2018. Disponível em <https://venezuela.justia.com/federales/constitucion-de-la-republica-bolivariana-de-venezuela/titulo-iii/capitulo-iv/#articulo-72>. Acessado em 08.04.2019.

LUSA. "Oposição debate Lei de Referendos para afastar Nicolás Maduro do poder", in *Mundo ao Minuto,* 10/03/16. Disponível em <http://www.noticiasaominuto.com/mundo/552971/oposicao-debate-lei-de-referendos-para-afastar-nicolas-maduro-do-poder?utm_source=rss-ultima-hora&utm_medium=rss&utm_campaign=rssfeed>. Acessado em 08.04.2019.

ESTADÃO Conteúdo. "Oposição da Venezuela rejeita decreto de 'emergência' e pede saída de Maduro", in Último Segundo, 18/05/2016. Disponível em <https://ultimosegundo.ig.com.br/mundo/2016-05-18/oposicao-da-venezuela-rejeita-decreto-de-emergencia-e-pede-saida-de-maduro.html>. Acessado em 08.04.2019.

ANSA. "Justiça venezuelana aceita estado de exceção e dá 'superpoderes' a Maduro", in Último Segundo – Mundo, 20/05/2016. Disponível em <https://ultimosegundo.

ig.com.br/mundo/2016-05-20/justica-venezuelana-aceita-estado-de-excecao-e--da-superpoderes-a-maduro.html>. Acessado em 08.04.2019.

AGÊNCIA Brasil. “Maduro ordena que funcionários opositores deixem seu governo”, in Último Segundo – Mundo, 23/08/2016. Disponível em <https://ultimosegundo.ig.com.br/mundo/2016-08-23/maduro-funcionarios-opositores--governo.html>. Acessado em 08.04.2019.

ESTADÃO Conteúdo. “Líder de oposição na Venezuela é preso mais uma vez”, in Último Segundo – Mundo, 27/08/2016. Disponível em <https://ultimosegundo.ig.com.br/mundo/2016-08-27/lider-de-oposicao-na-venezuela-e-preso-mais-uma-vez.html>. Acessado em 08.04.2019.

ESTADÃO Conteúdo. “Líder de oposição na Venezuela é preso mais uma vez”, in Último Segundo – Mundo, 27/08/2016. Disponível em <https://ultimosegundo.ig.com.br/mundo/2016-08-27/lider-de-oposicao-na-venezuela-e-preso-mais-uma-vez.html>. Acessado em 08.04.2019.

IG São Paulo. “Aprovação de declaração contra Maduro causa tumulto no Parlamento da Venezuela”, in Último Segundo – Mundo, 24/10/2016. Disponível em <https://ultimosegundo.ig.com.br/mundo/2016-10-24/venezuela-parlamento.html>. Acessado em 08.04.2019.

IG São Paulo. “Justiça da Venezuela anula sentença que vetava poderes do Congresso”, in Último Segundo – Mundo, 01/04/2017. Disponível em <https://ultimosegundo.ig.com.br/mundo/2017-04-01/venezuela.html>. Acessado em 08.04.2019.

FOLHA. “Venezuela adia eleições regionais pela 2ª vez para recadastrar partidos”, in *Folha de S. Paulo – Mundo,* 10/02/2017. Disponível em <https://www1.folha.uol.com.br/mundo/2017/02/1857757-venezuela-adia-eleicoes-regionais-pela-2-vez-para-recadastrar-partidos.shtml>. Acessado em 08.04.2019.

FOLHA. “Venezuela adia eleições regionais pela 2ª vez para recadastrar partidos”, in *Folha de S. Paulo – Mundo*, 10/02/2017 Disponível em <https://www1.folha.uol.com.br/paywall/signup.shtml?https://www1.folha.uol.com.br/mundo/2017/02/1857757-venezuela-adia-eleicoes-regionais-pela-2-vez-para-recadastrar-partidos.shtml>. Acessado em 08.04.2019.

IG. "Nicolás maduro convoca Assembleia Nacional Constituinte na Venezuela", in Último Segundo – Mundo, 01/05/2017. Disponível em <https://ultimosegundo.ig.com.br/mundo/2017-05-01/nicolas-maduro-venezuela.html>. Acessado em 08.04.2019.

IG São Paulo. "Militantes pró-Maduro atacam Assembleia Nacional e deixam deputados feridos", in Último Segundo – Mundo, 05/07/2017. Disponível em <https://ultimosegundo.ig.com.br/mundo/2017-07-05/venezuela-ataque-assembleia.html>. Acessado em 08.04.2019.

IG São Paulo. "Protestos na Venezuela acumulam mais de 100 mortos em quatro meses", in Último Segundo – Mundo, 21/07/2017. Disponível em <https://ultimosegundo.ig.com.br/mundo/2017-07-21/venezuela.html>. Acessado em 08.04.2019.

IG São Paulo. "Mesmo com rejeição, Assembleia Constituinte toma posse na Venezuela", in Último Segundo – Mundo, 04/08/2017. Disponível em <https://ultimosegundo.ig.com.br/mundo/2017-08-04/venezuela.html >. Acessado em 08.04.2019.

Livros para mudar o mundo. O seu mundo.

Para conhecer os nossos próximos lançamentos
e títulos disponíveis, acesse:

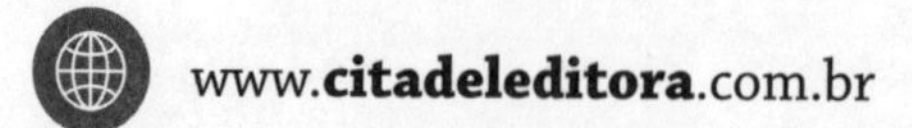
www.**citadeleditora**.com.br

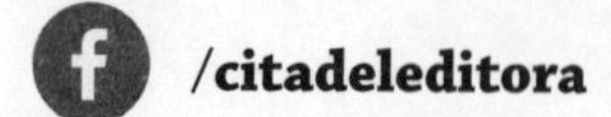
/citadeleditora

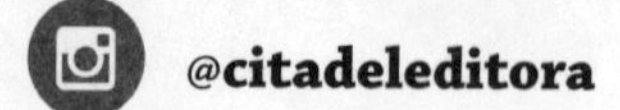
@citadeleditora

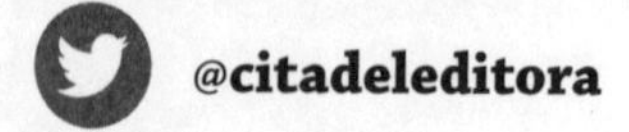
@citadeleditora

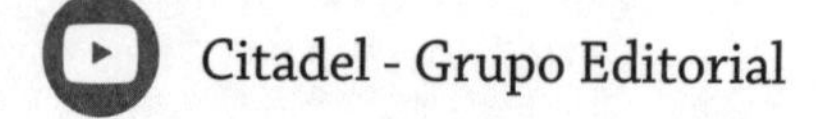
Citadel - Grupo Editorial

Para mais informações ou dúvidas sobre a obra, entre
em contato conosco pelo e-mail:

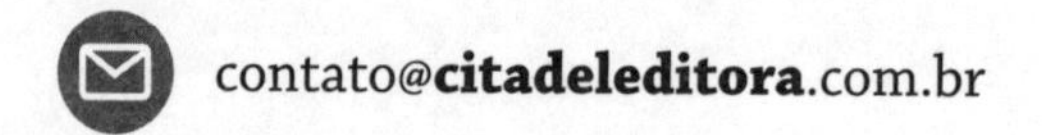
contato@**citadeleditora**.com.br